David Fernández

AYUSO

Zancadillas, intrigas y venganzas en la Corte de Madrid

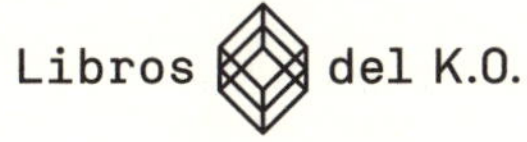

PRIMERA EDICIÓN: abril de 2026
SEGUNDA EDICIÓN: mayo de 2026

Calle San Bernardo 97-99, entresuelo 8
28015 Madrid

ISBN: 979-13-87839-32-1
DEPÓSITO LEGAL: M-8225-2026
THEMA: JPHL, JPZ
DISEÑO DE CUBIERTA: Alberto Miranda
INFOGRAFÍA: Yolanda Clemente
MAQUETACIÓN: María O'Shea
CORRECCIÓN: Melina Grinberg y Estela Gómez
IMPRESIÓN: Kadmos

El papel utilizado para la impresión de este libro ha sido fabricado a partir de madera procedente de bosques y plantaciones tratados con los más altos estándares de sostenibilidad, lo que garantiza una gestión de los recursos responsable con el medio ambiente y las personas.

IMPRESO EN ESPAÑA - PRINTED IN SPAIN

Las tipografías son League Gothic y Baskerville.

Índice

Para Jimena, porque sé que lo intenta.
Para Diana, porque siempre me sostiene cuando me caigo.
Para los amigos (ellos saben quiénes son) por su lealtad.

«La persona inteligente sabe que es inteligente. El malvado es consciente de que es un malvado. El incauto está penosamente imbuido del sentido de su propia candidez. Al contrario que todos estos personajes, el estúpido no sabe que es estúpido. Esto contribuye poderosamente a dar mayor fuerza, incidencia y eficacia a su acción devastadora».

Las leyes fundamentales de la estupidez humana, de Carlo M. Cipolla

Los nombres que rodean a Ayuso en el PP de Madrid

Isabel Díaz Ayuso ha formado durante años redes de relaciones con los cargos más importantes en el PP madrileño. Fue **diputada** con Esperanza Aguirre y **viceconsejera de Presidencia y Justicia** en el gobierno de Cristina Cifuentes.

Su mano derecha

Miguel Ángel Rodríguez

Su equipo de confianza

Alfonso Serrano

Ana Millán

Carlos Díaz-Pache

José Antonio Sánchez

Sus predecesores

Ángel Garrido

Marisa González

Rosalía Gonzalo

Cristina Cifuentes

Alberto Ruiz-Gallardón

Pablo Casado

Francisco Granados

José Luis Martínez-Almeida

Esperanza Aguirre

Regino García-Badell

Ignacio González

1. PANDILLERA Y CALLEJERA

Viernes 20 de abril de 2018. El PP gobierna ininterrumpidamente la Comunidad de Madrid desde hace 8324 días, nada más y nada menos que 23 años. Una desconocida para la opinión pública, llamada Isabel Díaz Ayuso, lleva siete meses como viceconsejera de Justicia en el Gobierno de Cristina Cifuentes, quien vive en esos momentos un calvario político y mediático por culpa del caso del Máster universitario. El ambiente dentro del Ejecutivo madrileño está tan crispado que nadie quiere atender la invitación que ha llegado del Ilustre Colegio de Abogados de Madrid para participar en su X Edición de Encuentros Internacionales, una cita donde se reunirán decenas de letrados de una treintena de países para intercambiar ideas y proyectos.

Cifuentes no quiere ir. Bastante tiene con lo suyo. El consejero del ramo, Ángel Garrido, tampoco. No quiere preguntas incómodas. El día anterior, jueves, el famoso máster había vuelto a monopolizar el Pleno en la Asamblea de Madrid. La presidenta, cansada e irritable, acusó a Ciudadanos de «podemizarse» ante la posibilidad de que los naranjas acabasen apoyando la moción de censura presentada por el PSOE, respaldada por los morados. Cifuentes se defiende como puede, a la desesperada. Ese mismo día anuncia que el Juzgado de Instrucción número 29 de Madrid había admitido a trámite su querella contra los dos periodistas de *eldiario.es* que descubrieron el caso que la tiene a punto de caer a la lona. Todo baja muy revuelto en el río de la política madrileña.

En este ambiente, el marrón del Colegio de Abogados le toca a la viceconsejera Ayuso. Es una orden. Tiene que ir. El evento se celebra en el Real Casino de Madrid, inaugurado en 1910 en la calle Alcalá, y famoso por su lujosa escalera de mármol decorada por esculturas que representan el mito de la historia de amor entre el dios Eros (Cupido) y la mortal Psique. Preside el acto el ministro de Justicia, Rafael Catalá. Ayuso llega a la cita acompañada por otros cargos de su consejería y observa que muchos de los presentes se paran en unas perchas situadas a la entrada, de donde descuelgan una toga de abogado que se colocan por encima de su vestimenta. Se trata de un protocolo para dar solemnidad al acto: la toga oculta bajo su uniformidad las desigualdades de la experiencia y reputación entre colegas, pues es la misma para el más veterano que para el más novel de los letrados. El ministro Catalá, licenciado en Derecho y colegiado número 79 097, se pone la suya. Ayuso, periodista de formación, no quiere desentonar, así que elige un modelo y se viste con una toga ante la incredulidad de los presentes. Uno de los miembros de la Junta de Gobierno del Colegio se le acerca discretamente para comentarle: «No sabía que era usted abogada, viceconsejera».

Ayuso se da cuenta de que ha metido la pata y se quita la toga. La anécdota, que se extiende inevitablemente, se convierte en la comidilla y el cachondeo de los presentes. «Lo del viernes fue bochornoso... hasta en el cóctel hubo comentarios... de que se pusiera la toga y se la quitara a tiempo», dejarán por escrito en un chat personalidades de la judicatura. Ayuso lleva pocos meses en el cargo y todavía no se ha ganado el respeto del clasista mundo judicial madrileño.

Hay voces dentro de la judicatura madrileña que opinan que el puesto le queda a Ayuso muy grande y no se explican cómo puede ocupar una viceconsejería de tanta responsabilidad. Su experiencia gestora es nula. Sus conocimientos en temas de justicia, escasos. Dos altos cargos de la Consejería de Justicia de esta época recuerdan su manera de ser «impulsiva, alocada e infantil, sin medir los tiempos en un mundo, el judicial, en el que priman las formas». Antes del episodio de la toga, ya le habían llamado la atención cuando en otro acto oficial llamó «chavales» a otros mandamases de la judicatura. O cuando le recomendaron que cambiara su foto de su perfil de WhatsApp porque aparecía en bikini de vivos colores. Desde Ciudadanos, que sustentaba al Ejecutivo de Cifuentes, recuerdan que cuando había que negociar mejoras con los sindicatos judiciales, la viceconsejera calificaba a los representantes de los trabajadores de «rojos» que solo querían «mariscadas».

Pero una de las virtudes de Ayuso es haber sido siempre una persona perseverante frente a las críticas, una superviviente que, con sus altibajos, ha sabido subir escalones poco a poco dentro del PP de Madrid, un ecosistema que ha dominado gracias al don (o suerte, según se mire) de acercarse a aquellos dirigentes con peso y mando en plaza, como Pablo Casado, Esperanza Aguirre y Cristina Cifuentes.

El incidente de la toga ocurrió en la primavera de 2018. Ocho años después, Isabel Díaz Ayuso es la 'reina' política y mediática de España y se ha consolidado como uno de los grandes activos del Partido Popular, por no decir el principal (con permiso de Alberto Núñez Feijóo). ¿Cómo ha llegado Ayuso a ser la nueva lideresa del PP con posibilidades, para muchos, de ser la primera mujer que asalte la Moncloa?

«He vivido como me ha dado la gana. En una ciudad libre. Donde rompes con tu pareja y no la vuelves a ver. Sin rendir cuentas. Sin pedir permiso. Me fui de casa con 22 años. Lo pasé mal. Y he hecho mi camino. He crecido despacio. Siendo durante muchos años una militante del PP de cuarta regional. Con tareas menores. Esperando algo más, una mayor responsabilidad. Dando cursos de digitalización a los militantes del PP por los pueblos en fin de semana sin cobrar un euro. Con mi cochecillo. Pero siendo libre»[1]. Dos veces menciona en este reportaje de *El País Semanal* la palabra «libertad», una de sus proclamas políticas más manidas, intentando definirse como una mujer hecha a sí misma, sin ataduras, preparada, que ha llegado donde ha llegado porque se lo merece. Sin nadie que la ayude. Destacando además que no le gusta pedir permiso y que tuvo paciencia durante muchos años para esperar su gran oportunidad dentro del partido. Los caminos a la gloria son inescrutables, y la construcción de los mitos está llena de falsedades.

Ayuso estudió Ciencias de la Información en la Universidad Complutense de Madrid. La orla en la que aparece su foto desvela que perteneció a la promoción 1997-2002, aunque no solicitó la expedición de su título hasta un año después, el 15 de julio de 2003. La página web oficial de la Comunidad de Madrid señala que también obtuvo en la *Complu* un Diploma de Estudios Avanzados (DEA), un título que se obtiene mediante la presentación y defensa ante un tribunal de una memoria docente e investigadora. «Hice Periodismo, el doctorado [los cursos previos] y la tesina [el DEA], pero no la tesis, porque quería al mejor profesor, para que me exigiera

[1] Jesús Rodríguez, «La 'fórmula Ayuso'», *El País Semanal*, 4 de julio de 2021.

mucho, y me exigió tanto que no pude», contaría en 2021 en una entrevista[2] muy cursi que concedió a María Teresa Campos. Ese profesor tan duro era el catedrático José Luis Dader, experto en comunicación política. La explicación de por qué no pudo escribir la tesis varía según el momento y el escenario: cuando la Complutense la nombró alumna ilustre en 2023, Ayuso enriqueció su relato sustituyendo el miedo a la exigencia por una dosis de sacrificio: «No pude hacer la tesis porque tenía que trabajar para pagarme una habitación. El precio de la independencia».

A finales de 2011 se apuntó a un programa de liderazgo impartido por el IESE Business School de la Universidad de Navarra, gestionada por el Opus Dei, bautizado «¿Cómo ganar las próximas elecciones? Dirección de campañas políticas». Allí coincidió con un joven Pedro Sánchez, también alumno del curso. En 2011, siendo ya diputada, Ayuso se inscribió de nuevo para intentar sacarse el doctorado en Periodismo por la Complutense. No lo conseguiría.

Del resto de su expediente académico[3] solo sabemos que se completa con un posgrado de «organización y gestión de la empresa informativa» en el curso 2003-2004, un curso de protocolo y un Máster en Comunicación Corporativa en el Instituto Séneca, un centro privado de puertas marrones destartaladas ubicado en un local de un edificio de la calle Siena. Decimos que se conoce poco de su expediente porque el Gobierno regional se ha opuesto a la petición de una ciudadana para que se haga público. El caso terminó en el Consejo de Transparencia, que falló a favor de la solicitante, pero el

[2] https://www.telecinco.es/la-campos-movil/a-la-carta/programa-completo_18_3104070263.html.

[3] José María Garrido y Rubén Rozas, «Este es el currículum académico de Ayuso: expediente 54174», *El Plural*, 18 de diciembre de 2023.

Ejecutivo autonómico, con Ayuso en el poder, ha recurrido esta decisión ante los tribunales.

En la Complutense, Ayuso no quiso ser una estudiante más. Enseguida se hizo notar. Le interesaban mucho los medios radiofónicos y en su primer curso, en 1997, realizó prácticas en la recién creada emisora de la Radio Complutense, que dependía del Instituto Universitario de la Comunicación Radiofónica. «Llegaba la primera y se iba la última», señala el profesor Manuel Fernández, que fue su coordinador. «De aquella época solo tengo buenos recuerdos de ella. Era bastante madura para su edad, era una persona abierta y sociable. Una estudiante activa y comprometida. No se la encasillaba ideológicamente». Sin embargo, Ayuso se apuntó a Altavoz, una asociación de alumnos vinculada a la derecha. «De ella recuerdo su timidez, su humildad, su carácter afable y su predisposición a ayudar y a participar en todos los saraos que organizábamos. Al cabo de poco tiempo y sin hacer ruido estaba metida en todos los jardines», afirma su excompañero Rubén Urosa[4], que la reclutó para Altavoz y que con el tiempo se convertiría en alto cargo en los gobiernos de Esperanza Aguirre y de Mariano Rajoy.

Raúl Camargo, exdiputado de Podemos en la Asamblea de Madrid, recuerda la rivalidad política que se vivía en la Complutense en esos años. «Ella estaba en Altavoz, una asociación de derechas y clientelar, por mucho que ella me dijera que no era de derechas porque su padre había votado a Izquierda Unida. Yo militaba en una asociación de izquierdas, George Orwell». Ayuso se presentó para ser elegida representante de los estudiantes en la Junta de su Facultad y en el Claustro, una especie de Parlamento de la Complutense. Como claustral fue una de las alumnas más votadas.

[4] Rubén Urosa, «En alta voz», *La Razón*, 11 de agosto de 2019.

En las prácticas de la universidad hizo sus pinitos, por ejemplo, en el departamento de producción de la emisora deportiva Radio Marca («era muy mala, mala malísima de solemnidad, dejé de ir por no estorbar», señalaría años después). Algunas viejas glorias de Radio Marca recuerdan que solo se conserva un corte de Ayuso saliendo en antena —en la carpeta «gazapos»— que dice: «El presidente del Real Madrid, Florentino Pénez».

Entre octubre de 2002 y junio de 2003 se fue a Dublín (Irlanda) para trabajar en la emisora Spin 1038FM, una cadena musical muy modesta. También pasó varios meses en Ecuador, donde escribió reportajes de turismo para una agencia de viajes. Allí firmaría otra de sus frases célebres, pues nada más aterrizar se enteró de que españoles y ecuatorianos «hablamos el mismo idioma[5]». En esa etapa de becas, prácticas y trabajos basura, afirma haber dado clases de inglés como monitora en la isla de Malta durante un verano, aunque todo el mundo que la conoce coincide en señalar que Ayuso no habla con fluidez esa lengua. «Nada me gustaría más que ser bilingüe», ha reconocido en alguna ocasión. En aquellos años de formación, Ayuso fue colaboradora de uno de los digitales más conservadores del panorama mediático nacional, fundado en el año 2000: *El Semanal Digital*, hoy rebautizado como *ESdiario*. Uno de sus dueños —llegó a tener el 84 % de la compañía[6]— era el polémico empresario José Luis Ulibarri, constructor y propietario de televisiones y periódicos en Castilla y León, que fue condenado a 18 meses de prisión en una de las piezas del caso Gürtel por los delitos de prevaricación, fraude a las

[5] «Lo que dijo Ayuso en su primera visita a Ecuador con 22 años: "¡Pero si hablamos el mismo idioma!"», Cadena Ser, 27 de marzo de 2024.

[6] Laura Cornejo, «José Luis Ulibarri, el aparejador que se hizo con un imperio mediático en Castilla y León», *eldiario.es*, 11 de agosto de 2018.

administraciones públicas, falsedad documental y un delito contra la Hacienda pública. El director de este medio era el periodista Antonio Martín Beaumont, que llegó a ser presidente nacional de Nuevas Generaciones de Alianza Popular. El propio digital cuenta en un artículo que contó entre sus filas «con una jovencísima periodista llamada Isabel Díaz Ayuso, que se fogueó en la sección de Última Hora»[7]. Este digital recibe importantes campañas de publicidad institucional por parte de la Comunidad de Madrid, por encima de otros muchos medios con más difusión y lectores. Entre 2021 y 2024, por ejemplo, recibiría 504 185 euros, más que *La Vanguardia* y *eldiario.es*[8].

En su currículo oficial de la Asamblea de Madrid se omite que trabajó para un programa emitido en Radio Intercontinental. Allí coincidió con el periodista y falangista autoproclamado Eduardo García Serrano. «Colaboraba en un programa de producción ajena, una especie de guía comercial que alquiló un par de horas de emisión en la Inter», explica García, que entonces era jefe de Informativos. «Me perseguía por los pasillos como un caniche para que yo le hablase de José Antonio Primo de Rivera. Tenía una rendida admiración por la Falange. Era muy insistente y agobiante con este tema. Todas las tardes venía a verme para que le recomendase lecturas. No sé si tenía el carné de Falange. Yo, por ejemplo, no lo tengo. Pero no hace falta tenerlo para sentir una admiración por este movimiento político», aclara.

Su vida laboral antes de que el PP nutriera sus cuentas corrientes no parecía muy boyante. Y aunque en un principio

[7] «De *El Semanal Digital* a *ESdiario*: 20 años de periodismo riguroso y comprometido», *ESdiario*, 14 de enero de 2021.

[8] https://plan-de-medios-comunidad-de-madrid-2021---2024-drav9mtm4drzdxy.streamlit.app/.

la joven Ayuso tendía a encaminarse hacia el periodismo, fue la política quien llamó a su puerta. Su amigo de la universidad, Rubén Urosa, la puso en contacto con la dirección de Nuevas Generaciones del distrito de Moncloa, que en esos momentos presumía de ser la facción juvenil del partido más activa y mejor organizada de la capital. El presidente en el distrito era entonces Álvaro Ballarín, otro superviviente de la política que habla maravillas de ella. «Tenía mucha fuerza, proyección y encanto personal. Con una fuerte carga ideológica liberal». Nadie sabe cuándo se afilió. «En la base de datos del distrito de Moncloa no aparece. Yo creo que se afilió directamente a Nuevas Generaciones y ellos llevaban un registro distinto», explica Ballarín. Antonio González Terol, expresidente de NNGG en Moncloa, cree que se afiliaría en torno a 2001 o 2002. «Lo que sí recuerdo es que afilié antes a Ayuso que a Casado». Fue en la agrupación de Moncloa donde Ayuso conocería a un joven Pablo Casado. Ambos congeniaron enseguida y fraguaron una muy buena amistad.

Como era periodista, a Ayuso le encargaron llevar la secretaría de comunicación de NNGG en Moncloa. Casado, por su parte, dirigía la revista que editaban los cachorros peperos monclovitas: *El nueve, mueve* (Moncloa es el distrito número 9 de la capital). El líder de NNGG en Moncloa, Antonio González Terol, promovía entonces que los jóvenes del partido, llamados a conseguir importantes metas en el futuro, ampliaran sus aptitudes aprendiendo telegenia y retórica. Todos tenían mucha ambición y ganas de despuntar. Y ahí es cuando empezaron a destacar dos jóvenes promesas: Pablo e Isabel.

Llegamos a 2005, un año de inflexión para los cachorros populares que iniciaban su andadura política. A finales de mayo, Esperanza Aguirre, que ya controlaba el PP de Madrid con mano de hierro, decidió que un joven abogado de 24 años, «el chaval de Palencia», fuera designado presidente de Nuevas Generaciones de Madrid. Casado, que se presentaba como «un rebelde con causa», ganó con el 77 % de los votos después de que Aguirre le recomendara informalizar su vestimenta y su peinado, «ya que iba mucho de asesor». Con Casado, la trayectoria de Ayuso empezó a despuntar. Su amigo Pablo le encargó la comunicación de NNGG en todo Madrid y apoyar a María San Gil en la campaña autonómica del País Vasco, donde el PP obtendría 15 escaños.

Casado no solo la metió de lleno en el partido, sino que la ayudó a encontrar trabajo. Él era ya asesor de Alfredo Prada, vicepresidente segundo y consejero de Justicia e Interior en el Gobierno autonómico de Esperanza Aguirre. Casado pensó que su amiga Isabel también podría encajar en el equipo de la consejería, y así se lo hizo saber a su jefe. «Yo siempre digo que fiché a Casado porque ya lo conocía, y que contraté a Ayuso porque me la recomendó Casado. La entrevisté y entró en el gabinete de prensa. Era simpática y voluntariosa», explica Prada para este libro.

Ayuso trabajó con Prada entre febrero de 2006 y julio de 2007. Tenía 28 años y, según afirma Prada, este fue su primer empleo profesional. De hecho, no se le conoce ningún desempeño en la empresa privada, aparte de sus prácticas universitarias en medios de comunicación. «Siempre me acuerdo de los jueves, que teníamos Consejo de Gobierno y la posterior comparecencia ante los medios de comunicación. Quedaba con Ayuso a las siete de la mañana para repasar los temas de prensa de ese día», explica. Sorprende que Prada prefiriera despachar esas importantes reuniones de los jueves con la júnior del gabinete antes que con su jefa de prensa. ¿Por qué? «No lo recuerdo, pero era así», asegura Prada. Isabel Bajo, exjefa de prensa de Prada no lo aclara, puesto que no ha querido hablar. «No quiero saber nada de aquella época».

La joven Ayuso también se implicó de lleno en Nuevas Generaciones. «Ya se usaban entonces los adjetivos de pandillera y callejera para definir los tejemanejes y actividades de los cachorros populares, los mismos calificativos que ahora usa Ayuso años después cuando se ha hecho con las riendas del partido en Madrid», señala un exmiembro de NNGG que la conoció bastante bien y que ahora trabaja en el sector privado. «Ella participaba en la puesta en escena de los actos que hacíamos». Actos en los que los *cachorros* populares querían hacerse notar.

Varios integrantes de NNGG de aquella época han confirmado que, en una reunión celebrada en la sede de Génova, Ayuso apostó por reventar la manifestación del Día del Trabajador del 1 de mayo haciendo desfilar a un cerdo vivo con los lomos pintados de proclamas antisindicales. El objetivo era soltarlo en la protesta con una especie de grasa adherida para que fuera más difícil atraparlo. «Era una locura y encarnaba muy bien su concepto de equipo de guerrilla que quería para NNGG. Logísticamente, era imposible de realizar. Meter un cerdo en un coche por el centro de Madrid…».

En marzo de 2007, Ayuso fue una de las promotoras del viaje que miembros de NNGG de Madrid hicieron a San Sebastián para concentrarse frente al Hospital Donostia, donde estaba ingresado el etarra Iñaki De Juana Chaos como consecuencia de la huelga de hambre que había comenzado semanas antes. La protesta estaba convocada contra la decisión del Gobierno de Zapatero de concederle la prisión atenuada. «Y allí fuimos cincuenta chavales desde la capital en un autobús mientras Ayuso ponía la canción "Delgadito", del grupo La Rabia del Milenio, para mofarse del estado de salud en el que estaba De

Juana Chaos», explica uno de los jóvenes que participó en ese viaje. El terrorista estuvo 115 días de huelga entre noviembre de 2006 y marzo de 2007 y filtró varias fotos sobre su delicado estado físico que fueron portada de varios medios.

En mayo de 2007 Aguirre volvió a ganar las elecciones en Madrid. Prada y la lideresa madrileña ya no se llevaban tan bien, y Ayuso sabía que debía cambiar de bando. Así pues, tras la victoria, abandonó el equipo de Prada para irse al gabinete de presidencia. «Tenía todas las virtudes para hacer carrera en el PP: ambiciosa, trabajadora, hacía muy bien *pasillos*, muy simpática y solícita», señala un miembro del equipo de Aguirre de esos años. «En aquella época había muchos *cachorros* del PP todo el rato cazcaleando», es decir, andando de un lado a otro fingiendo hacer algo útil, según explica otro colaborador de Aguirre.

Regino García-Badell, sobrino del expresidente del Gobierno franquista Carlos Arias Navarro y mano derecha de Aguirre, incorporó a «Isabelita» como asesora en agosto de 2007. ¿Qué hacía? «Los cerebros del gabinete eran Regino y Pedro del Corral, que eran quienes escribían los discursos de Aguirre y las cabezas pensantes. Ayuso ayudaba con la agenda, respondía cartas de ciudadanos y organizaciones (Aguirre tenía entonces el lema de "ninguna carta sin respuesta"), acompañaba en los actos, llevaba la carpeta de la presidenta…». Lo que surgiera. Una chica para todo. El propio Regino no recuerda quién se la recomendó. «Yo ya la conocía porque los dos éramos vecinos en la calle Viriato y a veces me la encontraba paseando el perro. Yo sabía que era una joven militante del PP y una chica muy lista».

Ayuso, sin embargo, nunca terminó de encajar en el equipo de Aguirre. El cargo le duró ocho meses. «En cierta medida

Ayuso fue una adelantada a su tiempo, sobre todo en temas de comunicación», explica un exconsejero «aguirrista» que solo tiene buenas palabras para ella. La joven ya empezaba a destacarse en la gestión de redes sociales, tan desconocida por entonces. «Presidencia era como un cementerio de elefantes. Ayuso quería despuntar, tenía ideas y tuvo algunos desencuentros». El malestar se produjo en ambas direcciones: «Los que mandan allí no querían a una asesora que a veces se pasaba de lista». La gota que colmó el vaso se resume con una anécdota bastante surrealista. Un día la joven «Isabelita» cogió el coche oficial de Regino sin permiso. Presidencia no se tomó bien ese arranque de libertad y la asesora fue cesada en marzo de 2008. Aguirre, que hoy tanto la admira y la defiende en todo escenario y circunstancia, no movió entonces un dedo para mantenerla en el puesto.

Pero el PP no abandona nunca a los suyos. Pablo Casado, ya diputado autonómico en la Asamblea de Madrid y todavía presidente de NNGG en la comunidad (sería reelegido en noviembre de 2008), habló con ciertas personas para que Ayuso pudiera cobrar un sueldo mientras trabaja gratuita y voluntariamente para el partido en la secretaría de comunicación. La colocaron en Madrid Network, una empresa con capital público que funciona como un ente de derecho privado, una forma jurídica que la exime de presentar cuentas en el Registro Mercantil y de someterse al escrutinio de los interventores públicos y del Parlamento madrileño. En el PP era normal entonces colocar en empresas públicas a los *cachorros* que no encontraban acomodo en el Ejecutivo. De cara a la galería estaban a sueldo de estas sociedades, pero las pisaban poco, porque curraban para el partido.

La periodista Elena G. Sevillano publicó en exclusiva que Ayuso estuvo trabajando para Madrid Network entre 2008 y 2011, percibiendo unas retribuciones de 4219 euros netos mensuales. «La verdad es que era un buen sueldo. La mayoría de los periodistas no lo tienen a esa edad. Cuando hice el reportaje algunos empleados de Madrid Network consultados me dijeron que no sabían que Ayuso había trabajado allí, y los que lo supieron, desconocían qué tareas realizaba», explica Sevillano[9]. Ayuso solo se ha pronunciado públicamente una vez sobre este capítulo de su vida laboral: ella hacía las notas de prensa y actualizaba su página web. Muchos años después, en 2025, el gobierno de Ayuso presentará un recurso ante el Tribunal Supremo para que no se hagan públicas las memorias de esta curiosa empresa, que dilapidó mucho dinero público en proyectos empresariales de manos privadas, muchas de ellas vinculadas al PP.

Mientras cobraba de Madrid Network, Ayuso ejercía como *fontanera* del partido, especializada en comunicación y redes sociales. Su primer tuit, por ejemplo, es del 4 de mayo de 2010: «Bueno, pues empiezo yo también. Que no se diga. Qué ganas tenía de disfrutar de mi propia cuenta». Entre sus primeros mensajes figuran también confesiones sobre su personalidad —«Estoy en pruebas y tengo más peligro que un mono con dos pistolas»—, y mantras que luego se convertirían en soflamas políticas cuando alcance el verdadero poder —«Sabes que las cañas madrileñas son imprescindibles en mi dieta»—. También le sirvió de altavoz para dar su opinión sobre cualquier tema, como los cambios impulsados por Zapatero en la ley antitabaco: «Tú no soportarás mi humo, pero yo no tengo por qué soportar a tus niños que para algo pago».

«Daba charlas sobre redes sociales y blogs en casi todas las sedes del PP de la comunidad de Madrid. En esa época a

[9] Elena G. Sevillano, «Los 4219 euros al mes de Díaz Ayuso en el chiringuito de Esperanza Aguirre», *El País*, 8 de agosto de 2019.

Isabel la conocía todo el mundo porque se pateaba todas las agrupaciones. Creo que no habrá un afiliado de Madrid al que no haya dado dos besos», señala un exmilitante del sur de la región que coincidió con ella en NNGG. «Yo siempre aposté por la comunicación digital. Elaboré manuales para los compañeros, pusimos responsables de redes sociales en cada sede, diseñamos webs, bases de datos, creamos una red de voluntarios. Creo que he hecho mucho por el PP de Madrid», señalaría en 2019 en una entrevista concedida al autor de este libro.

A finales de 2010, Ayuso se encargaba de la página web y de las redes sociales del PP madrileño, y se convirtió en la community manager oficiosa de Esperanza Aguirre. «Empieza a gestionar la cuenta de la presidenta, que se la había abierto otro compañero a finales de 2008. Ella ponía la mayoría de los tuits de Aguirre y a veces había que frenarla. Solo te diré que en esos años ya usábamos el término "ayusada" cuando a Isabel se le iba la mano», explica un periodista hoy ya desencantado de la política que formó parte del departamento de comunicación de la Comunidad de Madrid.

2010 fue, además, un año muy importante para Ayuso en el plano personal. El primer fin de semana de agosto se casó por la Iglesia, en un municipio de la sierra norte de Madrid, con Sergio Hernández de la Torre, jugador de golf de segunda fila y empresario. El matrimonio no duró mucho, y es el episodio de su vida del que menos le gusta hablar. «No fue una convivencia fácil. Ella decía que él nunca entendió la forma y el ritmo de vida que hay que llevar si uno se quiere dedicar a la política, y la relación no cuajó», señala una persona que estuvo en la boda y conoció al matrimonio. De hecho, Ayuso llegó a consultar con un abogado la posibilidad de obtener la nulidad eclesiástica de este matrimonio a través del Tribunal de la Rota.

Ayuso tendría su gran oportunidad para ostentar su primer cargo público en las elecciones autonómicas de 2011. Esperanza Aguirre siempre acudía los miércoles a la sede del PP de Madrid, en la primera planta de Génova, para tratar los temas del partido. «El resto de la semana había poca gente, pero los miércoles que iba la presidenta aquello parecía el transbordo de Avenida de América. Todo el mundo iba a hacer pasillo y méritos. Y allí siempre estaba Ayuso», señala una persona muy próxima a Aguirre.

En un principio Ayuso no iba a ir en la candidatura, pero Ignacio González, que supervisaba la lista electoral, la incluyó por recomendación de uno de sus colaboradores, quien hizo hincapié en el buen trabajo que estaba realizando la joven Isabel en el equipo de comunicación del PP de Madrid. Así que el partido la colocó en el número 74. No era un buen puesto. Y aunque Aguirre arrasara en los comicios con una mayoría absoluta de 72 diputados, la joven se quedó a las puertas de su asiento en la asamblea. Pero la suerte le sonreiría unas semanas más tarde. Madrid Network le pagó su último sueldo en junio de 2011 porque en julio, tras la renuncia de dos diputados electos, consiguió su acta de parlamentaria.

El PP de Madrid, por cierto, financió irregularmente esa campaña, ya que declaró oficialmente un gasto electoral de 2.9 millones de euros, cuando realmente *invirtió* 6.8 millones. Es lo que se llama ir *dopado* a unas elecciones. La Audiencia Nacional solo ha procesado a dos excargos del PP por aquel delito electoral en la modalidad de falseamiento de cuentas. Aguirre no está entre ellos porque, según las investigaciones judiciales, la persona más poderosa, influyente y temida del PP en Madrid durante una década, nunca se enteraba de nada.

Fue en esa campaña de mayo de 2011 cuando Ayuso tuvo la idea de crear una cuenta muy irreverente en Twitter con el nombre del perro de la presidenta, Pecas. «La idea fue suya, surgió en una reunión. "A que no hay huevos", le dijeron. "¿Que no?". Sacó el móvil y creó la cuenta. La idea era cojonuda. Porque Aguirre no podía decir determinadas cosas desde su cuenta institucional, pero desde esta podía rozar el gamberrismo —muchos de los tuits del can digital terminaban con un "guau"—. Por cierto, pobre Pecas, murió atropellado», rememora una fuente que vivió la creación de @soypecas.

Ayuso tenía iniciativa. El defenestrado Francisco Granados la puso como ejemplo de cómo medrar poco a poco en un partido como el PP. «En política hay que estar, es presencia, no digo que no haya que valer también, pero hay que estar ahí, acudir cuando te llaman, e Isabel ha ido a todo. ¿Hay que ir al País Vasco? Iba. ¿Hay que ponerse con las redes sociales? Se ponía. Poner carteles, movilizar afiliados. Eso es lo que más recuerdo de ella, y que se preocupaba de formarse ideológicamente. Luego hay un componente básico de oportunidad: hay que hacer de todo y que se den las circunstancias. Y con ella al final se dieron».

La iniciativa perruna le trasladó a uno de los ecosistemas que mejor controlaba: las redes sociales. Ayuso no se quedó en Pecas, sino que durante la campaña primaveral de 2011 también creó varias cuentas en Twitter para denostar al rival socialista de Esperanza Aguirre, Tomás Gómez. La nueva gurú digital del PP ideó @tomasodiparla (Gómez fue alcalde de Parla)[10], una cuenta parodia para meterse con el socialista y criticar su gestión. «Dejé Parla más tiesa que la mojama. Ahora, a por Madrid!!», rezaba uno de los tuits. En varias ocasiones, el perfil se refiere al dirigente con el

[10] Pedro Águeda y Elena Herrera, «Ayuso creó perfiles falsos para atacar a la izquierda en redes: "Tomasodiparla ya tiene cuenta en Twitter"», *eldiario.es*, 31 de marzo de 2023.

hashtag #contigoNObicho. Ayuso también puso en marcha la cuenta @contigozp para meterse con Zapatero. Quienes la conocen coinciden en señalar que Ayuso no tiene pelos en la lengua, «dispara lo primero que piensa». El sumario del caso Púnica sirvió para conocer el sentido del humor de la joven dirigente popular. En conversaciones grabadas por la Guardia Civil se recogen un par de chistes de la época con los que Ayuso se metía con los vecinos de las grandes ciudades del sur, donde tradicionalmente gobernaba la izquierda: «¿Cómo se dice macarra en italiano? Di Parla (…) ¿Y en griego? Demóstoles». Que no tenía pelos en la lengua lo atestigua otra anécdota cuando buscaba piso en el distrito de Chamberí. Su casera era una trabajadora de Telemadrid que descubrió con asombro que su nueva inquilina era una joven diputada autonómica. En su desparpajo habitual le llegó a decir, mientras negociaban el contrato de arrendamiento, que para ella sobraban muchos trabajadores en la tele pública (el traumático ERE de la cadena llegaría en 2012 con el despido de más de 800 personas).

Los meses pasaban y Ayuso se iba haciendo poco a poco un hueco en un PP de Madrid inmerso en uno de los periodos más convulsos de su historia. Dos años antes, en 2009, se había destapado el caso Espías, o *la gestapillo* (como la definió uno de los espiados); aunque el más acertado en su análisis fue Alfredo Pérez Rubalcaba, entonces ministro socialista de Interior, que la calificó simplemente como «una historia de Mortadelo y Filemón». Esperanza Aguirre siempre tuvo su teoría sobre lo que ocurrió. La presidenta madrileña tenía la certeza de que sus dos principales *generales* en el Gobierno, Ignacio González y Francisco Granados, se investigaron mutuamente. El tiempo y el tablero político les había hecho enemigos. Eso era un hecho.

El asunto llegó a los tribunales pero, como siempre pasa en estos casos, solo fueron juzgados actores secundarios. Lo único cierto es que Granados perdió su guerra particular con Ignacio González y tuvo que salir del Ejecutivo a finales de 2011.

En el otoño de 2013 se vivió otra guerra, esta vez para relevar a Casado al frente de Nuevas Generaciones de Madrid. El candidato oficial iba a ser Ángel Carromero, pero la dirección nacional lo vetó tras protagonizar un oscuro incidente en Cuba, con accidente de tráfico incluido, que acabó con la muerte del líder de la oposición cubana, Oswaldo Payá, y con Carromero en prisión. Casado apoyó entonces a Ana Pérez, su plan B. Una chica de buena familia que tenía la costumbre de definir como «rojos» a todos aquellos que no eran del partido.

Contra ella se enfrentó Antonio José Mesa, quien se hizo famoso por romper una foto de Luis Bárcenas en un debate en Génova ante la mirada incrédula de Esperanza Aguirre. Obviamente, ganó la candidata de Casado. «Nos hicieron todo tipo de jugarretas. Pusieron el congreso en casa de nuestra rival, Alcalá de Henares. ¿Se podía votar todo el día? No, solo de 16 a 17 horas. Un sábado en el que encima jugaban Real Madrid y Barcelona. Se negaron a poner una mesa electoral en la capital para que pudiesen votar más militantes», señala Fernando González Jaén, que iba en la candidatura de Antonio José Mesa. Su rival ganó con el 55.2 % de los votos.

Mientras, la actividad de Ayuso como diputada en la Asamblea de Madrid pasaba desapercibida. En la legislatura de 2011 a 2015, la joven diputada fue secretaria de la Comisión de Presidencia y Justicia, vocal de la Comisión de Educación y Empleo y portavoz de la Comisión de Control del Ente Público Radio Televisión Madrid. Puestos que permiten a los parlamentarios mejorar su salario base. Ayuso presentó 37 iniciativas: dos comparecencias y 35 preguntas orales.

Algunos de sus excompañeros parlamentarios recuerdan una de esas comparecencias en la comisión de Educación, en abril de 2014[11]. Los padres y madres de la Asociación Madrid con la Dislexia habían obtenido el respaldo de UPyD para que las universidades madrileñas adaptaran la prueba de Selectividad para los alumnos con dislexia diagnosticada. Ayuso no apoyó la iniciativa, asegurando que era un tema «bastante complejo. Sabiendo y teniendo claro que la dislexia no es una discapacidad, es difícil aclarar en qué momento es una falta de ortografía cometida por un alumno que tiene dislexia o simplemente es una falta de ortografía porque necesita mejorar, esforzarse y tener más conocimientos». Los padres presentes no podían creer lo que estaban oyendo. Tras finalizar la comisión, los representantes de la asociación le afearon a la diputada la falta de empatía con este tema, lo que provocó una precipitada excusa de Ayuso, quien les explicó que solo había leído lo que le habían preparado desde su grupo. «Yo la conocí en esa época. Y ya me llamó la atención porque desempeñaba muy bien el papel de víctima», recuerda un exparlamentario de la extinta UPyD. Donde sí puso interés y empatía fue en organizar un curso de Estrategias de Comunicación en la Universidad Rey Juan Carlos, que se impartió entre enero y junio de 2014. Cada alumno pagó 950 euros. El programa, basado en conferencias impartidas por políticos y periodistas, contó con la ayuda de Jorge Urosa, profesor y alto cargo de la universidad, además de hermano de Rubén, el excompañero universitario de Ayuso. La clausura corrió a cargo de Cristina Cifuentes, entonces delegada del Gobierno. El curso levantó suspicacias entre la cúpula del Ejecutivo presidido ya por Ignacio González (Aguirre había dimitido

[11] «Diario de sesiones de la Asamblea de Madrid», nº. 577, 2 de abril de 2014.

en septiembre de 2012 por problemas de salud), «porque un directivo de una importantísima empresa nos advirtió de que una joven diputada llamada Isabel Díaz Ayuso iba pidiendo financiación para su curso», señala un miembro de ese Gobierno. «No nos pareció correcto y se lo dijimos».

La sangre no llegó al río, y en septiembre de 2014 Ayuso volvía a hacer méritos en el partido cumpliendo las órdenes del entonces gerente del PP madrileño, Beltrán Gutiérrez. El popular, hoy procesado en Púnica en la pieza de presunta financiación irregular, mandó mediar a la joven en un asunto relacionado con Podemos.

La obtención de cinco diputados por parte del partido de Pablo Iglesias en las elecciones europeas de mayo de 2014 había agitado el tablero político español. La formación morada ya había anunciado que concurriría con su marca a las autonómicas y se integraría en Ahora Madrid para las municipales.

En un movimiento bastante infantil, el PP intentó anticiparse y registrar los dominios «Podemos Madrid» y «Ganemos Madrid» para fastidiar al rival político, como revelan unos mensajes de WhatsApp publicados por *eldiario.es*[12]. Beltrán Gutiérrez escribió al móvil de Ayuso el 6 de septiembre de 2014 con una clara instrucción: «Tenemos que registrar Podemos Madrid y Ganemos Madrid. A ver qué se puede hacer». Unos segundos después añade: «Orden de IGG», es decir, de Ignacio González González.

Ayuso contestaba a Beltrán Gutiérrez 25 minutos después que ya era demasiado tarde. «Hola. Están todos registrados, unos y otros». Y añadía en otro mensaje: «No por nosotros».

[12] Pedro Águeda, «Isabel Díaz Ayuso intentó registrar en internet el dominio "Podemos Madrid" en 2014 por orden de Ignacio González», *eldiario.es*, 6 de julio de 2021.

El gerente quería saber quién se les había adelantado. Ayuso obtuvo la respuesta en las bases de datos de acceso público. «Usan los mismos proveedores, aunque el *Who is* es privado y por tanto no se ve el comprador. Solo uno ha dejado algo quizá por error. Un tal Diego Pache Guijarro, que es de la organización [de Podemos]», escribe Ayuso, que llama «jefe» al gerente —la joven compaginaba su trabajo como diputada regional y como miembro del equipo de comunicación del PP de Madrid—.

En la misma conversación, Beltrán Gutiérrez le ofrecía a Ayuso ser ella quien informara directamente a Ignacio González de sus gestiones. Ayuso aceptaba agradecida la posibilidad de reportar al presidente madrileño. Años después, en una entrevista que concedió a *El Confidencial*, señalaría que «su relación con González nunca fue buena»[13]. Al diario *El País* le dijo que «no trataba con González, apenas tuve relación»[14].

Y ahí no mentía. Tras la marcha de Aguirre de la primera línea política, González se quedó al mando, pero nunca tuvo *feeling* con Ayuso. Para el presidente era una diputada más, una joven asesora del partido «sin muchas luces», explican desde el entorno del expresidente. Pero Ayuso quería destacar y, en cierta medida, tuvo la visión de apostar por las tertulias televisivas, hoy tan de moda. En aquellos años era difícil ver a jóvenes valores del PP foguearse en programas tan marginales como las tertulias de *Intereconomía* o las de *La Tuerka* de Pablo Iglesias. Sus intervenciones, por impredecibles, no siempre gustaron a los populares, razón por la cual el grupo parlamentario decidió apartarla de la comisión de Telemadrid antes de

[13] David Fernández, «Isabel Díaz Ayuso, el nuevo PP ya tiene a su 'Rafa Hernando': "La política es espectáculo"», *El Confidencial*, 6 de enero de 2019.
[14] Juan José Mateo y Aurora Intxausti, «"Quien tenga que pedir perdón por lo que ha hecho mal, que lo pida"», *El País*, 7 de abril de 2019.

que acabara la legislatura. Una especie de castigo. «Así se lo tomó ella. Nunca se lo perdonó a Ignacio González, ya que ella pensó que fue orden del presidente», señala un exmiembro del Gobierno madrileño.

Alberto Sotillos, sociólogo, experto en comunicación política y militante socialista, la conoció esos años en esas tertulias como la de *El gato al agua*. «Era muy guerrera, entraba a todos los trapos, en algunos momentos era dura y agresiva, mentando incluso en alguna ocasión a mi familia. Su motor era un odio a la izquierda. Le gustaba más el enfrentamiento y la confrontación que el debate», explica Sotillos, que cree que en esos años ya mostraba el perfil que luego explotaría mejor cuando llegó a la presidencia de la Comunidad de Madrid. «Era de mensajes de impacto y agresivos, antes que entrar en una reflexión profunda». Ayuso incluso se metía con el padre de Sotillos a través de la cuenta del perro Pecas. «¿Cuánto se lleva tu padre en el consejo de Administración de Telemadrid?», escribió.

En 2015 Ignacio González acabó defenestrado políticamente porque se habían publicado las primeras informaciones que lo vinculaban a un lujoso ático en Estepona (Málaga) y Mariano Rajoy no confiaba en él. Génova se vio en la necesidad de renovar las candidaturas para las elecciones municipales y autonómicas de ese año. Esperanza Aguirre, que había decidido volver al ruedo político, lucharía por la alcaldía de Madrid frente a Manuela Carmena, y una Cristina Cifuentes en alza optaría a la presidencia de la Comunidad. ¿Qué camino tomó entonces Ayuso? Había estado toda su vida política vinculada al aguirrismo: entre 2006 y 2008 como asesora, entre 2008 y 2011 trabajando para el partido y entre 2011 y 2015 como diputada en la Asamblea. «Pues muy sencillo. Aguirre no iba a llevarla en su lista al Ayuntamiento, donde encima había menos puestos en la candidatura y más codazos por entrar en ella», señala una persona del equipo de la expresidenta. «Y Ayuso vio su oportunidad»

Cifuentes venía de ser nombrada delegada del Gobierno en Madrid por Rajoy en enero de 2012. Allí empezó a entablar relación con Ayuso: «Iba mucho por la Delegación del Gobierno, sin pedir cita, a que Cifuentes la escuchara. Siempre tenía problemas personales o políticos que contar, quejándose de que no le hacían suficiente caso en el partido», explican fuentes del equipo de la expresidenta. Tres años después, cuando Cifuentes empezó a sonar con fuerza como candidata, Ayuso abrazó esa amistad para elegir el camino a escoger. «Con Aguirre aprendí mucho y disfruté de la comunicación política, pero quien me apoyó y me hizo crecer en mi carrera política fue Cifuentes», señalaría Ayuso después.

Fue la propia Cifuentes quien decidió que Ayuso fuera en su lista. A cambio, los «chicos de Ayuso», los jóvenes que llevaban redes sociales en el PP de Madrid, ayudaron a Cristina en campaña.

Cifuentes obtuvo 48 diputados, pero necesitó los 17 de Ciudadanos para gobernar. Aguirre también ganó los comicios en la capital, con 21 concejales, pero la suma de los 20 de Ahora Madrid y los 9 del PSOE le dieron la alcaldía a Manuela Carmena. Ayuso, ambiciosa, solicitó a Cifuentes que la hiciera consejera en el Gobierno y, si no era posible, que la nombrara su jefa de prensa.

No coló. Aquello no entraba entre los planes de Cifuentes, que pensó que Ayuso aún no estaba preparada para tener responsabilidades en su Gobierno. Sí la hizo, en cambio, portavoz de la Comisión de Control del Ente Público Radio Televisión Madrid y portavoz adjunta del grupo parlamentario, por detrás del portavoz Enrique Ossorio. Era un puesto importante. Muchos diputados con más experiencia se sintieron ninguneados por una joven diputada que les estaba adelantando por la derecha.

Con la llegada de Cifuentes al Ejecutivo, la aritmética parlamentaria cambió. El PP necesitaba a Ciudadanos para cualquier trámite. La formación naranja impuso un acuerdo de investidura que obligaba a realizar cambios en Telemadrid, *TeleEspe*, una televisión que hasta la fecha había estado al servicio de Esperanza Aguirre. En su flamante puesto, Ayuso negoció con sus socios una nueva ley que regularía la cadena pública (la anterior era de 1984), una ley que finalmente se aprobó el día antes de la Nochebuena de 2015 con los votos a favor del PP y Ciudadanos, y el rechazo de PSOE y Podemos[15].

«El PP se vio obligado a pactar porque para nosotros era una línea roja. No tenían ningún interés. Ayuso nos dijo varias veces que si fuera por ella y por su partido lo mejor sería echar la persiana a la tele pública», señalan fuentes de Ciudadanos presentes en esa negociación. «Pensaban así porque ya no tenían mayoría absoluta y, por tanto, el control de Telemadrid. No obstante, Ayuso se tomó la negociación muy en serio. En una de las reuniones acudió incluso enferma porque se había hecho un tratamiento en la cara que le dio reacción», cuenta como anécdota uno de los negociadores «naranjas», el exdiputado Ricardo Megías.

Entre los cambios de la nueva ley destacaba la composición del consejo de administración, que pasó de siete a nueve miembros: cinco de ellos elegidos por organizaciones profesionales y los cuatro restantes por los grupos de la Asamblea. En todos los casos serían nombrados por una mayoría del Parlamento de dos tercios. El consejo proponía al director general, que

[15] «Diario de sesiones de la Asamblea de Madrid», nº. 107, 23 de diciembre de 2015.

también era nombrado por dos tercios de la Asamblea. El Gobierno ya no podría elegir a un títere a sus órdenes. Necesitaría del acuerdo de una amplia mayoría. Además, aseguraba la independencia del director general al prolongar su mandato durante seis años, separándolo así de los cuatro del presidente autonómico.

En diciembre de 2015, Ayuso defendía la nueva ley: «[Telemadrid] ha estado siempre en boca de todo el mundo, porque ha sido un organismo muy politizado, muy polémico. Consideramos que es el momento de —¡por fin!— que en una televisión pública en España no haya partidismo. Nos hemos comprometido con los madrileños a que tengan una televisión pública que sea independiente, que sea plural, que sea austera y que lo sea cuanto antes. Ahora hay un modelo que les da miedo porque no lo pueden controlar; pero tienen que estar tranquilos, porque nosotros tampoco. Por primera vez hay un medio de comunicación público en España que nadie va a controlar». Palabras muy elocuentes. Ayuso dejaba claro en su exposición lo que todo el mundo sabía: que Telemadrid había estado fagocitada por el poder y era un instrumento al servicio del PP. Ya no.

El problema surgió después, cuando hubo que negociar los cuatro consejeros que salían elegidos por la Asamblea, uno por cada grupo parlamentario. El PP designó a Pepe Oneto y Ciudadanos a Mari Pau Domínguez. Pero a Cifuentes y a su equipo no le gustaban nada los candidatos seleccionados por PSOE y Podemos por estar «marcados políticamente». Los socialistas querían a la exdirectora de TVE con Zapatero, Carmen Caffarel, y Podemos a una trabajadora de Telemadrid, Mae Lozano, que había empezado como becaria en 1992 y se sacó la plaza de redactora por oposición en el año 2000. Los populares creían que Lozano llegaría al consejo con aires de revanchismo tras el ERE de Telemadrid, que dejó en la calle a 861 trabajadores. Ayuso intentó investigar a Lozano. Pidió su expediente laboral para encontrar algo con lo que desacreditarla. No lo consiguió.

En este tira y afloja, y como alguien que nunca ha pedido permiso, Ayuso metió la pata. Ayuso quería cerrar las negociaciones y apuntarse un tanto, «pero se pasó de lista otra vez». Dejó entrever al resto de negociadores que Cifuentes ya había dado el visto bueno a Mae Lozano. Pero no era verdad. «Y se llevó una buena bronca por ello. La joven Ayuso optó entonces por refugiarse en su despacho, bajar las persianas, cerrar la puerta y tumbarse en un sofá a llorar. Es de lágrima fácil», según muchos de sus compañeros. Una diputada del PP tuvo que ir a animarla. «Esto acaba con mi carrera», le contestó. Al final no cayó sobre su cabeza el hacha del verdugo. Cifuentes cedió, y el 5 de mayo de 2016 la Asamblea elegía los consejeros de Telemadrid con más retraso del previsto. Para congraciarse con la presidenta, Ayuso intentó repetir la jugada de la cuenta de Twitter del perro Pecas con el gato de Cifuentes y creó @elgatodeCifu. Pero no funcionó. Solo estuvo activa unos meses de 2016.

«Finalmente el PP levantó el veto a Carmen Caffarel y a mí porque el PSOE se plantó y dijo que si no aceptaban los candidatos de la izquierda ellos vetarían a los de la derecha y tenían que empezar de cero las negociaciones para nombrar a los consejeros», recuerda Mae Lozano. «Ahí estuvo muy bien Ángel Gabilondo, el portavoz del PSOE, argumentando que no se podía vetar a nadie por el simple hecho de caer mal».

Lozano recuerda lo beligerante que fue Ayuso con su nombramiento: «Hizo acusaciones que no eran ciertas, afirmando que yo había amenazado a trabajadores que no seguían las huelgas de Telemadrid. Yo no formaba parte del comité de empresa, solo hacía las huelgas y me quedaba en mi casa, no amenazaba a nadie», explica Lozano.

En enero de 2017 José Pablo López fue nombrado director general de la cadena. Ayuso, que años después, ya siendo presidenta, lo defenestraría porque le parecía demasiado rojo, defendió su nombramiento y elogió el proceso de selección, que calificó de «soberano, abierto, transparente, plural e independiente políticamente».

Sin embargo, esta negociación le pasó factura. El 30 de enero de 2017, el grupo parlamentario, con Ossorio a la cabeza, decidió que Ayuso dejara de ser la portavoz en la comisión de Telemadrid. Ironías de la vida, Ossorio también pidió a Cifuentes que Ayuso dejara de ser la *segunda* del grupo «porque no se enteraba de nada», señala una fuente de alto nivel del Gobierno de Cifuentes. El mismo Ossorio que años después sería mano derecha de Ayuso en su Ejecutivo. *El País* llegó a publicar que Ossorio menospreciaba a la joven diputada Ayuso. «Es flojita. Le falta mucho. Es una perfecta inútil», dijo sobre la hoy presidenta madrileña, según la crónica del periodista Fernando Peinado[16]. «Aquí Ossorio, para ser él, se excedió, porque es de los de ni una mala palabra, pero tampoco ni una buena acción. En este caso, malas palabras y malas acciones», explica con sorna un veterano exdiputado popular.

Los miembros de un partido suelen ser muy crueles con sus propios compañeros. De hecho, abundan los motes que se ponen unos a otros. En esa legislatura, por ejemplo, a un diputado del PP lo llamaban «el tonto esférico», «porque lo mires por donde lo mires era tonto». A otro lo apodaban «Nobita», como uno de los personajes de *Doraemon*, por su parecido físico

[16] Fernando Peinado, «Los dos años en que Ossorio fue jefe de Ayuso», *El País*, 17 de octubre de 2022.

con gafas incluidas y su «escasa brillantez». A otro le llamaban «el Corcho», porque se metía en muchos líos, pero siempre sobrevivía, nunca se hundía y conseguía que siguieran contando con él para distintos cargos. Otro, con el pelo blanco peinado para atrás y bastante alto, era el «Chófer de Drácula». A Ayuso también le pusieron un mote, según han coincidido varios exdiputados populares entrevistados: «la Mónguer».

—¿La Mónguer? —pregunté.
—Sí, una persona un poco corta —me respondieron.

Lo dicho, demasiada crueldad entre compañeros. La oposición también le puso un mote esa legislatura. La bancada socialista la llamaba «Chucky», como el famoso muñeco diabólico que triunfó en el cine y la televisión. «Era, sobre todo, por sus intervenciones. La mirabas con su cara de porcelana, empezaba a hablar muy tranquila y poco a poco se iba transformando en alguien mucho más vehemente. A veces daba miedo», rememora la exdiputada exsocialista Carla Antonelli. «Ahora da miedo por otras cosas, por las políticas que quiere implantar y acabar con lo público en Madrid», reflexiona Antonelli.

Ayuso dejó de ser diputada en noviembre de 2017. La Asamblea tampoco perdió a una parlamentaria muy activa. En los dos años que estuvo entre 2015 y 2017 solo participó en siete iniciativas, la última de ellas en un interesante debate en el Parlamento madrileño[17] sobre el *manspreading*, un término que alude a la manera de sentarse de algunos hombres, en especial en el transporte público, con las piernas muy abiertas invadiendo el espacio de los asientos adyacentes. Para Ayuso era el «despatarre» y criticó que Podemos llevara «esta grave emergencia

[17] https://www.asambleamadrid.es/static/doc/publicaciones/X-DS-494.pdf.

social» al hemiciclo únicamente para «que seamos nosotros [el PP] quienes les cerremos las piernas a sus machos alfa». Alta política.

En definitiva, su jefe de filas en el grupo parlamentario, Enrique Ossorio, no la quería, así que Cifuentes aprovechó una pequeña crisis de gobierno para rescatarla y colocarla en el Ejecutivo. El movimiento fue muy sencillo. Cifuentes estaba hasta el gorro de su consejero de Sanidad, el médico *telepredicador* Jesús Sánchez Martos (que había recomendado a los alumnos que pasaban calor en las aulas porque no había aire acondicionado que hicieran abanicos de papel). Y lo sustituyó por otro médico, Enrique Ruiz Escudero, que entonces era viceconsejero de Justicia. Este último puesto sería para Ayuso. Cifuentes se lo comunicó una tarde de noviembre de 2017 en la Asamblea de Madrid. «Te vas con Ángel», le dijo.

Y sin saberlo, Cifuentes marcó el destino de Ayuso.

2. LAS GUERRAS PERDIDAS DE CIFUENTES

En octubre de 2022, ya consolidada como presidenta regional y referente de la derecha, Ayuso señalaría en un acto: «Ser madrileño es una actitud ante la vida. Consiste en que tu éxito dependa de tu trabajo y no de las decisiones de otros». Su carrera política, sin embargo, siempre ha dependido de las decisiones de los demás. Primero de Pablo Casado, que convenció a Alfredo Prada de que la metiera en su equipo; luego de Esperanza Aguirre, que la hizo asesora y la incluyó en una lista con opciones de ser diputada autonómica. Pero fue Cristina Cifuentes quien le dio el empujón definitivo para que su carrera despegase: bendijo su continuidad como representante en la Asamblea y después le otorgó una oportunidad para ostentar su primer alto cargo con responsabilidades de Gobierno.

Cifuentes es una pieza fundamental en la historia reciente del PP de Madrid, y su dimisión, un punto de inflexión en las carreras de muchos de los altos cargos de la política conservadora de los siguientes años. «Si Cifuentes hubiera podido continuar con su carrera política seguramente Pablo Casado no hubiera ganado las primarias del PP nacional y, por tanto, no hubiera podido elegir a Ayuso y a Almeida como candidatos a la Comunidad y el Ayuntamiento. Y ambos no serían hoy ni presidenta madrileña ni alcalde de la capital. El destino es así de caprichoso», señala un veterano exdirigente del PP regional.

Ayuso fue una testigo privilegiada del auge, pero sobre todo de la caída traumática de Cifuentes. Muchas de las decisiones estratégicas que tomará cuando se convierta en presidenta no se explican sin las guerras perdidas de Cifuentes…

Un vídeo de apenas un minuto y quince segundos circulaba por redes sociales. En la primera toma aparecía Cristina Cifuentes como invitada en *El Hormiguero* de Pablo Motos escuchando, sonriente y casi sonrojada, cómo el director de *Okdiario*, Eduardo Inda, la alababa sin pudor. «Bueno, porque la veis ahora que es muy guapa, pero si la ves con 25 años te mueres. Vamos, yo la conozco hace muchísimos años y en la Asamblea de Madrid era impresionante, era una belleza superlativa». «Calla tonto», le faltó decir a Cifuentes. Este programa se emitió en marzo de 2016. En el siguiente corte del vídeo, Cifuentes protagonizaba otro espacio televisivo, *El gato al agua*. Junto a ella estaban sentados Mario Conde y Eduardo Inda, que de nuevo no dudaba en loar sus virtudes: «Cristina Cifuentes es una persona honrada, cosa que escasea hoy entre la clase política, por tanto, yo voy a votarla». Era abril de 2015 y faltaba un mes para que Cifuentes se convirtiera en presidenta de la Comunidad de Madrid.

De repente el vídeo sufría un paréntesis y aparecía una de las míticas escenas de *El Padrino*: una cama con la cabeza seccionada y ensangrentada de Khartoum, el caballo de carreras de un productor de cine que había disgustado a Vito Corleone por no contratar a su ahijado. Así enviaba mensajes la mafia en la obra maestra de Francis Ford Coppola.

Tras el interludio, vuelve a aparecer Eduardo Inda en el programa *Al rojo vivo* de La Sexta, en abril de 2018. Inda, que acaba de publicar en su medio el famoso vídeo de la dirigente madrileña robando unas cremas en un supermercado, se dispone a *enterrar* civil y políticamente a Cifuentes. «Las cremas son el símbolo de lo que es Cristina Cifuentes», asegura con rencor. Para Inda, Cifuentes ya no era la política honrada de 2015 ni el bellezón de 2016. «Lo del máster era una falsedad tremenda, es una mentirosa, es una ladrona». Muy poca gente sabe que Inda ya tenía entre ceja y ceja a Cifuentes porque la presidenta madrileña había dado consejo y cobijo a una experiodista de *Okdiario* que se planteó denunciar a Inda por presunto acoso.

Ese minuto y quince segundos de vídeo simbolizan a la perfección lo que había ocurrido en solo tres años. ¿Qué había cambiado para que Cristina Cifuentes pasara de ser una de las políticas del PP con más futuro a ser una apestada dentro de su partido y la diana preferida de ciertos medios de comunicación que tanto la idolatraban?, ¿quién torció ese futuro y por qué?, ¿cómo pasó del cielo al infierno?

A principios de 2018, Cifuentes llevaba casi tres años como presidenta de la Comunidad de Madrid gracias al apoyo de Ciudadanos. Era una de las políticas mejor valoradas y con mejor prensa del panorama nacional. Controlaba el Gobierno regional y el PP de Madrid, y su nombre aparecía en las quinielas para una hipotética sucesión de Mariano Rajoy. Buena amiga de Alberto Núñez Feijóo (el barón gallego la reclamó para su campaña autonómica y fue a la primera a la que dedicó su victoria con mayoría absoluta), también se llevaba muy bien con María Dolores de Cospedal, la secretaria general del PP.

Había tenido, eso sí, alguna china en el zapato. Unos meses antes, en junio de 2017, sus socios de investidura la habían obligado a desfilar por una comisión de investigación para explicar un contrato sospechoso que se investigaba en el caso Púnica: la adjudicación de la cafetería de la Asamblea de

Madrid. Los diputados querían conocer si, como insinuaba el informe de la Guardia Civil, Cifuentes había amañado el contrato de concesión de la cafetería, adjudicada a uno de los empresarios amigos de Esperanza Aguirre, Arturo Fernández. Ciudadanos se alió con la izquierda para forzar su comparecencia.

Marisa González, jefa de gabinete y directora de comunicación de Cifuentes, había telefoneado a José Pablo López, director general de Telemadrid desde principios de año, para exigir que la cadena no retransmitiera en directo la comisión parlamentaria. No era una sugerencia. Era un ordeno y mando. La cadena autonómica optó por una vía intermedia que tampoco contentó al Gobierno regional: Telemadrid solo emitiría en directo la comparecencia de Cifuentes a través de su canal secundario, LaOtra. No retransmitir nada sería incomprensible, habida cuenta de que todas las cadenas nacionales iban a conectar en directo con la comparecencia.

Así que todos los madrileños que quisieron pudieron ver en directo, por la cadena pública autonómica, a su presidenta de blanco inmaculado y con un pin de la Guardia Civil en la solapa del traje, haciendo el paseíllo hacia la comisión arropada por todos los diputados populares aplaudiendo a rabiar. Cifuentes comprendió que había perdido el control que hasta entonces habían tenido todos los presidentes del PP sobre una televisión que siempre había funcionado como portavocía de la Puerta del Sol. Aquel desplante sentó las bases de lo que sería la relación futura tormentosa de Cifuentes y Marisa con José Pablo López y su equipo.

Ayuso fue uno de los peones de Cifuentes en esta confrontación con la televisión pública. En esa época era la segunda de Ángel Garrido, consejero de Presidencia, de Justicia, portavoz del Gobierno y responsable del que dependía el Canal de Isabel II (la mayor empresa pública de la región) y la dichosa Telemadrid. Su equipo le apodaba, con imaginación desaforada, «el Kennedy de Vallecas», porque tenía como referente al expresidente norteamericano y había empezado su carrera política en este distrito obrero del sur de Madrid. A pesar de su posición privilegiada en el Ejecutivo, el nombramiento de Ayuso fue decisión exclusiva de Cristina Cifuentes. Garrido no la quería en su equipo. En el pasado habían sido muy buenos amigos, pero su relación se había enfriado. «La que nos ha caído», espetó Garrido a sus colaboradores. Cifuentes, en cambio, consideró una buena idea que se fogueara bajo la supervisión de Garrido, ya que sabía que ambos habían tenido un «estrecho compadreo» en un pasado no muy lejano.

Así pues, Ayuso se unió a uno de los departamentos más importantes del entramado gubernamental, con despacho, secretaria y una asesora. Como viceconsejera se encargaba de coordinar las direcciones generales y de asistir a las reuniones preparatorias del Consejo de Gobierno. Quienes trabajaron con ella en esta etapa destacan «que era una adicta al móvil» y que era capaz de presentarte ideas que había tenido «apuntadas en una servilleta de un bar». Lo del móvil era obsesión. El consejero Garrido le afeó en más de una reunión que estaba mucho más pendiente de tuitear que de atender a los asuntos que se trataban.

Fue en esa época cuando Ayuso, quien meses atrás había negociado y defendido la ley para intentar hacer una Telemadrid más plural y menos politizada, empezó a desarrollar una inquina personal hacia los dirigentes de la tele pública, especialmente a José Pablo López, nombrado director general con los votos a favor del propio PP, PSOE y Ciudadanos y la abstención de Podemos.

A pesar de la tramitación de aquella ley, el Partido Popular nunca quiso una Telemadrid independiente. Ningún poder quiere en la práctica una televisión que no cumpla al dictado con sus requerimientos, que no sea su chiringuito particular para pagar favores, en la que no pueda colocar tertulianos afines, engordar productoras de su órbita o sostener una línea editorial cómoda. En su acuerdo de investidura, Ciudadanos había exigido una mayor independencia editorial de Telemadrid frente al Gobierno regional. Y si la cadena respiró durante un brevísimo lapso de tiempo un poco de oxígeno purificador, fue por la presión de las circunstancias y de la aritmética parlamentaria. En ningún caso por afán alguno de regeneración o de libertad.

Cifuentes, por supuesto, se tomó su particular revancha después de la emisión en directo de su comparecencia. Cuando en septiembre López la invitó a acudir a la puesta de largo de la nueva temporada, declinó la invitación. El director de Telemadrid había organizado una gala televisada para bautizar la nueva etapa de la cadena y había invitado a todos los partidos y a representantes de todas las instituciones: Ayuntamiento, Ejecutivo regional, Asamblea y Gobierno de España. La participación de todos era el sello de la pluralidad que debía imperar en ese nuevo tiempo. Y para ello, la bendición de Cifuentes era también necesaria. La alcaldesa de la capital, Manuela Carmena y el ministro y portavoz del Gobierno de Mariano Rajoy, Íñigo Méndez de Vigo, habían confirmado su asistencia. Pero Cifuentes no quería acudir. Su desplante iba a sentirse como una sonora bofetada en la cara del director general de la cadena, que barajó en algún momento cancelar los fastos y dar marcha atrás. No lo hizo. Decidió seguir adelante sin la lideresa madrileña. Cuando quedaban menos de diez minutos para que todo comenzase, Sol avisó de que el coche oficial de

Cifuentes estaba a punto de llegar a Ciudad de la Imagen. Salvados por la campana. Esa constante tensión entre Sol y Telemadrid seguiría siendo la tónica habitual.

El tercer punto de inflexión (tras la retransmisión de la comisión de junio y la gala de septiembre) llegó en diciembre de 2017. «Primera entrevista de Cristina Cifuentes en la nueva temporada de Telemadrid. Con Silvia Intxaurrondo». Este reclamo utilizó la cadena autonómica para publicitar la aparición de la presidenta en el *prime time* del lunes 4 de diciembre. Era la víspera de la celebración de los tradicionales actos conmemorativos de la Constitución organizados por la Comunidad de Madrid en la Real Casa de Correos de la Puerta del Sol. Cristina Cifuentes llegó a las instalaciones de la Ciudad de la Imagen vestida de riguroso rojo.

La entrevista se iba a producir en el Estudio 2 de Telemadrid. El director de Informativos, Jon Ariztimuño, había elegido a la periodista vasca Silvia Intxaurrondo, con un perfil más amable a ojos de la Puerta del Sol que el de Javi Gómez. Apodado «Javi Dios», era el presentador quien, por horario y por dirigir el informativo nocturno, debería haber cuestionado a la lideresa en horario de máxima audiencia. Pero Gómez, con un pasado muy ligado a La Sexta, no inspiraba ninguna confianza al tándem de Cristina y Marisa, por lo que se delegó la responsabilidad en Intxaurrondo.

Fueron 35 minutos. Con algunas preguntas un poco más punzantes, pero en ningún caso complicadas para una política acostumbrada a afrontar interrogatorios en medios mucho más críticos. De hecho, a Cifuentes se la vio cómoda en todo momento. Intxaurrondo fue desglosando todos los asuntos que, en aquellos momentos, estaban en la agenda: la bajada del paro en la Comunidad de Madrid, la situación de la sanidad y de los hospitales madrileños, el estado de la educación en la región y las medidas de transparencia impulsadas para romper con la corrupción que en aquellos momentos perseguía a Francisco Granados e Ignacio González.

A la entrevistadora se le había concienciado desde la dirección de Informativos para que hiciera las preguntas pertinentes, pero con suavidad, sin tensar la conversación. Así que, llegado el minuto 25, después de haber dado un buen repaso a todas las políticas puestas en marcha por Cifuentes y sus consejeros, Intxaurrondo preguntó sobre el caso que en aquel momento más atormentaba a la presidenta.

> —Discúlpeme. Acláreme una cuestión sobre usted. Porque la Guardia Civil sostiene en un informe que usted misma tuvo un trato de favor con Arturo Fernández, que es un empresario que reconoció que inyectaba buenas cantidades de dinero en el Partido Popular de Madrid. Dicen que usted le adjudicó la cafetería de la Asamblea de Madrid. ¿Qué hay de cierto en esto?
>
> Torpedo lanzado.
>
> —Esto ya se vio en la comisión de investigación que montaron, una comisión de linchamiento político más bien. Yo era vicepresidenta de la Asamblea y como vicepresidenta, presidía todas las mesas de contratación. Igual que ocurría antes de que yo fuera vicepresidenta de la Asamblea e igual que ocurre exactamente ahora. Mire, en ese asunto y en el resto, todas las decisiones que se tomaron en cuanto a contratación, en todas las mesas que yo presidí, el cien por cien, se tomaron siempre por unanimidad de todos los partidos políticos que estaban representados en la Mesa. El cien por cien de las decisiones se tomaron siempre en base a los informes técnicos. De hecho, respecto a este asunto, los servicios jurídicos de la Cámara, en un informe

> que emitieron, dijeron que se había hecho todo de una manera absolutamente ajustada a derecho. Más allá de eso, yo siempre he tenido una confianza ilimitada en la justicia y en la actuación de los tribunales. Y el propio juez, en su momento, no le dio ninguna verosimilitud a ese informe (...).

«¿Qué hay de cierto en esto?». Esas fueron las seis palabras que dinamitaron todas las líneas rojas posibles en la cabeza de Cifuentes. Aquello era inadmisible. Intolerable. Un maltrato. Igual pensaban sus compañeros de partido. En paralelo, y mientras los espectadores de la cadena no quitaban ojo de la entrevista, la entonces presidenta de la Asamblea, Paloma Adrados, mensajeaba a Marisa González para insultar a la presentadora de informativos por su actitud durante la supuesta encerrona.

Cuando todo había acabado, en las pocas decenas de pasos que conducen desde la puerta del estudio hasta la puerta principal del edificio, Cifuentes empezó a recapacitar sobre la pregunta. Al llegar a los tornos de salida, con los escoltas en la puerta esperando a que se encaminara hacia el coche, Cristina se detuvo y decidió abroncar en público, delante de varios trabajadores de la propia Telemadrid, a José Pablo López y a Jon Ariztimuño. Cifuentes repetía un mismo mantra una y otra vez: en SU tele esas preguntas no se pueden hacer. En SU tele no se puede hacer lo que acaba de ocurrir unos minutos atrás. «Yo veo Canal Sur o la Televisión de Galicia y allí nunca le hacen esto a sus presidentes». Repitió esa frase una y otra vez. Estaba indignada. Ariztimuño le escuchó impertérrito y le cortó en seco: «No te compro el argumento». El director de Informativos se mantuvo en sus trece mientras José Pablo trataba de dulcificar la situación para amainar el hondo malestar de Cifuentes. Ya de noche cerrada, la discusión a grito pelado en la entrada de Telemadrid, con una decena de testigos silentes, se prolongó durante casi media hora.

Al día siguiente, la entrevista fue comentada en los corrillos políticos de los actos organizados por Sol para festejar la Constitución. *El Confidencial* recogía el sentir del entorno de Cifuentes a la supuesta encerrona de Intxaurrondo. «Su equipo señala que esa pregunta "no venía a cuento" porque no es un tema que ahora mismo esté de actualidad. Estaba claro que la corrupción, que tanto ha golpeado al PP de Madrid, iba a salir en la entrevista conducida por Silvia Intxaurrondo. Pero la cuestión concreta sobre ese contrato no entraba en los planes de la presidenta. "Cifuentes tiene el discurso claro sobre ese asunto, ya que no se cometió ninguna irregularidad, pero no era un tema que esperara esa noche". Su disgusto fue palpable a la finalización del encuentro y así se lo hizo llegar a determinados responsables de la cadena pública».

Dos semanas después de la entrevista, un suelto de opinión de las páginas del *ABC* del 22 de diciembre de 2017 decía: «Se comenta en algunos círculos políticos —especialmente entre diputados y dirigentes populares— el giro progresista que ha adoptado Telemadrid en su nueva etapa, que arrancó el pasado septiembre. Tanto sorprende que incluso comienza a conocerse a la televisión autonómica madrileña como "La Sextilla" por su parecido, más o menos razonable, con la emisora de Atresmedia». Cosecha de Marisa González.

Cifuentes nunca tragó con la recién estrenada independencia de la nueva Telemadrid. La presidenta llegó a decir que había desintonizado la cadena porque «no se puede entender con una televisión de la que habla bien la oposición». Desesperada, intentó remediar el asunto imponiendo la contratación de un periodista *topo* que le contase todo lo que hacían José Pablo y su equipo, pero el espía le salió rana y no quiso participar de esta guerra soterrada que se había iniciado.

La foto del divorcio definitivo de Cifuentes con su canal autonómico se visualizó mejor que nunca la noche del 22 de enero de 2018. Telemadrid estrenó ese día en el Teatro Real una de sus mayores apuestas de esta temporada: el documental *La noche del Rey*, realizado con motivo del 50 aniversario del monarca. En dicho trabajo periodístico participaron, entre otros, los expresidentes Aznar y Zapatero o el propio Mariano Rajoy en un recorrido en profundidad por la vida de Felipe VI y por el difícil momento de la abdicación de Juan Carlos I. Telemadrid reunió a 200 invitados, entre ellos la vicepresidenta del Gobierno, Soraya Sáenz de Santamaría, y a representantes de todo el arco parlamentario regional y municipal.

A pesar de tan nutrida representación, todas y cada una de las invitaciones cursadas a los consejeros de la Comunidad de Madrid cayeron en saco roto. Ni la presidenta ni un solo cargo del Gobierno regional ni ningún diputado del PP en la Asamblea de Madrid asistieron al estreno del documental. Ni siquiera su número dos, el consejero de Presidencia, Ángel Garrido. La representación del PP quedó limitada a Pablo Casado y José Luis Martínez-Almeida. Cifuentes ordenó un plantón total a la cadena pública.

En este contexto no era de extrañar que Ayuso soltara con frecuencia comentarios jocosos en los distintos chats que entonces mantenían diversos cargos de la consejería, reflejando una especie de trauma político, como su jefa, con la televisión pública. «¿Cuándo cerramos Telemadrid?», escribía de vez en cuando. (Estos chats, por cierto, no tienen desperdicio. En marzo de 2018, por ejemplo, Ayuso llamó «chochetes» a las manifestantes que participaron en las concentraciones del Día Internacional de la Mujer).

La pelea con Telemadrid no fue, ni de lejos, el frente más delicado para la presidenta Cifuentes. A principios de 2018 el ambiente era «tenso y extraño» en la Casa de Correos. La enemistad entre la cadena y la presidenta, aunque cruda, era pública y manejable. El verdadero peligro, sin embargo, se llevaba meses acercando entre las sombras de su propia trinchera. Su equipo más cercano (formado básicamente por tres personas) ya sabía que «algo llevaba tiempo cocinándose contra la jefa». La confirmación llegó cuando un importante directivo del Grupo Planeta citó en un reservado de un hotel de lujo de Madrid a una de estas tres personas. El empresario obligó a su interlocutor a dejar el teléfono móvil fuera de la sala donde se iban a reunir por precaución. No quería grabaciones indiscretas. El mensaje que recibió fue directo y claro, sin rodeos: «Dile a tu jefa que está muerta, que no pararemos hasta acabar con ella»[1]. No era una amenaza física, sino política. Negros nubarrones se ceñían sobre el horizonte de Cifuentes. Quien recibió este mensaje reconoce que fue la primera vez en su vida que incluso temió por su seguridad personal por la dureza del tono empleado. En el trasfondo de la amenaza había varios intereses personales y económicos.

Todos ellos implicaban de lleno a Edmundo Rodríguez Sobrino, un alto cargo de la Comunidad de Madrid con poca exposición mediática. Era el máximo responsable de la filial suramericana del Canal de Isabel II (la mayor empresa pública de la región) y a su vez consejero de Audiovisual Española 2000, la empresa editora del diario *La Razón* (integrado en el Grupo Planeta). Cifuentes había cesado a Edmundo en abril de 2016 cuando se conocieron los «papeles de Panamá» y el autor de este

[1] David Fernández, «"No pararemos hasta matarla": el ajuste de cuentas a Cristina que se fraguó en un hotel», *El Confidencial*, 26 de abril de 2018.

libro publicó que el directivo tenía empresas ocultas en paraísos fiscales[2]. Un mes después, en mayo de 2016, también publiqué en exclusiva que el Canal había comprado una empresa brasileña por 21 millones de euros cuando realmente valía cuatro veces menos[3]. La operación, que incluía sociedades interpuestas también en paraísos fiscales, se había materializado en 2013 bajo la tutela de Edmundo cuando el presidente de la Comunidad era Ignacio González.

Cifuentes e Ignacio González, que fueron muy buenos amigos durante muchos años, habían acabado bastante mal. Quizás por eso, días después de hacerse pública la extraña compra de la compañía brasileña, la presidenta madrileña decidió llevar a la Fiscalía Anticorrupción toda la documentación que había sobre esa ruinosa operación, cuyos pagos pasaron por cuentas en bancos suizos[4]. La nueva dirección del Canal nombrada por Cifuentes llevaba ya tiempo auditando las operaciones de las filiales del Canal en Suramérica y había cosas que no cuadraban. Cifuentes llevaba muchos años en el PP, y cuando llegó al poder sabía de sobra qué alfombras había que levantar. En esos momentos, además, la Fiscalía llevaba meses trabajando en un caso entonces secreto (bautizado como Lezo) que investigaba otras irregularidades del Canal.

Con la perspectiva que da el tiempo, miembros del equipo más estrecho de Cifuentes creen que todo aquello fue un error. El *verso libre* del PP había llevado en su programa el discurso de «tolerancia cero con la corrupción» y quería aplicarlo a rajatabla. ¿Porque creía en él? ¿Por venganza contra antiguos

[2] David Fernández, «Sobrino, el hombre de González en el Canal de Isabel II, tiene firmas en Hong Kong», *El Confidencial*, 13 de abril de 2016.

[3] David Fernández, «El Canal de Isabel II pagó 21M por una firma en Brasil, cuatro veces más de lo que vale», *El Confidencial*, 24 de mayo de 2016.

[4] David Fernández, «Cifuentes lleva a la Fiscalía parte de la gestión de Ignacio González en el Canal de Isabel II», *El Confidencial*, 30 de mayo de 2016.

compañeros de partido, o porque pensaba que era una buena estrategia electoral? «Cifuentes tuvo claro desde el principio que su presidencia debía ser una ruptura con el pasado, con el PP de Aguirre. No le debía nada al aguirrismo. La habían ninguneado en etapas anteriores. Y se quiere convertir en el baluarte de la regeneración política mientras intenta al mismo tiempo ajustar cuentas personales con su pasado», explica una fuente autorizada.

Nada más llegar al poder, Cifuentes había anunciado que la Comunidad se personaría como acusación en el caso Púnica para después adherirse a la petición de la Fiscalía para prorrogar la estancia en prisión de Francisco Granados, exconsejero en los gobiernos de Aguirre y otro compañero de partido que había acabado muy mal con ella. El problema es que, en el PP, venderse como ejemplo siempre pasa factura. «Que se lo digan a Pablo Casado», reflexiona otro veterano del PP de Madrid. Cifuentes no se dio cuenta de que mostrarse como martillo de herejes corruptos dañaba la imagen del partido y se ganaba muchos enemigos. Y es posible que el PP de Madrid fuera uno de los lugares más peligrosos del mundo para desempeñar ese papel.

Todavía no había estallado el caso Lezo (lo haría en abril de 2017) pero Edmundo ya sabía por una fuente del mundo de la judicatura (un soplo que investigó la Guardia Civil) que Anticorrupción estaba investigando al Canal de Isabel II y que Cifuentes no dudaría en echar más leña al fuego. Rodeado, pidió a sus amigos del Grupo Planeta que presionaran a Cifuentes para que dejara de colaborar con la Fiscalía. Como recogen las grabaciones judiciales del caso Lezo, Edmundo llamó a Mauricio Casals, presidente de *La Razón*, a finales de julio de 2016: «Yo no sé si Paco [Marhuenda] debería decirle a esta señora [Cristina Cifuentes]… Solucionad el tema de Edmundo definitivamente, darle una solución y olvidar el tema». Mauricio Casals era uno de los personajes con más influencia del país. Profesor de Filosofía del Derecho, también fue agente literario. En la profesión lo apodaban «el Príncipe de las Tinieblas» (José Sanclemente, presidente de la sociedad que edita *eldiario.es* lo llamó así por primera vez en un artículo que publicó en septiembre de 2013) porque tenía fama de moverse a la perfección, con discreción, pero con puño de hierro, entre las bambalinas del poder. Era una especie de lobista a la antigua con importantes contactos y una gran capacidad de persuasión, favorecida por estar en la atalaya de uno de los grupos mediáticos más destacados de este país: Atresmedia.

Casals llamaría a su *lugarteniente* Marhuenda, director del diario, para que se pusiera a las «órdenes» de Edmundo. Las grabaciones que tomó la Guardia Civil de la conversación no tienen desperdicio. Edmundo se mostraba en ellas muy dolido con Cifuentes tras su cese del Canal. «A mí me sacan a patadas por lo de los "papeles de Panamá", que tú sabes mejor que era una cosa legítima. No sería malo que esta señora [Cifuentes] se enterara... para ser consciente de que no ha tenido a un ladrón ahí metido durante 13 años... Que me liquiden y que me olviden... En definitiva, Paco, decirle, este es un tema que ha llegado muy lejos... Edmundo es una persona nuestra, pertenece a nuestro grupo y queremos que le deis una solución al tema. Te aseguro que cualquier empresa que factura 300 millones con 4500 en plantilla tiene mierda en algún cajón...», se lamentaba Edmundo.

Marhuenda, exdiputado del PP y exasesor de Rajoy que Casals convirtió en director de *La Razón*, mantuvo varias reuniones con Cifuentes para convencerla de que dejara de colaborar con la Fiscalía y olvidase a Edmundo. Pero su capacidad de persuasión no dio frutos y el asunto se enquistó. En ese momento, el periodista consideró recurrir a otros métodos menos éticos. «Hay que asustarla», reconoció Marhuenda. «Ya nos hemos inventado una cosa [en el periódico] para darle una leche», se jactaba en las llamadas. Marhuenda había publicado una encuesta falsa en su diario en la que postulaba a Cifuentes como sucesora de Rajoy. «Le hemos hecho una putada a nuestra amiga Cifu poniéndola ahí, por delante de Soraya [Sáenz de Santamaría]» en la carrera por la sucesión de Rajoy. «La matarán las otras y el gallego» [por Soraya, Cospedal y Alberto Núñez Feijóo]. Marhuenda reconocía que esta idea de manipular la encuesta no había sido suya, «sino de Mauricio, me gustaría ser tan listo. Joder, se le ocurrió ayer».

Casals también comentó con Edmundo la jugada maestra de la encuesta.

> Mauricio Casals: Sí, sí, viste la putada que le hicimos a Cifuentes, que Marhuenda al principio estaba: «Esto no se lo podemos hacer...». Digo «¡¿Cómo que no se lo podemos hacer?!». Joder, je, je. Es la mayor de las putadas que tú le puedes hacer a alguien... Porque, coño, en un momento en el que no se discute en absoluto el liderazgo del otro [en referencia a Rajoy], je, je, y la metes a ella en el foco para que le den todos... Quiero decir, es que... Y está muy cabreada, porque [Josep] Crehueras [presidente de Atresmedia] me lo dijo el viernes... Estaba Crehueras que... en fin. Porque el problema que tiene este es que me conoce. Y, claro, vio... lo vio rápido.
>
> Edmundo Rodríguez: Pero, Mauricio, corrígeme. Más... más le va a dar esta hija de puta por miedo que por amor.

Aparte de poner en evidencia a sus protagonistas, los audios son un ejemplo de cómo funciona el cuarto poder cuando baja a lo más profundo de las cloacas. «Le hemos dicho que eres un soldado nuestro, que eres intocable para nosotros y ella por las malas tiene mucho que perder. En una guerra no puede ganar», le aseguró Marhuenda a Edmundo en otra de las grabaciones para informarle de sus avances tras otra reunión con Cifuentes. Casals presumía en octubre de 2016 de todo el poder mediático que tenía para acobardar a la presidenta madrileña. «Y que vea [Cifuentes] que no es únicamente *La Razón*, sino que está *La Razón*, Antena 3, Onda Cero y La Sexta». Es decir, toda la artillería del Grupo Planeta. El 25 de octubre, Edmundo llamó a Casals. Quería que la presión aumentara. Este lo calmó diciéndole: «Y no te preocupes, que las pasará putas esta señora».

El 11 de enero de 2017, Marhuenda llamó a Edmundo para comentarle que «me ha llamado la zorra de Marisa (González, jefa de gabinete de Cifuentes) por la leche que le hemos dado hoy. Le ha hecho mucha pupa. Marisa quiere saber si es una campaña. Evidentemente he dicho que no, no hace falta reconocerlo, no es tonta. Le dije: "hombre, si hacéis las cosas mal, pues nosotros...", además, el editorial lo endurecí expresamente». Días después, Marhuenda volvía a comentarle a Edmundo: «Mañana le pegamos otro viaje a Cifu, ¡eh!».

Con todas estas grabaciones, al juez instructor de la Audiencia Nacional Eloy Velasco no le quedó más remedio que imputar a Casals y a Marhuenda por coacciones y obstrucción a la Justicia, pero levantó la imputación a ambos porque Cifuentes declaró que no se había sentido coaccionada, a pesar de que sabía a la perfección que el Grupo Planeta llevaba meses publicando informaciones en su contra y que las amenazas habían sido constantes entre julio de 2016 y la primavera de 2017. «La presidenta prefirió no calentar más los ánimos y declaró lo que declaró. No podíamos tener a todo el Grupo Planeta detrás de nosotros todos los días dándonos hostias», explican fuentes del equipo de Cifuentes que vivieron aquellos días.

Aunque Cifuentes no declaró contra Casals y Marhuenda, los ánimos no se tranquilizaron. Había intereses ocultos más importantes. Los líos judiciales de Edmundo Rodríguez Sobrino eran algo secundario. Al fin y al cabo, solo era un «soldado». José Creuheras, máximo dirigente del Grupo Planeta, había pedido a los suyos que levantaran un poco el pie contra el cuello de Cifuentes porque perseguía otro objetivo en el que se jugaban mucho dinero. Planeta era la dueña de la Escuela de Administración de Empresas (EAE), una escuela de negocios que adquirió en 2006 y que desde entonces funcionaba como centro adscrito de la Universidad Politécnica de Barcelona. Planeta quería traerse la escuela a Madrid. En octubre de 2016 se convirtió en centro adscrito a la Universidad Rey Juan Carlos tras obtener el permiso para impartir ciertas titulaciones.

Planeta deseaba más, porque como centro adscrito no podía emitir títulos con su nombre y debía ceder un porcentaje de sus matrículas a la universidad que la cobijaba. Quería que Cifuentes pusiera en marcha un proyecto de ley para conceder una licencia de universidad privada a la EAE. En aquellos tiempos no era fácil obtener esas licencias. Desde que el PP llegó al poder de la Comunidad de Madrid en 1995, solo se habían autorizado ocho nuevas universidades privadas.

Los pinchazos del teléfono de Edmundo Rodríguez Sobrino desvelaron las gestiones emprendidas por el grupo para lograr esa licencia. Según Edmundo, Creuheras había dicho en un reciente consejo de administración que «había que tratar bien a la señora [a Cifuentes] porque van a dar dos universidades» (...), «y ellos quieren aspirar a una y para ellos es muy importante la operación». La solicitud oficial por parte de

Planeta se hizo en julio de 2017. Pero la licencia no llegó. «Los propios informes de la Comunidad de Madrid decían que a duras penas el proyecto de Planeta cumplía los requisitos. Estos son los hechos. Su propuesta era muy endeble», explica Juan José Moreno, entonces diputado socialista y portavoz en temas de Educación. El PSOE y otros grupos de la oposición de la Asamblea de Madrid recibieron esos meses llamadas de directivos del Grupo Planeta pidiendo su apoyo para que su universidad privada saliera adelante. Sin éxito. La Consejería de Educación rechazó la propuesta.

Autorizar una nueva universidad privada es un proceso complejo. Hay numerosos requisitos a cumplir. Los principales pasan por tener una estructura académica para desarrollar al menos ocho titulaciones oficiales con un calendario completo, contar con una estructura investigadora, una plantilla docente (al menos el 50 % doctores) y otra plantilla de personal de Administración y Servicios, una memoria de las instalaciones existentes y proyectadas, y un estudio económico y financiero que garantice la viabilidad del proyecto. Además, necesita contar con informes favorables del Consejo Universitario de la Comunidad de Madrid (donde están representadas las universidades madrileñas), de la Conferencia General de Política Universitaria (donde están representadas las Comunidades Autónomas y el Ministerio de Educación), y de la Fundación Madrid sobre el plan del desarrollo de las titulaciones. Por último, hace falta un informe jurídico de la Comunidad de Madrid sobre el anteproyecto de ley de creación de nueva universidad.

Con aquel «no» a Planeta, Cifuentes siguió ganándose enemigos. Por si fuera poco, se personó como acusación en el caso Lezo, cuya investigación se hizo pública en abril de 2017 con la detención de Ignacio González y Edmundo Rodríguez

Sobrino. Y aquellos no eran los primeros frentes que abría la presidenta. Cuando llegó al poder se encontró con un contrato heredado de publicidad por el que el Canal de Isabel II tenía que inyectar 500 000 euros por semestre en el diario *La Razón*. Cifuentes se negó a seguir pagando e intentó, sin éxito, rescindir el contrato.

Entre los años 2006 y 2015, la empresa pública que suministra agua a todos los madrileños se había gastado 55 millones de euros en publicidad[5]. El medio que más había recibido era el diario *ABC* (2.31 millones). El segundo era *La Razón*, que había percibido 1.8 millones de euros. La bacanal de gastos publicitarios no tuvo límites. En los años que gobernó Esperanza Aguirre, el Canal se gastaba de media unos siete millones por ejercicio. En 2015, Cifuentes cortó el grifo y solo presupuestó 489 000 euros. Las grabaciones hechas por la Guardia Civil a Edmundo revelan que, con Cifuentes, el Canal acumuló una supuesta deuda de 650 000 euros con *La Razón*. «Eso yo te digo que no se va a cobrar, ¡eh!, (...) pero porque no quieren», explicaba el consejero del periódico en una conversación con otro directivo de Planeta.

Una fuente del entorno de Cifuentes añade otro elemento importante en la ecuación de enemigos de la presidenta: el Grupo Quirón.

En aquellos años de gobierno popular, la Consejería de Sanidad empezó a engordar una deuda económica muy importante con el Grupo Quirón, que gestionaba de forma privada cuatro hospitales públicos en la Comunidad: la Fundación Jiménez Díaz, el Infanta Elena de Valdemoro, el Hospital de Villalba y

[5] Begoña P. Ramírez, «Aguirre y González gastaron desde 2006 casi 55 millones de euros del Canal de Isabel II en publicidad en medios», *Infolibre*, 25 de mayo de 2016.

el Hospital Rey Juan Carlos de Móstoles. El primero de ellos, la Jiménez Díaz, tiene un convenio singular con la Comunidad por el que solo factura las intervenciones sanitarias que realiza (consultas, pruebas, operaciones...), lo que se llama «actividad sustitutoria». En Madrid rige la libre elección de médico desde 2012; un paciente del Hospital Clínico, 100 % público, puede optar por que le vea un médico de la Jiménez Díaz, que está justo enfrente. Pero ese cambio tiene aparejado un coste, una factura que luego la Jiménez Díaz emite a Sanidad. Los otros tres centros de Quirón (Infanta Elena, Villalba y Rey Juan Carlos) se rigen por otro sistema. Cobran una cápita fija en función de la población que atienden, además de que también pueden captar pacientes de otras áreas por esa libre elección. Entre 2015 y 2018, con Cifuentes en el poder, la Comunidad de Madrid debía 462 millones a los cuatro hospitales de Quirón[6]. Una deuda que no hacía sino aumentar, puesto que las derivaciones pasaron de 56 000 a 170 000.

Ante aquella situación crítica, Cifuentes decidió no pagar la deuda. Había «diferencias entre lo que estos hospitales decían que habían hecho y lo que le constaba a la Administración que habían hecho realmente», señala una fuente de la Consejería de Sanidad. «Había que hacer comprobaciones, una triple auditoría, y esas comprobaciones llevaban su tiempo y la deuda iba creciendo». De hecho, hubo varios directores generales de gestión económica-financiera del Servicio Madrileño de Salud (Sermas) que renunciaron al cargo porque no querían asumir un sistema de pago que les parecía anómalo. «Si alguna vez me ponen una bomba debajo del coche ya sabéis quién ha sido», decía, medio en broma, uno de ellos a sus compañeros de la

[6] http://www.camaradecuentasmadrid.org/admin/uploads/informe-cuenta-gral-2018-aprobado-cjo-261219-rectificacion-cjo-23012020.pdf.

consejería. En 2019, por ejemplo, un anteproyecto de la Cámara de Cuentas desveló que los procedimientos por los que cobraba la Jiménez Díaz tenían «desviaciones de hasta el 743 %» en comparación con los costes de esos mismos procedimientos en otros hospitales públicos, especialmente en las cirugías ambulatorias, las operaciones más frecuentes que no requieren ingreso.

De hecho, un juzgado de Madrid llegó a investigar si la Jiménez Díaz estafó a la Comunidad de Madrid cobrando de más el tratamiento a cientos de pacientes, facturados supuestamente como si hubieran estado en planta (más caro), cuando estaban en urgencias (más barato)[7]. Para ello, según la querella, se habría registrado en una inexistente «unidad 70» del hospital un total de 447 pacientes entre 2017 y 2024, con un presunto sobrecoste pagado por el erario público de casi dos millones de euros. Quirón negó las acusaciones y la denuncia fue finalmente archivada.

Víctor Madera, un médico ovetense especializado en Medicina Deportiva y que coleccionaba castillos y palacios en España, era el máximo dirigente de Quirón cuando esta deuda se iba acumulando mes a mes. En febrero de 2017 protagonizó la mayor operación financiera de la historia del negocio hospitalario privado en España al vender el grupo a la empresa alemana Fresenius por 5760 millones de euros. Tras cerrar la venta, Madera recibió 6.1 millones de euros en acciones y mantuvo la presidencia de Quirón. Aquel movimiento le hizo convertirse en una de las fortunas más importantes de España, según Forbes, y también en uno de los hombres con más poder. Madera, preocupado por el impago consciente de la administración, se reunió con el vicepresidente de la

[7] Juan José Mateo, «Un juez investiga la supuesta 'unidad 70' de Quirón tras una querella por presunta estafa en el cobro a Madrid por pacientes de urgencias», *El País*, 13 de mayo de 2025.

Comunidad de Madrid y número dos de Cristina Cifuentes, Ángel Garrido, para que los pagos se agilizaran. Pero no hubo acuerdo. Y eso que Madera iba de parte de otra militante del PP, que fue pareja de Garrido, y que con el paso del tiempo acabaría contratada por Quirón.

Madera era buen amigo de Mauricio Casals. De hecho, le nombró miembro del patronato de la Fundación Quirón. El lazo que apretaba a Cifuentes se iba cerrando.

Cifuentes había abierto demasiados frentes al personarse contra antiguos compañeros de partido en los casos Lezo y Púnica; contrayendo deudas publicitarias con el diario *La Razón* y deudas sanitarias con uno de los grupos sanitarios más potentes de España; no autorizando que el Grupo Planeta tuviera su universidad... Pero, designios del destino, su sentencia *política* se fraguó en un pequeño despacho de una universidad que se haría famosa: la Rey Juan Carlos.

Salvador Perelló es licenciado en Ciencias Económicas y Empresariales y catedrático de Sociología en el departamento de Ciencias de la Comunicación de la Universidad Rey Juan Carlos (URJC). Es profesor desde el año 2003 y todo un «cerebrito», aseguran quienes lo conocen. «También una mosca cojonera». Perelló fue el principal impulsor de la querella presentada contra el exrector Pedro González-Trevijano por un presunto delito de prevaricación en la contratación irregular de profesores. También ayudó a que la prensa destapara que Fernando Suárez, el rector que sustituyó a Trevijano, era un plagiador profesional[8]. Suárez había copiado textos de sus propios compañeros, de alumnos, de juristas, incluso de un

[8] Raúl Rejón, «El creciente historial de plagios del rector de la Rey Juan Carlos», *eldiario.es*, 10 de diciembre de 2016.

cónsul de Portugal. En una de sus publicaciones, de 45 páginas, llegó a fusilar 43, incluidas las erratas.

El escándalo provocó que Cifuentes, ya como presidenta madrileña, no lo apoyara públicamente (este detalle puede ser importante), presión ante la cual Suárez claudicó, renunciando a presentarse a la reelección como rector. No obstante, designó a dedo a su sucesor, Javier Ramos, el candidato oficialista nombrado en marzo de 2017 y que enterró la investigación de los plagios de su predecesor. Contra él solo se presentó una catedrática, Rosa Berganza, decidida a enfrentarse contra todo el aparato de la universidad en las elecciones internas. La profesora señaló que la Rey Juan Carlos funcionaba «como una red clientelar al más puro estilo mafioso» que el PP usaba como agencia de colocación. Si la Universidad Carlos III nació en los años noventa en torno a la figura de Gregorio Peces-Barba y se asoció al PSOE, cuando el PP llegó al poder en Madrid quiso tener su propio reducto universitario y creó la URJC en 1996. La nueva universidad empezó a emplear como profesores o como personal administrativo a muchos familiares de políticos populares.

Estamos hablando de esposas, hijos, hermanos, sobrinos, primos o cuñados. Entre los parientes más relevantes figuraban Margarita Cifuentes, la hermana de Cristina Cifuentes; la prima de Alberto Ruiz-Gallardón, Isabel Ruiz-Gallardón de la Rasilla; la sobrina de Jaime Mayor Oreja, Isabel Mayor Bastida; la cuñada de Francisco Granados, María del Mar Alarcón; el exalcalde de Móstoles, David Ortiz (posteriormente imputado en un caso de corrupción)… También encontraron su hueco algunos familiares de aquellos que habían ocupado el puesto de rector. Trabajaba la mujer de Pedro González Trevijano, Teresa Martín del Peso; la esposa de Fernando Suárez, María Teresa Martialay, y dos hijos de otro rector, Rogelio Pérez-Bustamante, Diana y David Pérez-Bustamante. La lista era muy larga.

En este ecosistema universitario tan especial, Perelló, militante socialista de base en el distrito de Fuencarral, recibió a principios de febrero de 2018 en el casillero del pasillo de su despacho un sobre anónimo con importante documentación. Perelló se la llevó a casa, estudió los papeles, contrastó algunos datos con personas de su confianza y, por último, ponderó lo que tenía entre manos: Cristina Cifuentes obtuvo un máster que nunca acabó porque le falsificaron dos notas. ¿Por qué le dejaron esta delicada información a Perelló?, ¿quién pudo hacerlo?

«Por definición los profesores son unos cobardes, pero yo tenía la fama que tenía y lo que me dejaron en el casillero era un síntoma de la corrupción generalizada que había en la universidad. No me iba a callar. Tomo conciencia de que es un chanchullo más y decido ir a los medios porque como le dije al juez no me fío ni de la justicia ni de mi propia universidad. Y repito lo que dije al juez: la URJC es una organización criminal de apariencia académica», señala para este libro.

Salvador Perelló sabe ahora quién le dejó la documentación en su casillero. «Que nadie vea fantasmas ni conspiraciones porque yo fuera militante socialista, que yo me di de baja del PSOE cuando también se publicó que la exministra socialista Carmen Montón había plagiado parte de su máster. Es más sencillo. Me dejaron la documentación por venganza y procedía del entorno de un exrector». Perelló se fue a *eldiario.es* y les entregó lo que tenía. «Pero mi objetivo era denunciar el sistema corrupto que se había montado en la universidad, no a Cifuentes; Cifuentes era el síntoma. Yo quería un caso URJC que al final se quedó en el caso Cifuentes», se lamenta Perelló. «O dicho de otro modo, el caso Cifuentes es una disfunción del caso URJC». Quizás Perelló lo vea así, pero estaba claro que los filtradores apuntaban a una sola persona.

Todo explotó el 21 de marzo de 2018. Un día antes, Cifuentes comparecía cansada en el Congreso de los Diputados en una comisión de investigación para hablar sobre la presunta financiación irregular del PP. Tras salir del hemiciclo, Cifuentes apagó el móvil y se fue de compras con su hija. Necesitaba descansar. No se enteraría hasta por la noche, cuando la localizó su equipo de prensa, que al día siguiente su destino político iba a cambiar. *Eldiario.es* despertó a la mañana siguiente con la exclusiva: «Cristina Cifuentes obtuvo su máster en una universidad pública con notas falsificadas»[9]. Los periodistas llevaban varios días, con ayuda de Perelló, preparando su bomba informativa. La presidenta pensó que nada de todo aquello podía ser casualidad. Los pinchazos telefónicos del caso Lezo ya habían desvelado las amenazas de los directivos del Grupo Planeta: «Esta señora las pasará putas».

De entre todos sus enemigos, daba la casualidad de que en esos momentos Paco Marhuenda era profesor interino de la URJC. «Marhuenda y Planeta no pintan nada aquí. De eso estoy seguro», indica sin embargo Perelló. Él, como fuente más directa de aquella información, se vio obligado a abandonar su puesto como profesor de la escuela de negocios EAE, esa que Planeta quería convertir en universidad. «Me tuve que ir y dejarlo para que no hubiera el mínimo signo de sospecha», aclara.

Que el lector juzgue. Un profesor justiciero, un posible exrector despechado, un importante grupo de comunicación que buscaba venganza… Todos los astros se alinearon contra Cristina Cifuentes.

[9] Raquel Ejerique, «Cristina Cifuentes obtuvo su título de máster en una universidad pública con notas falsificadas», *eldiario.es*, 21 de marzo de 2018.

POSDATA 1: Planeta tuvo mejor suerte con Ayuso. En julio de 2020, la lideresa madrileña ordenó al Consejo de Gobierno que presidía que pusiera en marcha un proyecto de ley para conceder una licencia de universidad privada a la Escuela de Administración de Empresas (EAE). Lo que Planeta no consiguió con Cifuentes ni con su breve sucesor, Ángel Garrido, lo logró rápidamente con la nueva inquilina del Gobierno regional. Sería la segunda y última ley que apruebe Ayuso en la legislatura que fue de 2019 a 2021. La Asamblea de Madrid ratificó la ley (que conlleva la licencia) el 12 de noviembre de 2020 por el procedimiento de urgencia. En plena pandemia. Por el sistema de lectura única, que consiste en debatir en el Pleno de la Asamblea en una sola jornada el informe de 1000 páginas que presentó la EAE (demostrando la supuesta excelencia de su proyecto) sin pasar por comisiones ni aceptar enmiendas o ponencias. Ayuso sabía lo que había vivido Cifuentes y sabía cómo proceder. La concesión exprés de la licencia de universidad privada se consumó con los votos a favor de PP, Cs y Vox. Francisco Marhuenda intentó, sin éxito, que la izquierda se sumara al voto positivo, llamando a diputados de Más Madrid y PSOE.

Lo más llamativo es que el informe consultivo que emitió el Consejo Universitario de la Comunidad de Madrid en abril de 2019 detectaba muchas deficiencias en el proyecto de Planeta. El acta de la reunión del Consejo certificaba nueve votos en contra del proyecto, ninguno a favor y siete abstenciones. En definitiva, no cumplía los requisitos académicos y de infraestructuras. En aquel momento, la Comunidad de Madrid sumaba ya once universidades privadas, además de 38 centros privados de estudios superiores. Tenían la suya los jesuitas (Comillas), los Legionarios de Cristo de Marcial Maciel (Francisco de Vitoria) y la Asociación Católica de Propagandistas

(CEU). Recientemente se habían sumado ESIC (Congregación de Sacerdotes del Sagrado Corazón de Jesús), la Universidad Internacional y Villanueva (Opus Dei) y CUNEF, gestionada desde la Asociación Española de Banca. En noviembre de 2020 Díaz Ayuso cumplió el deseo de Planeta y logró la hazaña de convertir Madrid en la comunidad con más universidades privadas del país: doce, frente a seis públicas.

POSDATA 2: la deuda de la Comunidad de Madrid con el Grupo Quirón siguió creciendo. El informe anual que Fresenius presentó para cerrar el ejercicio 2020 reveló que la Consejería de Sanidad le debía ya 1248 millones. Ayuso, como hizo con Planeta, solucionó el problema en cuanto llegó al Gobierno regional. En 2020 debía pagar 504 millones a Quirón y acabó desembolsando 609 millones. En 2021 lo pactado eran 609 millones. La Comunidad abonó finalmente 845 millones. Lo mismo en 2022, de pactar 609 millones a acabar pagando 1415 millones de euros. En esos momentos Isabel Díaz Ayuso ya tenía una relación sentimental con el empresario Alberto González Amador, que tenía empresas que facturaban a Quirón Prevención, una de las filiales del grupo. En 2023 y 2024 (últimos datos oficiales), los cuatro hospitales del Grupo Quirón pasaron una factura al Gobierno de Ayuso de 2546 millones de euros.

(Si quieres seguir con Ayuso, pasa al siguiente capítulo. Si quieres recrear los últimos días de Cifuentes, pasa al Anexo 1 en la página 379).

3. CANDIDATA POR DESCARTE

Un polémico máster y un vídeo cutre de un supermercado robando unas cremas acabaron con la prometedora carrera de Cristina Cifuentes (ver Anexo), quien tuvo que dimitir el 25 de abril de 2018. Cifuentes había perdido. Y con ella, Ayuso, quien vio diluirse entre acusaciones y juicios a la persona que la había avalado hasta la viceconsejería.

Ángel Garrido tomó posesión de su cargo el 21 de mayo. Y Ayuso, parte del Gobierno y asistente involuntaria de este espectáculo, salía por la puerta de atrás un día después. Cesaba como viceconsejera tras solo ocho meses en el puesto. Ni ella deseaba seguir ni el nuevo presidente la quería en su Ejecutivo. La versión oficial sugirió que Pío García-Escudero, que había sido elegido presidente de la gestora del PP madrileño tras la espantada de Cifuentes, necesitaba una cara fresca, joven y con dedicación exclusiva para llevar la comunicación del PP regional. Así que Ayuso fue otra vez rescatada y recolocada como vicesecretaria de comunicación y portavoz del partido en la Asamblea. Es decir, ocuparía el cargo que ostentaba Pablo Casado a nivel nacional. El partido la repescó con el mismo sueldo que tenía cuando era viceconsejera, más de 90 000 euros anuales. Fue el grupo parlamentario de la Asamblea de Madrid quien tuvo que aportar parte de la pasta para que Ayuso mantuviese esta importante retribución.

Dos meses después de este cambio de rumbo, el destino volvería a sonreír a Ayuso. Su íntimo amigo Pablo Casado se convertía en el presidente nacional del partido tras vencer por sorpresa en primarias a María Dolores de Cospedal y Soraya Sáenz de Santamaría. Cuando Casado acude como candidato a Génova para presentar los avales, Ayuso es una de las personas que lo acompañan. La propia Ayuso ha reconocido que si Soraya hubiera ganado las primarias habría dejado la política. Pero con Casado en el poder, Ayuso asciende a secretaria de comunicación a nivel nacional. Le valieron dos intervenciones en La Sexta (el 5 y el 27 de diciembre de 2018) para que una desconocida como ella empezara a marcarse un perfil propio.

En la primera de sus apariciones televisivas, Ayuso defendió el pacto con Vox tras las elecciones andaluzas: «Yo conocí a Santiago Abascal en el País Vasco cuando a su padre le pintaban los caballos como si estuviéramos en la Alemania nazi aquellos con los que está pactando Pedro Sánchez»; «se está dando alas al racismo contra España y la hispanofobia», argumentaba para avalar el acuerdo con Vox. También apoyaba cambios en las leyes de violencia de género que proponía la ultraderecha: «Me parece lógico romper con la dictadura de las feministas radicales», para defender que «era tan mujer como quien me lo está preguntando», en alusión a la presentadora, Mamen Mendizábal. «Yo ya me canso de ese discurso de la izquierda, que si eres de izquierda proteges a la mujer y te importa más que si eres de derechas». Aunque la presentadora entró a degüello, Ayuso la recibió con el rifle desenfundado.

«Resulta que el relato es el siguiente. Los comunistas de Podemos son la izquierda simpática, el PSOE el centro, y a partir de aquí, C's ya está en la derecha y PP y Vox estamos entre Nueva Zelanda y Marte. Y quien está cenando con el Sanchismo es Otegi». El PP vio entonces un filón. La secretaría de comunicación que dirigía la propia Ayuso empezó a vender a algunos medios que el enfrentamiento televisivo entre las dos mujeres, la presentadora de izquierdas y el nuevo valor de la derecha, había sido un baño de la dirigente popular, y que la segunda entrevista[1] sumaba a los pocos días más de un millón de visualizaciones. El éxito de Ayuso no fue fruto de la casualidad. Para cuando le entrevistó Mendizábal, ella llevaba unas semanas entrenando para sus apariciones televisivas con Isabel Rábago, periodista, presentadora y Miss Cantabria en 1993.

Había nacido una estrella. Gran noticia para un partido falto de referentes femeninos tras las abruptas marchas de Cifuentes, Cospedal y Sáenz de Santamaría. Ayuso sabía que algo había cambiado. A sus amigos les contaba que, tras sus estelares intervenciones televisivas, había pasado la Nochevieja de 2018 en Sierra Nevada (Granada) y la había reconocido «media estación». Ya había gente dentro del partido que creía que Díaz Ayuso era la nueva Rafa Hernando, el que fuera guardián de Mariano Rajoy en el Congreso de los Diputados. El portavoz duro, bronco, sin pelos en la lengua, incluso faltón en ocasiones. El azote de la izquierda.

Cuando la entrevisté una tarde de la primera semana de enero de 2019 en un despacho de Génova, le mencioné esta comparación. Ayuso me insistió en que tenía su propia personalidad y que su objetivo no era crearse un personaje, como el que en cierta medida diseñó Hernando para su periplo en el Congreso. «Yo digo lo que pienso. Quiero disfrutar de la política, que muchas veces es espectáculo. Quiero hablar sin miedo, sin miedo a no gustar, a caer mal. El miedo hace que el político se empobrezca». Entonces tenía 32 000 seguidores en Twitter. En febrero de 2026 tenía más de un millón. En mi

[1] https://www.youtube.com/watch?v=Ayoh350M4tU.

charla con ella recalcó que no tenía «ni padrinos ni mochilas», y que se había labrado su futuro sin ayudas.

Pero sí admitió que si Casado no hubiera ganado las primarias internas seguramente solo sería una militante de base. «Yo quiero el PP que defiende Casado. Me considero políticamente liberal. Y mi único objetivo ahora es que todo el electorado del PP vuelva a su casa». Reconocía además que sus nuevas funciones la habían hecho ganar en confianza. «Siempre he estado en puestos técnicos, en quinta fila dentro del partido. Ya no. Ahora opino por mí y por el PP. Y no pienso callarme». «¿Tiene el nuevo PP de Casado su nuevo *doberman* comunicativo?», le pregunté. «Lo que está claro es que voy a decir lo que pienso, lo que opino. Soy libre. No tengo mochilas. Obviamente no damos mensajes dispares dentro del partido, pero cada uno tiene su perfil. Y yo creo que Pablo está encantado. Hasta la fecha no se ha molestado por nada que he dicho». «¿Y cuál es el perfil de Díaz Ayuso?». «Pues sobre todo un perfil madrileño, directo. Vivo intensamente la política y ya no quiero aguantar sandeces».

Tras la elección del nuevo presidente del partido, los nervios cundieron en Génova a la espera de que Casado anunciara el candidato del PP a la Comunidad y al Ayuntamiento de Madrid en las elecciones previstas para mayo de 2019. Ayuso se veía con pocas posibilidades. «Como digo lo que opino, eso me descarta para ser candidata. No tengo ese perfil. No ansío ningún puesto. Estaré donde quiera el partido», señalaba.

En los medios llegaron a publicarse hasta una quincena de posibles candidatos: Cayetana Álvarez de Toledo, Daniel Lacalle, Javier Maroto, Adolfo Suárez Illana, Isabel García Tejerina, Jaime Mayor Oreja, María San Gil, Soraya Sáenz de Santamaría, Antonio González Terol, Ángel Garrido… Pero fuera de las quinielas mediáticas, dentro del PP se hablaba ya de Isabel Díaz Ayuso como cabeza de lista al Ayuntamiento de la capital y una opción viable para presentar batalla ideológica contra Manuela Carmena. En su momento, hasta Ayuso llegó a pedirle a Antonio González Terol (quien la había afiliado al PP hace años) que si finalmente Casado le elegía a él, ella podría ser su número dos en la lista electoral.

En las encuestas internas dentro del PP ningún nombre destacaba por encima del resto. Además, muchos se autodescartaron porque veían que pintaban bastos. Cuando el PP llegó al poder en Madrid por primera vez en 1995, Miguel Indurain ganaba su quinto Tour, Microsoft presentaba Windows 95 y las tropas serbobosnias perpetraban la matanza de Srebrenica. Tras 24 años gobernando la Comunidad de Madrid ininterrumpidamente, el Partido Popular sabía que podía perder, y nadie quería ser el responsable de la posible debacle. En la semana que Casado tenía que elegir, las encuestas le daban al PP solo 22 diputados en la Asamblea, el peor dato de su historia.

Con estos resultados los populares quedarían cuartos, por detrás de PSOE, Ciudadanos y Más Madrid. En aquellas circunstancias, solo Ángel Garrido, que ya era presidente tras la dimisión de Cifuentes, quería ser candidato. Tenía muchas esperanzas después de que Casado le confirmara en una conversación personal que no estaba descartado. De hecho, en la cena de Navidad del partido celebrada el 19 de diciembre de 2018, una persona del equipo del secretario general le dijo: «Seguramente vas a ser tú porque no hay otro». Pero era mentira. Garrido nunca entró en las quinielas. Teo García Egea, mano derecha de Casado y secretario general del PP, no lo quería.

La que sí que estaba en las quinielas era Ayuso. La joven promesa de Chamberí, viéndose con posibilidades, ya había establecido una buena relación con el polémico Miguel Ángel Rodríguez (MAR), una figura que marcaría su carrera política a partir de entonces. «Siempre ha sido un provocador nato, incisivo, con un gran olfato político y, sobre todo, un gran creador de personajes», lo define la periodista Esther Palomera[2]. Al contrario que Ayuso, que veía dar los primeros pasos a su carrera política, Rodríguez ya era un experimentado escudero del poder. Con tan solo 23 años, en 1987, Aznar lo fichó como jefe de prensa del Gobierno de Castilla y León. Cuando Aznar llegó a la presidencia de Alianza Popular (antes de ser el PP), MAR lo acompañó como director de comunicación, desde donde cambió radicalmente toda la imagen del partido. Entre sus innovaciones destacaba un piloto rojo colocado en el atril del futuro presidente que MAR encendía cuando el Telediario conectaba en directo. Al instante, tras el aviso, el líder del PP reconducía su discurso, fuera cual fuera, y se las apañaba para colocar en *prime time* el mensaje acordado con su joven gurú. Tras ganar sus primeras elecciones generales en 1996, MAR lo siguió de nuevo y se convirtió en secretario de Estado de Comunicación y portavoz del Gobierno.

En aquellos años se transformó en un personaje tan popular que incluso tenía un guiñol en el famoso programa de Canal Plus. Pero salió del Ejecutivo en 1998 porque su estilo bronco en las ruedas de prensa dejó de gustar y porque Jordi Pujol (que sustentaba a Aznar) pidió su cabeza. Desde entonces hizo de todo: escribir novelas, presentar programas de televisión, ser tertuliano en varios medios con un estilo bastante desatado (con condena judicial por injurias incluida), empresario, consultor político, presidente de la multinacional Carat España y responsable,

[2] «Miguel Ángel Rodríguez, el hombre a la sombra de Ayuso», Pódcast *Al día* de *eldiario.es*, 24 de julio de 2022.

por ejemplo, de los actos conmemorativos del centenario del Real Madrid. Ha ostentado más de 40 cargos en 20 empresas. Una de ellas, Nuevatelevisión.es, una especie de canal televisivo que se emitía por internet y que fue un fracaso en audiencias, se llevó casi 600 000 euros en publicidad de la Comunidad de Madrid entre 2007 y 2015, con Esperanza Aguirre e Ignacio González en el poder. Y es que el PP siempre cuida a los suyos.

Ayuso y MAR estaban en contacto telefónico el viernes 11 de enero de 2019, la fecha elegida por Casado para designar a los candidatos a la Comunidad de Madrid y al Ayuntamiento de la capital. Rodríguez contó lo que pasó esa tarde en la «entrevista-masaje» que Bertín Osborne hizo a una Ayuso ya presidenta en junio de 2021 en su programa *En tu casa o en la mía* (el cantante se vería después recompensado con su propio espacio televisivo en Telemadrid).

«Le dije a Isabel que se fuera para casa sobre las 19:30 horas. Que si Casado ya no la había llamado que se olvidara». Pero Casado llamó pasadas las 20 horas. «Vente para Génova que quiero decirte una cosa». Ella pensaba que encabezaría la lista del Consistorio, pero cuando llegó, Casado le ofreció la candidatura de la Comunidad. Ángel Garrido también había sido llamado a Génova y esperaba nervioso fuera del despacho de Casado sin saber que Ayuso ya era la elegida. Cuando entró y se encontró a Casado, le comunicaron la mala noticia. No sería candidato. «Isa», como siempre la llamaba Garrido, que había sido su subordinada en la consejería de Justicia, lo adelantaba y le dejaba con cara de tonto. «Me habéis echado de la política», le dijo a Casado. Fue una especie de premonición. Tres meses después, Garrido consumaría su venganza y se pasaría a Ciudadanos.

¿Cómo fue posible el nombramiento de Ayuso? Una combinación afortunada de factores: ningún peso pesado del partido se había ofrecido a liderar la lista. Y los dos que sí querían, Ángel Garrido y Antonio González Terol, fueron descartados. El primero porque no tenía padrinos que lo avalaran y contaba con la enemistad de Egea. Y el segundo, porque para Casado era demasiado ambicioso, y no quería darle tanto poder si finalmente ganaba. «Si nombro a Antonio candidato a la Comunidad, en seis meses es premio nobel de la paz», comentó con sarcasmo a un amigo.

Faltaba por desvelar el candidato a la alcaldía. Al menos tres personas de la confianza de Casado le dijeron que diera una oportunidad a un inexperto José Luis Martínez-Almeida (entonces jefe de la oposición en el Consistorio). El presidente nacional dio el visto bueno.

Según las encuestas, retener el gobierno de la Comunidad parecía una utopía. Así que, si el destino era perder, lo mejor era perder con una buena amiga al lado que no diera problemas y que pudiera negociar posibles pactos con otros partidos y, sobre todo, que fuera fácilmente sustituible si se daba el caso. Además, los principales barones del PP en ese momento, Alberto Núñez Feijóo en Galicia y Juanma Moreno en Andalucía, no habían apoyado a Casado en las primarias de 2018. Lo más inteligente entonces era tener a uno de los tuyos en el bastión de Madrid.

«Con estos nombramientos [Ayuso y Almeida], el presidente impulsa a dos candidatos que representan a la perfección una nueva generación de políticos con un discurso claro en los principios liberal-conservadores del centro-derecha», afirmó el PP en un comunicado. «Ambos han demostrado saber combatir ideológicamente a los populismos defendiendo ideas claras (…) y como el propio Casado, se atreven a defender sin complejos los principios y valores de siempre del PP».

Casado lo apostaba todo al potencial perfil mediático de Ayuso y a su lealtad inquebrantable. Desde Génova se pensó también que el nuevo discurso agresivo que había empezado a encarnar quizá frenara la sangría de votos hacia Vox. Ayuso le pidió a MAR que le echara una mano en la campaña electoral, como una especie de consultor político, un jefe de campaña en la sombra con permiso de Alfonso Serrano (el jefe de campaña oficial). Sin cobrar. La tarea era ardua. El 20 de enero de 2019 a Isabel Díaz Ayuso solo la conocía el 20 % de los madrileños.

MAR consiguió que la personalidad de la propia Isabel Díaz Ayuso jugara a su favor. Sus salidas de tono hicieron que el personaje empezara a ser conocido, aunque sus propuestas electorales se vieron diluidas. «Todo lo que digo es cuestionado, da igual el tema que hable, dónde hable, que ya se encargan los periodistas de extraer lo conveniente para hacer activismo político y no periodismo», se quejó Ayuso.

Hubo voces críticas dentro del partido: «Ayuso estaba muy verde. Era un riesgo en nuestra confrontación con Ciudadanos, porque una de nuestras señas de identidad era la experiencia, la capacidad de gestión. Y ella no tenía», asegura un dirigente popular que también estuvo en las quinielas por ocupar su puesto. Otro dirigente ridiculiza la oratoria de la inexperta Ayuso asegurando que «tenía un verbo de bachiller».

Manuel Jabois escribió en *El País* que, al conocer el nombramiento de Ayuso, un exministro de Rajoy dijo: «Nos hemos tirado la vida con las etiquetas de partido serio, responsable, predecible y sensato y ahora vamos a competir por ver quién da más espectáculo y dice la mayor burrada»[3]. Como dijo esos días el líder socialista en Madrid, Ángel Gabilondo, «yo

[3] Manuel Jabois, «Para entender la victoria de Ayuso», *El País*, 4 de mayo de 2021.

en general recomiendo el silencio, porque soy de la opinión de que uno tiene que decir lo que piensa siempre, pero no lo que a uno se le ocurre». Una fina ironía para destacar las salidas de tono de la joven candidata popular.

Dos días después de ser elegida oficialmente, Ayuso y su *partner* Almeida concedían una entrevista conjunta en Telemadrid[4], en la que se pudo ver a una Ayuso muy nerviosa, corregida a veces por Almeida y muy lejos de lo que se esperaba de ella. «Perdón, me he perdido», respondía al entrevistador Javier Gómez tras dos minutos divagando ante una pregunta muy concreta sobre si Vox era un partido populista. Génova la tuvo que *esconder* una temporada y entrenarla para lo que se avecinaba. MAR, por su parte, siguió haciendo su trabajo. Quería que Telemadrid apoyara con toda su artillería a su inexperta pupila y citó a una reunión al director general y al jefe de Informativos para que entendieran la situación. «El problema que vosotros tenéis es que no sabéis obedecer», les dijo, reclamando lealtad absoluta a los responsables de la cadena.

Los inicios de su precampaña fueron un horror; su discurso, pobre; su dialéctica, mediocre; sus mensajes, muy básicos. Enseguida llegarían grandes hits. Imposible resumirlos todos. Una de sus propuestas fue que el «concebido no nacido sea considerado como un miembro más de la unidad familiar, de manera que se tenga en cuenta para expedir el título de familia numerosa o solicitar plaza escolar». «¿Y si el embarazo no llega a buen término, se devuelven las ayudas?», le preguntaron. «No lo he pensado. No lo tengo claro, creo que no. A la hora de solicitar una plaza evidentemente no, pero a la hora de expedir el título lo sopesaré». Otro: «Yo prefiero un empleo a que no haya empleo. Cuando empiezan a hablar de empleo

[4] https://www.youtube.com/watch?v=2_c5_KXiI20.

basura me parece que es ofensivo para la persona que está, a lo mejor, deseando tener ese empleo basura».

Para criticar una propuesta de Podemos, señaló: «Un día de estos os vais de vacaciones y cuando volváis, porque consideran que la casa está vacía, se la dan a sus amigos okupas». Otro de sus grandes momentos fue cuando, en un intento de distanciarse de Vox, que había propuesto llevar el Orgullo Gay a la Casa de Campo, empeoró la situación: «Este es un proyecto muy verde, ya que la Casa de Campo además de ser un bien patrimonial es un escenario donde las familias van a hacer deporte el fin de semana». ¡Cómo se iban a juntar familias con gais! Las críticas arreciaron durante toda la precampaña. Su manera de expresarse era demasiado espontánea, como si en ocasiones su discurso no estuviera meditado, estudiado. Nació incluso un nuevo término en los medios, las «ayusadas», ese término que sus compañeros ya usaban años antes.

Los medios hacían oportunos reportajes de esas ayusadas[5]. «¿Tengo que ir con miedo por la vida y cada vez que tenga una propuesta en positivo tener que someterme al escrutinio público como si estuviera en *Saber y Ganar*? Voy a seguir pensando propuestas en positivo y encarando los debates», se defendía, anunciando al mismo tiempo que promovería «junto a Renfe y otras instituciones la creación de un Interrail nacional para que los madrileños puedan viajar por toda España con descuentos». Obviamente la idea nunca cuajó. «Es una persona sin dobleces, sin complejos, sin hipocresías. Dice las cosas como son», me señaló en esa época una persona de su equipo. «Es un diamante en bruto. Lo que pasa es que a veces

[5] J. E., «Los 37 tuits más gloriosos de Díaz Ayuso, la ganadora moral de las elecciones de Twitter», *El Español*, 14 de mayo de 2019.

ese diamante es demasiado bruto», me explicó otra fuente del mismo equipo para poner en alza su espontaneidad.

La candidata popular lo pasó muy mal en esa campaña. La presión era descomunal. Sus ayusadas, cada vez más famosas en prensa, hacían daño a su familia, sobre todo a su madre, Mabel. Una noche de plena campaña, para romper un poco la monotonía de entrevistas, actos y mítines, cenó en casa de una buena amiga, Pilar Ponce (a la que luego haría viceconsejera de Organización Educativa). Acudió a la cena con su novio, el peluquero Jairo. También estaba invitado el cantante Loquillo. Y allí, la perseverante, ambiciosa y superviviente Ayuso fue capaz de llorar para desahogarse por todas las críticas que recibía. Al poco de recomponerse, lanzaría una amenaza contra la prensa: «Muchos se van a cagar cuando sea presidenta».

En abril llegaron las elecciones generales adelantadas por Pedro Sánchez. Fueron las primeras en las que se presentó Casado, y el batacazo fue descomunal. El PP bajó de 137 a 66 diputados. Aquella derrota no hizo sino aumentar la presión sobre una Ayuso que se lo jugaba todo un mes después.

4. EL DALTON ALMEIDA

Corría mayo de 2007 cuando Tita Cervera, la baronesa Thyssen, decidió convocar a los medios de comunicación y *vestirse* con cadenas para protestar por el ambicioso plan de remodelación que el Ayuntamiento de Madrid, gobernado por Alberto Ruiz-Gallardón, había ideado para una de las arterias más importantes de la capital, los Paseos del Prado y de Recoletos. 2007 fue un año difícil para Gallardón. El alcalde se presentaba a su primera reelección y las protestas por las talas masivas de árboles que su Ejecutivo estaba llevando a cabo por toda la ciudad para hacer hueco a sus obras faraónicas empezaban a pesar en su imagen. Sus críticos le tacharon de «arboricida». Y la baronesa denunció entonces que este proyecto concreto, dirigido por el arquitecto portugués Álvaro Siza, se llevaría por delante 700 ejemplares.

Ideada la *performance*, rodeada de periodistas, de ecologistas que se habían sumado a la protesta y de escoltas que protegían a la Thyssen, la aristócrata exigió al regidor «una rectificación» y aseguró tener la «promesa» de la presidenta de la Comunidad, Esperanza Aguirre, de que «no se va a talar ni un solo árbol». «Primero, me tendrían que cortar a mí un brazo. Ni yo, ni Esperanza Aguirre, que tiene mucho carácter, lo vamos a permitir. Me subiré a un árbol y me ataré hasta que no vea esto solucionado», sentenció.

Tita Cervera afirmaba que contaba con el apoyo de Aguirre. No porque la lideresa madrileña fuera una gran defensora de los árboles (ese mismo año 2007 la Comunidad de Madrid destruyó 200 ejemplares[1] para ejecutar el desdoblamiento de la carretera de los pantanos), sino porque la campaña iniciada por la baronesa en el centro de Madrid suponía tocar las pelotas al gran rival político de Esperanza en esos momentos, su compañero de partido Alberto Ruiz-Gallardón. La enemistad entre Aguirre y Gallardón fue tan famosa y prolongada en el tiempo que incluso años después (cuando los dos ya estaban retirados de la política), la expresidenta soltó una pullita de las suyas cuando Isabel Díaz Ayuso presentó en mayo de 2022 en la galería de expresidentes madrileños su retrato en las paredes de la Real Casa de Correos. «El de Alberto es más grande», dijo envidiosa, medio en broma medio en serio. Luego se haría pública una grabación en la que Aguirre y el comisario Villarejo conspiraban juntos y se reían de Gallardón llamándole «mala persona» y «tonto polla».

Al margen de anécdotas, Aguirre decidió, tras el pollo que montó Cervera, que había que sacar tajada y potenciar la Dirección General de Patrimonio Histórico, dependiente de la Consejería de Cultura y Turismo. Esta dirección, menor en el organigrama de la Comunidad de Madrid, se podría convertir en uno de los arietes para contrarrestar las ambiciosas políticas del alcalde de Madrid. Para ello, a la lideresa le recomendaron poner a un jurista al frente para que pudiera revisar la legislación en materia de patrimonio histórico y cultural que había heredado de Gallardón (que fue presidente de la Comunidad entre 1995 y 2003). Pero ¿quién podría ser el candidato?

Una joven asesora de Aguirre, que estaba enchufada en Presidencia porque era hija de una modista muy amiga de

[1] «Aguirre tala más de 200 árboles en la 'carretera de los pantanos'», *El País*, 4 de diciembre de 2007.

la presidenta madrileña, comentó que un amigo de su pareja podría encajar en el perfil, un abogado del Estado muy preparado, militante del PP desde los 19 años en la agrupación del distrito de Tetuán, pero que nunca había pisado un cargo público. Aguirre decidió conocerlo y citó a José Luis Martínez-Almeida, que entonces tenía 32 años. La entrevista de trabajo fue un poco surrealista, porque a los 20 minutos Almeida le dijo a la todopoderosa presidenta de la Comunidad de Madrid que tenía que dejarla porque había quedado para jugar al golf. «Fue increíble. Para cualquier otro mortal hubiera supuesto no conseguir el puesto. Te entrevista la presidenta de Madrid para un trabajo y le dices que te tienes que ir en mitad de la cita. Pero a Aguirre le hizo gracia porque jugaba al golf como ella. Así que, tras compartir opiniones sobre este deporte, finalmente le dio el puesto», señalan fuentes del equipo de Aguirre. El Boletín Oficial de la Comunidad de Madrid recoge el nombramiento de Almeida como director general de Patrimonio Histórico el 12 de julio de 2007.

Gracias al bienestar de unos árboles (quién lo iba a decir), Martínez-Almeida (Madrid, 1975) inició su carrera política y se convirtió en asiduo compañero de golf de Esperanza Aguirre en el exclusivo Real Club de la Puerta del Hierro. Años después, en una entrevista concedida a la revista *Vanity Fair*[2], Almeida relataría que la primera vez que jugó con su mentora Aguirre ella quiso saber su hándicap (se mide de 0 a 36, siendo 0 la mejor puntuación). «Yo debía de estar en el 16. Ella en el cinco». Cuando terminaron, ella le espetó: «Tú juegas mucho mejor de lo que dice tu hándicap. No me estafes. Espero que cuando acabe esta legislatura hayas bajado a menos de dos dí-

[2] Vera Bercovitz, «Un día con Almeida: "Cuando me nombraron alcalde, pensé: 'Algo me va a pasar. Un atentado, que se caiga un edificio…'. Ahora, esto no se te ocurre jamás"», *Vanity Fair,* 17 de agosto de 2020.

gitos». Ambos se habían apostado cinco euros. Almeida ganó. «Cuando me dio el billete, le pedí que me lo dedicara. Ella escribió: "Para Pepito el cabrón". Entonces decidí enmarcarlo. Lo tengo en casa», señalaría orgulloso Almeida.

Antes de adentrarse en el mundo de la política, José Luis Martínez-Almeida Navasqüés León y Castillo Cobián Nacarino Sánchez-Ocaña cumplió un viejo anhelo de su familia. A los 26 años se convirtió en abogado del Estado. En la promoción de 2001. «Yo no quería opositar, lo hice porque mis padres me pidieron que lo intentara. Y la vida de opositor es muy fácil. Si lo piensas, solo hay que dormir, comer, estudiar, dormir, comer, estudiar... Nada más. Es rutina pura y dura»[3]. Sus dos abuelos lo habían sido. El paterno, Pablo Martínez-Almeida, fue el abogado del Estado más joven de la historia y formó parte del consejo privado de don Juan de Borbón, abuelo de Felipe VI. De hecho, en 1966 el Conde de Barcelona fue testigo de la boda del padre de Almeida. El materno, José Luis Navasqüés, también sacó la oposición, pero decidió dedicarse al cine. Compró los Estudios Chamartín y se convirtió en uno de los principales distribuidores de películas americanas en España, aunque su mayor éxito fue producir *Marcelino, pan y vino*. Así que el joven Almeida siguió la tradición de sus abuelos (su padre, notario, también fue abogado de una empresa) y estudió Derecho en la universidad privada Pontificia de Comillas, propiedad de los jesuitas. Ejerció en Girona, Toledo y Madrid.

José Luis (o Pepelu, como lo llamaban) fichó por la Comunidad en 2007 porque le hizo «tilín probar en política con una Esperanza Aguirre en todo su esplendor y poder», señala un amigo. Almeida tenía inquietudes políticas gracias

[3] Javier Cid, «Martínez-Almeida: "Para el amor soy muy clásico. Picando piedra. Nada de Tinder"», *El Mundo*, 5 de marzo de 2022.

a la influencia de su madre Ángela, que era militante y muy activa en la sede del PP de Tetuán. «Si te descuidabas, era capaz de prepararte los sobres con el voto por si acaso no habías caído en la cuenta de a quién había que votar», explicaría Almeida. La madre también fue presidenta de la Confederación Española de Asociaciones de Antiguos Alumnos de la Enseñanza Católica.

Su superior jerárquico al entrar a la corporación fue el consejero de Cultura y Deportes, Santiago Fisas. «Aguirre me habló de él y yo también lo entrevisté. Me cayó bien y creo que hizo buen trabajo. Era simpático, natural, agradable, con sentido de humor, cordial y honesto. No era el típico funcionario, nada tecnócrata. Y teníamos una afición común, el golf», señala para suerte de Almeida, que ha compartido deporte favorito con muchos de sus jefes.

Almeida estuvo cuatro años en Patrimonio Histórico, entre el verano de 2007 y el verano de 2011. En febrero de su último año compareció en la Asamblea de Madrid para presentar un balance de los proyectos realizados[4]. Y aunque Fisas alaba su buen trabajo durante aquellos cuatro años, sus explicaciones cabían en folio y medio: varias exposiciones por los descubrimientos realizados en las obras de la M-30, la candidatura de Alcalá de Henares a capital europea de la cultura, otra muestra sobre el Camino de Santiago en el tramo que discurre por Madrid y la publicación de varios textos didácticos y científicos y folletos divulgativos. En cuanto a obras: la restauración del recinto amurallado de Buitrago de Lozoya y la plaza mayor de Chinchón. «Un trabajo ejecutado con mucho trabajo y con mucha imaginación», concluía. Fuentes socialistas recuerdan que la dirección general de Almeida no fue precisamente activa

[4] https://www.asambleamadrid.es/static/doc/publicaciones/VIII-DS-827.pdf

y que lo más importante de aquellos años fue la declaración del frontón Beti Jai (siempre fiesta, en euskera) como Bien de Interés Cultural. Pero ¿qué pasó con los árboles que defendía la baronesa Thyssen y que llevaron a Almeida a la política? En junio de 2011, Esperanza Aguirre tumbó el plan de Gallardón para reformar el eje Prado-Recoletos. Al ser Bien de Interés Cultural, la consejería tenía la última palabra. No aprobó la declaración de impacto ambiental y usó la excusa de la austeridad en el contexto de una crisis económica que ya era galopante. «No tenemos un puto duro», se le escapó en un micrófono abierto. «Armamos un escándalo. ¡Fue mágico! ¡Se salvaron los árboles!», explicaría gozosa Tita Cervera años después.

Llegados a este punto, Aguirre decidió que Almeida, su compañero de golf y gran trabajador de la consejería, tuviera otras funciones dentro de su Ejecutivo. Así pues, en junio de 2011 lo nombró secretario del Consejo de Gobierno, cuya función consistía en levantar acta de las deliberaciones secretas entre la presidenta madrileña y sus consejeros, además de asesorar jurídicamente de los acuerdos adoptados. «Almeida era un tipo muy preparado en temas legales, por eso la dirección de patrimonio se le quedaba pequeña y se pensó en él como secretario del Consejo», explican desde el equipo de Aguirre.

De Almeida, todos los que lo conocen coinciden en señalar que es un católico practicante, pero cuando se pregunta por sus convicciones políticas, hay más dudas. Liberal, democristiano, ultraconservador… es difícil clasificarlo dentro de la amplia familia del PP. Por eso Aguirre, sabiendo que Almeida, sobre todo, era *aguirrista* y un tipo pragmático, instauró una especie de chascarrillo cuando algún tema se atragantaba en el Consejo de Gobierno y se abría un debate entre los presentes. «A ver, Pepelu, tú que no tienes principios, qué opinas de…».

La frase, lapidaria, define en cierta medida al personaje. «Almeida no estaba en política por sus fuertes convicciones», coinciden en señalar dos exconsejeros de Aguirre de aquellos años. «Simplemente tuvo una oportunidad y la aprovechó, y luego como abogado del Estado era un tipo listo». De hecho, Almeida siempre ha reconocido sin rubores que es más del Atleti que del Partido Popular.

En septiembre de 2012 Aguirre dimitió como presidenta de la Comunidad de Madrid tras nueve años en el cargo. Fue toda una bomba política. Las razones fueron variadas. Acababa de recuperarse de un cáncer y quería estar más con su familia. «Pero no es eso solo. Los acontecimientos personales de mis últimos años de vida han influido. Es una decisión durísima, vivo la política con pasión, pero quiero vivir más cerca de los míos», señaló emocionada el día que comunicó su retirada. Pero ¿por qué se fue realmente una mujer que tanto amaba la política y el poder?

Porque el marido de Aguirre pasaba en esa época importantes penurias económicas y tenía deudas que saldar. Estaba en la quiebra. «Llorando, Aguirre nos explicó en enero de 2012 que su marido estaba arruinado, y con serio riesgo de ir a la cárcel si no ponía remedio a la situación. La ruina de su marido provocaba la suya, al estar casados bajo el régimen de sociedad de gananciales», señalaría uno de los cuñados de Aguirre en una entrevista en el *eldiario.es*[5], que publicó también una investigación que desveló que en julio de 2012 el marido de Aguirre vendió por cinco millones de euros un cuadro de Goya propiedad de la familia para hacer frente a sus deudas, pero que no repartió el dinero obtenido entre el resto

[5] Ignacio Escolar, «Esperanza Aguirre y su marido vendieron un Goya inédito por cinco millones sin protegerlo como bien cultural para ahorrarse impuestos», *eldiario.es*, 17 de abril de 2021.

de los herederos. El asunto acabó en los tribunales. Fernando Ramírez de Haro sería condenado en noviembre de 2025 a pagar 853 752 euros a su hermano Íñigo por esta venta.

A Aguirre la sustituyó Ignacio González, quien mantuvo a Almeida como secretario del Consejo de Gobierno. Pero no duraría demasiado en el puesto. Los exconsejeros antes señalados no solo definen a Almeida como un oportunista políticamente hablando, sino «como un tipo poco currante. Tenía una mente brillante, como buen abogado del Estado, pero currar le gustaba poco». Pero el verdadero problema de Almeida fue su mala relación con Salvador Victoria, consejero de Presidencia y mano derecha de González. «Muchos altos cargos se fueron a quejar al presidente de que Salvador era un tirano». Almeida dependía orgánicamente de Salvador. Así que un año después, en septiembre de 2013, cesó como secretario del Consejo a petición propia[6]. «Me voy porque aquí hay gente con la que no se puede trabajar», le dijo a un compañero. Ni González ni Victoria hicieron nada por retenerle. Dejó la política para volver al funcionariado.

No le costó encontrar trabajo. Se incorporó enseguida como secretario general y director jurídico de la empresa pública Sepides (Sociedad Estatal de Participaciones Industriales y Desarrollo Empresarial), que dependía del Ministerio de Hacienda de Cristóbal Montoro. Allí trabajó solo ocho meses e hizo buena amistad con otros abogados del Estado que, junto a antiguos compañeros de promoción, crearían años después un grupo de WhatsApp bautizado «Amado líder». El nombre no era por Almeida, sino por otro letrado que siempre decía que sus actuaciones judiciales habían sido «sensacionales».

[6] https://www.bocm.es/boletin/CM_Orden_BOCM/2013/09/13/BOCM-20130913-1.PDF.

En ese grupo Almeida era «Pepito» o «el enano». Él se lo tomaba con humor. Cada cierto tiempo organizaban comidas y escapadas y se encargaron durante años, sin éxito, de intentar encontrar una novia al soltero empedernido, Almeida. El grupo era bastante gamberro. Entre sus hazañas, crearon una especie de premio, una medalla que iban a llamar «la Raimunda», por san Raimundo de Peñafort (patrón de los abogados), pero terminaron bautizando «la Edmunda», por Edmundo Bal, exdiputado de Ciudadanos, abogado del Estado, y uno de los miembros más veteranos de esta especie de hermandad. La Edmunda, una foto de Bal en una chapa, solía ser concedida a determinadas personas. Por ejemplo, Bea Fanjul, buena amiga de Almeida, la aceptó de buen grado.

En abril de 2014 Almeida volvió a cambiar de trabajo para fichar por la Autoridad Independiente de Responsabilidad Fiscal (AIReF), el organismo público creado ese mismo año para garantizar «la sostenibilidad de las finanzas públicas como medio para asegurar el crecimiento económico y el bienestar de la sociedad española a medio y largo plazo». El salario era mucho mejor que en Sepides; como director de la División Jurídico-Institucional recibía un sueldo bruto anual que superaba los 135 000 euros. Allí su jefe era José Luis Escrivá, que llegaría a ser ministro y gobernador del Banco de España con Pedro Sánchez.

«En el puesto de Almeida entrevisté a cinco candidatos y lo elegí a él», rememora. Escrivá asegura que Almeida llegó a desempeñar un buen trabajo a la hora de buscar fuentes de financiación, ya que se encargó de «desarrollar un sistema de recaudación con la tasa que se cobra a las administraciones públicas que son supervisadas por la AIReF. Lo hizo con habilidad y firmeza». De él también dependía la gestión de recursos humanos. «Era un buen jurista, conocía muy bien la administración, y era una persona muy rápida a la hora de entender los problemas y buscar soluciones», sentencia Escrivá.

Lo más curioso es que como responsable jurídico de la AIReF, Almeida trabajó en la demanda que este organismo presentó contra el ministerio al que estaba adscrito, la cartera de Hacienda de Montoro. Casualidades de la vida, Almeida denunciando al que había sido su jefe meses antes cuando estaba en Sepides. El motivo de la demanda era una orden ministerial que, según la AIReF, vulneraba su «independencia y autonomía» a la hora de poder solicitar información a otras administraciones. Hacienda quería controlar y supervisar previamente las peticiones de datos que hacía la AIReF a ayuntamientos, diputaciones y comunidades autónomas.

Almeida no aguantó mucho en el organismo. En la primavera de 2015, Aguirre volvió al ruedo político tras arreglar sus problemas familiares y económicos, y convencer a Mariano Rajoy. El presidente del PP apostó por la lideresa como candidata al Ayuntamiento de Madrid, mientras Cristina Cifuentes encabezaba la lista para la Comunidad. El problema era que Aguirre seguía siendo presidenta del PP de Madrid, así que pactó con Rajoy que solo dejaría ese cargo si ganaba las elecciones y era nombrada alcaldesa. Si no vencía, seguiría como responsable del partido controlando el poder en la sucursal pepera más importante, la madrileña. Aguirre llegó incluso a lanzar unos tuits incendiarios en los que aseguraba que si el PP la *destronaba* creando una gestora, dejaría de ser candidata a la alcaldía de la capital. «No me presento como candidata para que el programa y la lista los hagan otras personas con las que no coincido. No soy un monigote. No pienso dejar la presidencia de @ppmadrid. ¿Pero esto qué es? Tengo ilusión por ser alcaldesa, pero nadie me hace el programa y la lista».

Aguirre hizo finalmente su lista y metió a Almeida de número tres. El abogado del Estado ganaba una pasta en la Airef, pero le tiraba el gusanillo de la política y la lideresa madrileña lo convenció con una sola conversación. «José Luis, no creas que vamos a estar en el gobierno necesariamente, que esto está muy difícil. Lo que sí te garantizo es que si nos vamos a la oposición nos vamos a reír mucho y lo pasaremos muy bien», le dijo. Además, a Aguirre ya no le acompañaban ni González, ni Victoria, ni otros cargos con los que Almeida nunca congenió. Al final se cumplieron los dos vaticinios. Porque Aguirre ganó las elecciones municipales de 2015 con 21 concejales, pero no gobernó, ya que los 20 ediles que obtuvo Manuela Carmena y los nueve del PSOE dieron la alcaldía a Ahora Madrid. Aguirre se fue, por tanto, a la oposición. Y como prometió a Almeida, se lo empezaron a pasar muy bien.

Almeida enseguida hizo migas con un grupo de concejales (Borja Carabante, Álvaro González y Borja Fanjul) que usaban un estilo bronco y pandillero —como diría Ayuso— para hacer oposición a Carmena en las comisiones y en los Plenos. «Eran chabacanos, impertinentes, gamberrillos, como cuatro compañeros de clase que se comportaban mal. Intentaban ser unos malotes, pero en el fondo eran ridículos y cutres», señala Rita Maestre, entonces portavoz del Ayuntamiento y miembro de la comisión de Urbanismo, donde también estaban Almeida y sus compañeros.

Rita Maestre tiró de ingenio y les empezó a apodar «los Dalton», como los forajidos del cómic de *Lucky Luke*. El mote era ideal, porque Almeida y sus «compinches» usaban un tono chuleta y cañero en sus discursos. Y porque siempre vestían muy parecido y se peinaban igual (es casi norma obligada en el PP). La única distinción con los personajes del tebeo es que todos eran de la misma altura, excepto Borja Fanjul, que iba en silla de ruedas por un desgraciado accidente de tráfico. «Eran camorristas pero divertidos. El PP estaba acostumbrado a gobernar en Madrid. De repente se van a la oposición y están desubicados, así que deciden pasárselo bien con estos comportamientos tan poco institucionales», explica la exconcejala socialista Mar Espinar, que también los sufrió en las comisiones de urbanismo.

Ellos se enteraron del mote y les hizo tanta gracia que se hicieron unas camisetas que lucieron en la cena de Navidad del grupo municipal celebrada en 2016 con la palabra Dalton y el logo del PP dentro de la o. «Yo vi la foto. La iban enseñando orgullosos», afirma Rita Maestre. Bosco Labrado, entonces concejal de Ciudadanos y presidente de la comisión de Urbanismo, también los sufrió. «Me sentía como Ángel Cristo, porque era como domar unas fieras. Aunque usaban un tono chulesco y gamberro, creo que en el fondo estaban interpretando un personaje. El urbanismo no les interesaba, solo armar jaleo para enfadar al equipo de Carmena y conseguir sus titulares. Me daban muy mala vida. Muchas veces los amonesté e incluso los expulsé, pero luego fuera de la comisión eran correctos y educados», señala.

La oposición, por su parte, también apodó a Almeida con el nombre de «Monchito», como uno de los famosos muñecos del ventrílocuo José Luis Moreno porque «Esperanza Aguirre siempre le estaba diciendo a Almeida lo que tenía que decir en los Plenos». Él, en cambio, gran aficionado del mundo del fútbol «decía que era como Messi, que Esperanza lo tenía en el banquillo y no le daba toda la cancha que se merecía», sentencia Maestre.

Uno de los Dalton era Álvaro González, «Alvarito» para sus compañeros. Comenzó muy joven en las Nuevas Generaciones de Carabanchel, su distrito, donde su familia había tenido carnicerías especializadas en vender carne de caballo, según contaba orgulloso. Licenciado en Ciencias Biológicas, una compañera que comenzó con él en NNGG asegura que nunca ha «tenido un trabajo fuera de la política». Su currículo no refleja ningún desempeño profesional en el sector privado. En 2004 Esperanza Aguirre lo premió con un puesto en el Parlamento madrileño porque ayudaba mucho en todo tipo de campañas y mítines. Lo apodaban «el Acomodador» o «el Ponesillas» por lo mucho que curraba en los actos del partido. Fue diputado entre octubre de 2004 y junio de 2015, legislaturas de mayorías absolutas de los populares tras el conocido tamayazo. Allí, su balance en 11 años fue de 76 iniciativas presentadas, una media de siete por año frente a las 300 de media que tramitaba un diputado de la oposición. González era el peor de los Dalton, «un tipo marrullero, faltón, con mucho menos nivel intelectual que el resto de sus compañeros de partido», recuerda Bosco Labrado.

Aparte de Dalton, González se ganó un nuevo mote entre sus correligionarios: «Alvarito el Pobre». La transparencia había llegado a la política y se estaba instalando entre las instituciones. Todos los altos cargos debían hacer pública su declaración de bienes y actividades. El grupo que lideraba Aguirre acapararía titulares por lo abultado del patrimonio de sus concejales.

Uno era el de Pablo Cavero, exconsejero de la Comunidad de Madrid, que había pasado la mayor parte de su vida laboral en el sector bancario. Tenía tres fondos de inversión con 2.4 millones de euros, una cartera de 882 000 euros y dos planes de pensiones por valor de 450 000 euros, además de varias propiedades. En total, 6.9 millones de euros. Era el concejal más rico de los 57 que conformaban el Pleno municipal.

O como publicó el diario *El Mundo*, «para igualar el patrimonio que tiene Cavero, habría que sumar el total de bienes de 42 concejales del Ayuntamiento».

El segundo caso era el de Isabel Rosell, ex directora general de Archivos, Museos y Bibliotecas de la Comunidad de Madrid, también en el grupo de Aguirre. Su patrimonio sumaba 1.14 millones de euros. De hecho, cuatro de los cinco concejales más «ricos» del Consistorio eran del PP. Para contrarrestar tanta riqueza, y dejar claro que en el grupo municipal había ediles de todas las clases y condiciones, había que buscar un «pobre». Y ahí apareció Álvaro González, que solo declaró una vivienda con un valor catastral de 70 000 euros, cuentas bancarias por 40 000 euros y un único vehículo.

El elegido para intentar colar el mensaje entre los medios de comunicación que lo de Cavero y Rosell era una excepción fue, por tanto, «Alvarito». A este no le gustó nada ser utilizado para estos menesteres mediáticos y fue a quejarse. «Álvaro, no le des más vueltas. Necesitamos un pobre para vender a los medios», le señaló una persona del círculo más estrecho de Aguirre. Obviamente, esta estrategia no coló. Para los periodistas, que habitualmente hacían noticias cuando se publicaban los bienes de los políticos, lo noticiable era la pasta de Aguirre, Carmena y de los primeros espadas del Ayuntamiento. Y por lo abultado, la noticia también incluyó a Cavero. Lo de González, un desconocido sin mucho que destacar, no le interesó a nadie. Pero sirvió durante una temporada para la mofa de sus compañeros. Almeida, por su parte, solo tenía una vivienda; un pequeño porcentaje por herencia de otros dos pisos; 53 000 euros en el banco; un coche y una moto.

El grupo municipal del PP intentó hacer la vida imposible al Gobierno de Carmena siempre que pudo. El protagonismo interno de la vida municipal no se lo llevaron ni Aguirre, jefa de la oposición, ni Íñigo Henríquez de Luna, su número dos comedido y prudente; sino que recaló en Almeida y sus Dalton. Ahora Madrid y PSOE lo calificaban como «brillante orador», «sarcástico» y «malvado». Él, como portavoz del PP en la comisión de urbanismo, intentó llevar a cabo una de esas maldades liderando la reprobación del concejal del ramo, José Manuel Calvo, por el proyecto de derribo de las cocheras de Cuatro Caminos, un tema que enfrentó al Ayuntamiento, a la Comunidad de Madrid y a los vecinos.

«Llamé a Aguirre para decirle que no lo entendía. Que si quería le explicaba el proyecto correctamente. Aguirre no sabía que Almeida había presentado la reprobación y me dijo que lo tenía al lado mientras hablábamos por teléfono. "No te preocupes, habló con él y te digo. Lo arreglaremos. Lo bueno de José Luis es que no tiene principios, así que si me lo explicas bien no habrá problemas", me dijo Aguirre. Yo estaba atónito», recuerda el concejal de Ahora Madrid. Al final el PP retiró la reprobación y todos contentos, menos Almeida, ya que Aguirre mencionaba siempre que podía la coletilla de que Pepelu iba flojo cuando de principios políticos se trataba. En este vaivén de devaneos políticos, hay una anécdota con el concejal que define bien cómo Esperanza Aguirre no valoraba ni a los suyos. «Un día en un Pleno enuncié lo que queríamos hacer en Madrid, que era simplemente cumplir la legislación urbanística. Al acabar mi intervención Aguirre me dijo que le había gustado y que si lo aplicaba sería el mejor concejal de urbanismo de la historia de Madrid. "Pero si lleváis más de 20 años gobernando vosotros, le dije". "Pues por eso te lo digo, me contestó". Muy elocuentes sus palabras».

La socialista Mercedes González, aunque rival política, entabló una buena amistad con Almeida a raíz de sus encuentros en la comisión. «Me ha demostrado ser una buena persona, un buen amigo, en el plano personal. Es un tipo con desparpajo, muy inteligente y con un gran sentido del humor», se limita a decir para este libro.

Sin embargo, hay quien difiere de esa opinión. Un excompañero del PP, que pide guardar el anonimato, secunda esa definición de Almeida como «un político sin principios [como siempre decía Aguirre], pero que es muy listo porque sabe ver venir la jugada. Muy inteligente, a los Plenos iba sin papeles ni nada. Pero también era un poco vago. Si tuviera la virtud de la constancia sería un buen líder». «Es un tipo muy listo con una gran oratoria, pero un oportunista y en cierta manera una persona acomplejada. Muy conservador, aunque durante un tiempo vendió el papel de hombre moderado, pero no lo es», apostilla Calvo.

La calma en el grupo municipal popular duró hasta abril de 2016, cuando Aguirre anunció su segunda dimisión (esta vez como presidenta del PP de Madrid) tras la imputación de Francisco Granados por el caso Púnica. La cada vez menos lideresa alegó entonces «responsabilidad política *in vigilando*» para dejarlo, reconociendo que no se enteraba de nada de lo que hacían sus subalternos. En marzo de 2017, Aguirre fue sustituida por Cifuentes, que con el 93 % de los votos barrió y fue elegida nueva presidenta del PP de Madrid. Contra ella sopesó presentarse Íñigo Henríquez de Luna, número dos de Aguirre en el Ayuntamiento, pero finalmente descartó la idea al no contar con el apoyo de pesos pesados del PP de Madrid, que habían prometido ayudarle pero le retiraron su aval a última hora.

Un mes después, el 24 de abril de 2017, Aguirre volvía a dimitir entre lágrimas, por tercera vez (ahora como concejala) después de que se conociera otra imputación por corrupción de Ignacio González, su mano derecha durante años en la Comunidad. Las tramas Gürtel, Púnica y Lezo habían caído una tras otra como pesadas losas sobre las espaldas de una Aguirre que no pudo enfrentar tanto escándalo. Ese mismo día, con su *cadáver* político todavía fresco, Cristina Cifuentes anunciaba que durante aquella semana se votaría a su sucesor como portavoz popular en el Consistorio. El martes 25, José Luis Martínez-Almeida oficializó su candidatura admitiendo que contaba con el apoyo de la dirección regional. A mucha gente le pilló con el pie cambiado. «Cómo va a ser este portavoz si nunca ha pisado una sede», señaló entonces un compañero de grupo, hoy ya retirado. Todo el mundo esperaba que el delfín de Aguirre en lo que quedaba de mandato fuera Íñigo Henríquez de Luna. Se enteró de que tendría competencia por el puesto primero por la prensa y luego por una llamada personal de Almeida. De todas formas, Íñigo se olía ya algo porque dos compañeros lo habían avisado la noche antes.

Se desarrollaron entonces tres días de intensa actividad, reuniones y encuentros discretos en los que los dos candidatos intentaron captar el mayor número de votos. El PP tenía 21 concejales. Como Aguirre se había ido, y lo lógico era que Almeida votará por él y Henríquez de Luna por sí mismo, la batalla se lidiaba por 18 votos. Y aquí la clave la tuvo Cristina Cifuentes. ¿Por qué? En las elecciones de 2015 Aguirre y Cifuentes se habían distanciado, incluso enemistado. Cifuentes siempre acusó a Aguirre, que entonces era la presidenta de PP madrileño, de que no le había apoyado lo suficiente en su campaña. Y ahora, dos años después, Cifuentes quería cobrarse la venganza «fragmentando de alguna manera el grupo municipal que había conformado Aguirre». Así que ordenó que se apoyara a Almeida. Además, Cifuentes no tenía buena relación con Íñigo Henríquez de Luna porque este se negó a firmar el aval de su candidatura para ser presidenta del PP de Madrid. En los partidos estas cosas no se perdonan.

Almeida, un tipo listo, sabía que en esos momentos el caballo ganador era Cifuentes, política en alza dentro del partido. ¿Y qué hizo Aguirre? «Estaba tan en shock por todo lo sucedido que no tomó partido por nadie ni tampoco hizo nada por dejar la sucesión establecida. Hizo un *Esperanza* y pasó del tema. Ni apoyó claramente a Henríquez de Luna ni le dijo a Almeida que no se presentara», explica una persona cercana a Aguirre. «Solo pidió una cosa, que siguiera en el grupo su secretaria Conchita». Así que el equipo de Cifuentes, con la destacada ayuda de los Dalton, cogió pico y pala y empezó a reunirse con todos los concejales del grupo para que votasen a Almeida. Para no dividir más al grupo municipal, se decidió que la votación sería secreta y a puerta cerrada. Había una papeleta con los dos nombres y cada concejal debía marcar a su candidato. ¿Y quién ganó? Almeida, con diez votos contra los ocho de su rival. Hubo dos votos en blanco.

Allí estaban, por cierto, dos de los personajes más maquiavélicos de la historia del PP de Madrid, los asesores Ángel Carromero y David Erguido, escuchando a través de los tabiques para enterarse de cómo iba la votación. Un concejal que vivió ese dramático momento asegura que «Carromero pegó un grito de alegría cuando se enteró de la victoria de Almeida. Muchos lo oyeron». En esas circunstancias no hay secretos. Almeida sabe quién votó por él, igual que Íñigo conocía quién lo apoyó. De hecho, los que se habían decantado por Almeida empezaron a llamar el «tanatorio» a la zona de despachos donde estaban los que habían votado por Íñigo Henríquez de Luna «porque estaban todos muertos políticamente». El grupo socialista, por su parte, apodó a Íñigo Henríquez de Luna como «Charles», por el príncipe Carlos de Inglaterra, porque «había tragado con todo tipo de tiranías de la reina madre [Aguirre]» y ya nunca llegaría a ser el sucesor.

Tras su victoria, Almeida, agradecido, escribió este tuit a Cifuentes: «Muchísimas gracias, Presidenta, por tu cariño y apoyo. Esta ciudad merece que trabajemos sin descanso. Partido a partido», finalizaba el nuevo portavoz reflejando el lema que había hecho famoso el entrenador de su equipo, el Cholo Simeone. Cifuentes había conseguido lo que quería. Días más tarde, Cifuentes metió a Almeida en el comité de dirección del partido en Madrid, un puesto al que los portavoces en la oposición no solían aspirar. Almeida había cambiado una lideresa (Aguirre) por otra (Cifuentes). Después, como suele suceder en este tipo de duelos internos, llegaron las venganzas. Almeida comunicó a un par de asesores muy cercanos a Aguirre que debían irse del grupo por instrucciones de Cifuentes. Los despidió escudándose en que él solo era «un buen soldado que obedecía las órdenes que le daban».

Almeida hizo algunos cambios en su grupo municipal, aunque mantuvo de momento a su rival Henríquez de Luna como portavoz adjunto dos años más. Puso como jefa de prensa a María Pelayo (que había trabajado para Antena 3, Telemadrid, el Gobierno de Aznar, y 13TV). Pelayo estaba muy bien relacionada, ya que su marido Rafael era amigo de Felipe VI. Almeida también convirtió en asesor principal a David Erguido. Su círculo lo cerraban los Dalton y Ángel Carromero, persona de máxima confianza de Pablo Casado.

Este núcleo desarrolló una oposición basada en judicializar muchos de los proyectos de Carmena (el PP denunció a dos ediles por malversación en el Open de Tenis, también denunció Madrid Central) y en mantener un estilo «duro y correoso» contra el Ayuntamiento. Aparte de encontrar un hueco en la agenda mediática madrileña, el nuevo portavoz popular se vio obligado a finiquitar el asunto Íñigo Henríquez de Luna, todo un pata negra del PP (sus padres fueron fundadores de Alianza Popular) del que se deshizo sin mucho ruido: «No das el perfil que busco para el partido», respondió Almeida cuando le preguntó si contaba con él y su experiencia para las elecciones de mayo. Henríquez de Luna se dio de baja del PP, y aunque Ciudadanos lo intentó fichar, acabó de representante de Vox en la Asamblea de Madrid. No ha vuelto a cruzar palabra con Almeida. Ironías del destino, Vox quiere que Henríquez de Luna sea su candidato en las elecciones municipales de 2027. Luchará contra Almeida por la alcaldía de Madrid.

5. SKYNET

Sarah Connor: [voz en off] Tres mil millones de vidas humanas se apagaron el 29 de agosto de 1997. Los supervivientes del fuego nuclear llamaron a aquella guerra el día del juicio final. Solo vivieron para hacer frente a otra pesadilla: la guerra contra las máquinas. La computadora que controlaba las máquinas, Skynet, envió a dos Terminators a través del tiempo. Su misión, destruir al líder de la resistencia humana, John Connor, mi hijo.

(...)

Sarah Connor: Necesito saber cómo se construye el Skynet. ¿Quién es el responsable?

Terminator: El hombre directamente responsable es Miles Bennett Dyson.

Sarah Connor: ¿Quién es?

Terminator: Es el director de proyectos especiales de la empresa Cyberdyne Systems.

Sarah Connor: ¿Y por qué él?

Terminator: Dentro de unos meses creará un modelo revolucionario de microprocesador.

Sarah Connor: Continúa, ¿qué ocurrirá?

Terminator: En tres años, Cyberdyne se convertirá en el mayor proveedor de sistemas de computadoras militares, todos los bombarderos antirradar se modernizarán con esas computadoras y ya no necesitarán tripulantes. De ese modo volarán con un funcionamiento operativo perfecto. Se aprobará el presupuesto del Skynet. El sistema se conectará el 4 de agosto de 1997, se eliminarán las decisiones humanas en la defensa estratégica. Skynet aprenderá en progresión geométrica, tendrá conciencia de sí mismo a las 2:14 de la madrugada del 29 de agosto. Los humanos, aterrados, intentarán desconectarlo.

Sarah Connor: Sin embargo, Skynet se defenderá.

Terminator: Sí, lanzará sus misiles contra los objetivos en Rusia.

John Connor: ¿Por qué atacar Rusia? Ahora son nuestros amigos.

Terminator: Porque Skynet sabe muy bien que el contraataque ruso eliminará a sus enemigos de aquí.

Este es uno de los diálogos más famosos del cine. Una máquina enviada desde el futuro, Terminator, explica al que será el líder de la resistencia y a su madre (John y Sarah Connor) que el holocausto nuclear que acabará con el mundo lo desencadenará un sistema operativo creado por el hombre, que se volverá independiente y atacará a quienes lo diseñaron. En 2022, Isabel Díaz Ayuso tenía este apodo entre algún dirigente popular bastante cinéfilo que había visto cómo la nueva lideresa del PP madrileño había ido sumando poder sin que nadie la frenara y al final había matado a su creador. Ayuso, como Skynet hizo con los humanos, se había cargado a Pablo Casado, su amigo íntimo, «su hermano», quien le había dado su mejor oportunidad en la política. El PP había vivido su particular día del juicio final.

Pero para llegar a este desenlace político, el destino de Isabel Díaz Ayuso se había empezado a escribir dos años antes, a finales de mayo de 2019, cuando la joven de Chamberí obtuvo en las elecciones autonómicas de 2019 el peor resultado de la historia del PP en la comunidad de Madrid. Solo 30 escaños. Los socialistas ganaron las elecciones con 37 diputados. Pero la consolidación de Ciudadanos (26 parlamentarios) y la irrupción de Vox (con 12) preveían una aritmética favorable para Ayuso. El PP se había salvado del desastre.

«Soy la presidenta de todos los españoles en Madrid», dijo al día siguiente de las elecciones. Ciudadanos y Vox tenían por delante la misión de convertir en presidenta a la política a la que nadie tomaba en serio, a la carne de cañón de meme.

Ayuso se enfrentaba a una negociación a tres bandas. Primero tenía que acordar con Ciudadanos un pacto de Gobierno, ya que la formación que lideraba Ignacio Aguado quería entrar en el Ejecutivo madrileño. Al mismo tiempo había que hablar con Vox, que no quería formar parte de un tripartito, pero sí quería arrancar algunos compromisos políticos antes de dar sus votos a la popular. Y en tercer lugar, Ayuso tenía que cerrar con su propio partido los nombres que le acompañarían en su primera gran aventura política, es decir, quiénes serían sus consejeros y consejeras.

El primer acuerdo se cerró con Ciudadanos el 8 de julio de 2019. Durante esta negociación hubo varios puntos de fricción. El PP quería llevarse a toda costa las consejerías de Presidencia y Educación. Para los populares era innegociable, porque quien controla Presidencia controla la Dirección General de Medios, es decir, la publicidad institucional que se reparte a televisiones, radios y periódicos. Y para Ciudadanos, lo innegociable era llevarse la portavocía del Gobierno. Si los populares no aceptaban esto último, no habría pacto.

Ayuso no quería ceder la portavocía, ya que sabía que era importante dominar el mensaje que saldría del primer Gobierno madrileño de coalición. Pero tuvo que tragar. El Ejecutivo contaría con 13 consejerías, siete para el PP y seis para

Ciudadanos. «Echando la vista atrás, nosotros pecamos un poco de novatos, ya que nos centramos mucho más en las políticas que queríamos impulsar, que se reflejaron en un acuerdo de 155 puntos, mientras que el PP estaba a las cosas del comer, quién sería el portavoz, quién controlaría las campañas de publicidad y el reparto de cargos», señala una fuente de Ciudadanos presente en las negociaciones. «Reconozco que asumir la portavocía terminó siendo un gran error», escribiría Ignacio Aguado años después, en 2025, en su libro *Volando entre halcones*, donde publicaría sus vivencias en política. ¿Por qué? «Un día sí y otro también, tenía que salir a matizar las declaraciones de Ayuso, a tratar de salvar sus meteduras de pata o, lo que es peor, a tratar de justificarlas».

Vox se enfadó y calificó de «vergonzoso» el acuerdo. Ciudadanos vetaba cualquier negociación directa con Vox y la ultraderecha exigía que se firmara un pacto a tres. Como la otra opción era repetir elecciones, y que seguramente gobernara la izquierda, todos tuvieron que dar su brazo a torcer, a pesar de las gruesas amenazas de Rocío Monasterio, la líder de Vox, que abrió la mano presionada por la dirección nacional. «La política del trilero no va con nosotros (...) tampoco nos parece tolerable que Díaz Ayuso agache la cabeza y se preste a los juegos del señor Aguado. Muestra falta de liderazgo y de fortaleza, y esas dos cualidades hacen falta para presidir la Comunidad».

Los tres líderes, Ayuso, Aguado y Monasterio, tenían entonces un chat de WhatsApp para comunicarse durante una negociación que duró dos meses. Monasterio subió a ese chat su última propuesta de acuerdo, que fue asumible para Ciudadanos. Todos contentos. El 14 de agosto, Ayuso obtenía los 68 votos deseados después de que Vox hiciera algo de teatro para hacer sufrir a la popular hasta el último momento. Los

12 diputados de Monasterio, con ella incluida, retrasaron su entrada en el Pleno (lo bautizaron el «Pleno de la escalera» porque allí esperaban todos los de Vox a la espera de hacer acto de presencia) hasta terminar de cerrar unos últimos flecos con el PP.

Monasterio menospreciaba bastante a Ayuso en aquellos momentos. «Se la notaba falta de experiencia y una gran inseguridad. La prueba es que Rocío negociaba con Javier Fernández-Lasquetty, quien iba a ser hombre fuerte del Gobierno, y con el propio MAR, que adoptaba una actitud muy paternalista y siempre llamaba «la niña» a la futura presidenta. La verdad es que Ayuso no tomaba ninguna decisión con nosotros sin consultárselo antes a MAR», explican fuentes de Vox.

Todo el mundo ninguneaba en esos momentos a Ayuso en el inicio de su aventura política, desde sus futuros socios de gobierno hasta sus futuros socios de investidura. También compañeros de su propio partido y los medios de comunicación. El periodista y poeta Antonio Lucas escribió esos días un demoledor e irónico artículo de opinión señalando que con Ayuso a los mandos Madrid iba a ser más kilómetro cero que nunca. «Esta mujer, Isabel Díaz Ayuso, nunca defrauda. La entrevista es un género demoledor para la mediocridad. Cuando esta existe la despliega fieramente y no hay gotelé que oculte el rodal. Yo al verano se lo acepto casi todo, incluso el repertorio gaseoso de esta política de derecha/derecha que tiene por referente a Isabel la Católica (afinadísima elección, tira millas). El verano mental es otra forma de estar en el mundo, capaz de reducirlo todo a una condición psíquica infraleve (...) No recuerdo que la frivolidad tuviera tanto paso franco en la sede de la Comunidad de Madrid (y aquí hemos visto cosas que no creeríais), pero ya que ruge imbatible (y tan desacomplejada) al menos que sirva para unas risas. Es lo único que puede aliviar tanto desencanto. Nunca Madrid fue tan kilómetro 0. La vamos a gozar. Qué remedio»[1].

El 19 de agosto, Ayuso tomó posesión del cargo arropada por su amigo Casado. Resuelta la negociación a tres bandas con otros partidos políticos quedaba la prueba más difícil: formar su propio Gobierno. Ya lo dijo Churchill. En política los adversarios están enfrente y los enemigos detrás de ti, en tu propio partido. Konrad Adenauer lo expresó de otra manera: «Hay tres tipos de enemigos, los enemigos a secas, los enemigos mortales y los compañeros de partido». De los siete consejeros del PP, Ayuso solo pudo elegir a dos. Se trataba de su amiga Eugenia Carballedo, nombrada consejera de Presidencia sin apenas atribuciones; y Enrique Ossorio, nuevo consejero de Educación y Juventud (sí, el mismo Ossorio que pidió a Cifuentes en 2017 que le quitara de encima a una joven Ayuso como portavoz adjunta del grupo parlamentario porque «era una inútil»).

El resto fueron impuestos por Génova: Javier Fernández-Lasquetty llevaría la cartera de Hacienda y Función Pública; Enrique López la de Justicia, Interior y Víctimas del Terrorismo; Paloma Martín tendría la consejería de Medio Ambiente, Ordenación del Territorio y Sostenibilidad; Enrique Ruiz Escudero la de Sanidad; y David Pérez la de Administración Local y Vivienda.

El primer problema surgió con David Pérez, otro periodista como Ayuso, elegido por sorpresa su número dos en la candidatura. Pertenecía al ala más conservadora del PP. Fue alcalde de Alcorcón, donde se hizo famoso después de que se filtrara un vídeo en el que decía que el feminismo era algo «rancio,

[1] Antonio Lucas, «Madrid, kilómetro 0», *El Mundo*, 13 de agosto de 2019.

radical y totalitario» y que las mujeres que se consideraban feministas eran «mujeres frustradas, amargadas, rabiosas y fracasadas como personas». Como alcalde consiguió algo muy difícil: llevarse mal con sus compañeras del grupo municipal[2]. Dos de sus ediles dejaron la política porque no lo aguantaban más, otra estuvo de baja médica por «clima laboral adverso», y una cuarta denunció al Ayuntamiento porque Pérez no quería darle competencias ni ponerle sueldo.

Como representante en la Asamblea no iba a ser menos: Pérez montó el pollo la misma tarde de la toma de posesión de Ayuso porque se sintió ninguneado. La presidenta tuvo que sofocar su primera minicrisis de Gobierno sin que este estuviera constituido[3]. El berrinche se originó por una nota de prensa filtrada a las 7 de la tarde con la composición de un Ejecutivo en el que no estaba David Pérez. El popular esperaba ser el consejero de Presidencia con importantes responsabilidades, y se sintió traicionado al ver que ese puesto era para Eugenia Carballedo. No había hueco para todos. Pero al verse fuera del Ejecutivo tragó y aceptó una cartera menor, la de Administración Local y Vivienda. En la nota de prensa definitiva ya no aparecía Ana Camins, amiga personal de Pablo Casado y la elegida para el puesto en un primer momento, pero sí Pérez. Todo arreglado.

Así empezó el experimento del primer Gobierno de coalición en la historia de la Comunidad de Madrid. Esos primeros meses tras el verano fueron complicados, porque desde el primer momento quedó claro que no había un solo Ejecutivo, sino dos (los consejeros populares por un lado y los de Ciudadanos

[2] David Fernández, «Dos fugas, una baja médica y una denuncia: el 'idilio' de David Pérez con sus concejalas», *El Confidencial*, 25 de enero de 2018.

[3] David Fernández, «Ayuso sofoca su primera crisis de Gobierno: su número dos estaba fuera por la tarde», *El Confidencial*, 25 de enero de 2018.

por otro). De hecho, había otro acuerdo paralelo al de investidura por el que Ayuso no podía cesar ni nombrar a ningún consejero de Ciudadanos. También hubo desencuentros por el reparto físico de los sillones. Aguado, aunque era vicepresidente y portavoz, no quería compartir espacio con Ayuso en la Casa de Correos de la Puerta del Sol. También hubo fricciones por la ubicación de algunas consejerías. David Pérez (Vivienda) y Ángel Garrido (Transportes) querían el edificio que la Comunidad tiene en la calle Maudes. Salió victorioso de la pugna inmobiliaria Garrido porque Transportes tenía más funcionarios a su cargo.

En el primer Consejo de Gobierno, Ayuso pidió a todos sus consejeros que la tratasen de usted y que se dirigieran siempre a ella como «presidenta». No soportaba que Ángel Garrido la llamara simplemente *Isa*. «La Isabel que yo conocí fue una mujer agradable en el trato, aunque sumamente desconfiada, insegura de sí misma y terriblemente ingrata. Su inseguridad pronto se convirtió en recelo y desconfianza hacia todos y hacia todo. Tal vez por ello, nos ordenó que nos dirigiéramos a ella como "presidenta"», señala Aguado.

Ayuso sabía que sus compañeros de viaje (los consejeros de Ciudadanos) no la respetaban. Tampoco lo hacía gran parte de la prensa. Un ejemplo: el 20 de agosto de 2019, tras la primera reunión de los 13 consejeros del Gobierno de coalición, un medio destacaba que el vestido de la presidenta era «ancho» y «horrible» y «le hace bolsas por los lados».

Ayuso había tenido que tragar con el nombramiento del *traidor* Garrido, su exjefe en la Consejería de Justicia, que se había pasado a las filas de Ciudadanos tras no ser elegido candidato a la Comunidad. La relación entre ambos era entonces muy mala. Habían sido muy buenos amigos, pero motivos personales habían socavado esa relación. Ayuso había ironizado sobre él señalando que, tras su fichaje por Ciudadanos, lo siguiente sería acabar en Podemos.

La desconfianza reinaba entre ambos partidos incluso a la hora de repartir los fotógrafos. La Dirección General de Medios tenía tres, y Ciudadanos impuso que uno de ellos siempre acudiera a los actos de Aguado. En esos primeros días de gobierno tampoco ayudó que el partido naranja apoyara la comisión de investigación sobre Avalmadrid, una empresa semipública participada por la Comunidad de Madrid. El autor de este libro publicó en exclusiva en *El Confidencial* que Avalmadrid había aprobado en marzo de 2011 un préstamo de 400 000 euros a la empresa Mc Infortécnica SL, controlada al 50 % por el padre de Ayuso[4].

Como garantía, la familia Ayuso había aportado una pequeña nave de 558 metros cuadrados situada en un polígono industrial de Sotillo de la Adrada, en Ávila, escriturada entonces según el Registro de la Propiedad en 26 388 euros, es decir, 14 veces menos que el crédito concedido. La finca ni siquiera cumplía con la normativa urbanística y, según un informe que analizaba los riesgos de la operación, existía la «posibilidad de que parte del inmueble sea derribado sin que el propietario pueda reclamar indemnización alguna». Aun así, se aprobó el préstamo. Avalmadrid nunca pudo recuperar el dinero y, con el paso de los años, la deuda se incrementaría hasta los 544 000 euros, sumando intereses de demora y costas. Avalmadrid intentó subastar en 2018 la finca del padre de Ayuso para intentar recuperar parte del préstamo, pero nadie la compró.

[4] David Fernández, «Avalmadrid prestó 400.000€ al padre de Ayuso por una nave escriturada en 26.000», *El Confidencial*, 19 de junio de 2019.

Ciudadanos ya había anunciado en campaña que si gobernaba cerraría «el chiringuito» de Avalmadrid e investigaría muchos de los préstamos dudosos que se habían concedido. La oposición hablaba de un posible delito de alzamiento de bienes, porque el padre de Ayuso era avalista solidario del préstamo, es decir, estaba obligado a responder de la devolución del dinero con todos sus bienes presentes y futuros. MC Infortécnica tenía que realizar el primer pago el 15 de diciembre de 2011, pero para entonces la empresa ya había quebrado. En ese momento, Ayuso ya era consciente de que la sociedad de sus padres no podría devolver el dinero.

Así lo puso ella misma por escrito, en un correo electrónico que envió el 14 de septiembre de 2011 (cuando ya era diputada autonómica) al entonces director de Relaciones Institucionales de Avalmadrid, Carlos Ramos Juárez, donde le transmitía la sospecha de que los socios de sus padres habían «montado empresas paralelas para desviar el negocio y dejar morir la otra [MC Infortécnica]». Ayuso se había puesto en contacto con Juárez para enterarse de cómo podía afectar el impago del crédito al patrimonio de sus padres. Tras asumir que su familia no podría hacer frente a sus obligaciones con Avalmadrid, los padres de Ayuso y sus hijos orquestaron una donación para transferirle a ella la nuda propiedad de un piso en el centro de Madrid y a su hermano Tomás una vivienda unifamiliar en un pueblo de Ávila. Es decir, los dos inmuebles pertenecen a ambos hermanos, aunque eso no les faculte para vivir en ellos y arrendarlos o venderlos a terceros. El objetivo era evitar que estos inmuebles fuesen embargados.

«Pidieron un crédito, y la empresa después se arruinó. La casa de la que tanto hablan es la casa en la que se crio mi madre, la casa en la que me he criado yo con mi hermano… no sé qué pretenden que hagamos mi madre y yo. ¿Nos vamos debajo de un puente?», señaló Ayuso durante una entrevista en Telecinco para justificar esa donación.

La comisión de investigación concluyó que la empresa del padre había recibido un trato «preferencial e «irregular». Sin embargo, el caso nunca prosperó en los tribunales. La Justicia ha tumbado todas las denuncias interpuestas desde entonces por un posible delito de alzamiento de bienes.

Ayuso nunca perdonó que su vicepresidente Aguado apoyara esta comisión. Fue entonces cuando el polémico MAR, que tras la campaña electoral ejercía como una especie de asesor político de Ayuso en la sombra, soltó un par de tuits en las redes sociales contra el líder de Ciudadanos en Madrid. «Al padre del señor Aguado le dieron un contrato de 102 000 € por la cara en la Asamblea de Madrid. Ya puestos, habrá que investigarlo todo, ¿no?». El segundo mensaje rezaba: «Me dicen periodistas que el sr. Aguado no responde nada sobre el contratito de 102 000 € a su padre por parte de la Asamblea de Madrid. Y argumentan que él no estaba en política... ¡Coño!, ¡¡¡¡¡ni Díaz Ayuso cuando el aval a los socios de su familia!!!!!». MAR se refería a una adjudicación pública que la empresa del padre de Aguado se había llevado del Parlamento madrileño en enero de 2011[5]. Aguado escribió entonces muy molesto a Ayuso anunciándole que emprendería acciones legales contra MAR si la presidenta no era capaz de controlar a su amigo faltón.

Vox también apoyó públicamente la comisión para investigar los tejemanejes de Avalmadrid. Un mes después *El País* publicó[6] que el matrimonio formado por Rocío Monasterio e Iván Espinosa de los Monteros había construido y vendido

[5] David Fernández, «La Asamblea contrató al padre de Aguado con baremo similar al que usó con Arturo», *El Confidencial*, 16 de junio de 2017.
[6] Íñigo Domínguez y José Manuel Romero, «Espinosa de los Monteros y Monasterio construyeron y vendieron sin licencia un bloque de 'lofts'», *El País*, 11 de octubre de 2019.

en Madrid un bloque de lofts sin las licencias pertinentes. Días después, el 31 de octubre, la Cadena Ser publicó[7] que la pareja había estado en la lista de morosos de la comunidad de vecinos donde tenían su estudio de arquitectura, en la calle Menorca. Llegaron a deber 5000 euros, aunque saldaron esta deuda en mayo de 2019. Rocío Monasterio y su marido, Iván Espinosa de los Monteros, estaban convencidos de que MAR estaba detrás de estas informaciones.

A la noticia de la Cadena Ser, MAR reaccionó contra Espinosa de los Monteros con el siguiente tuit: «Jódete, imbécil. Avalmadrid. Así os empuren, idiotas».

«Los niños y los borrachos nunca mienten», contestó Espinosa de los Monteros.

«No me quieren para votar contra las políticas de la izquierda, me quieren para que les salve de una comisión de investigación», escribió Monasterio. La líder madrileña de Vox había recibido muchas presiones para que no siguiera el juego del resto de la oposición y de Ciudadanos fiscalizando Avalmadrid. «MAR mandó a las cámaras de Telemadrid a casa de Rocío e incluso un diputado del PP la llamó amenazándola», explican desde el entorno de Rocío Monasterio.

La líder de Vox no se quedó quieta. Un equipo reducido elegido por ella misma descubrió que el hermano de Ayuso, que después se haría muy famoso, trabajaba para Artesolar, una empresa que se dedicaba a suministrar iluminaciones LED. Y haciendo una búsqueda en el perfil de contratación, los investigadores del partido encontraron varios contratos de Artesolar con la Comunidad de Madrid firmados después de que Ayuso fuese nombrada viceconsejera de Justicia en 2017.

[7] Javier Bañuelos, «Espinosa de los Monteros arrastró una deuda de 5.000 euros con la comunidad de vecinos del estudio de Monasterio», Cadena Ser, 31 de octubre de 2019.

De hecho, el primero se firmó en octubre de 2017 (un mes después de ser nombrada viceconsejera) y los siguientes once entre mayo de 2019 (cuando ganó las elecciones) y marzo de 2020 (cuando ya era presidenta). Casualidades de la vida. «Fuimos los primeros en saberlo, antes de que se hiciera público», aseguran desde Vox. Esas mismas fuentes matizan que «guardaron el tema en un cajón».

El inicio de legislatura, en suma, fue infernal. «Ayuso siempre ha sido la mejor para desempeñar el papel de víctima. Todo es un ataque contra su persona —explican fuentes de Ciudadanos que formaron parte del aquel Gobierno de coalición—. Y sus consejeros la defendían de una forma paternalista, casi pretoriana». Aguado destaca: «Recuerdo su mirada perdida en cada reunión y su increíble desconocimiento. Durante muchos meses, Isabel vivió absolutamente sobrepasada por el cargo y por la situación».

Ayuso sabía que, además de gobernar, debía romper con su pasado más molesto (trabajó para Esperanza Aguirre y Cristina Cifuentes) y labrarse un perfil propio. En principio, no tenía el carisma de Alberto Ruiz-Gallardón, ni la guasa ni la mala leche de Esperanza Aguirre, ni la imagen moderna de Cifuentes (la *progre* del PP). Tampoco ayudaba que por entonces cometiera bastantes fallos de comunicación. Usaba un tono áspero, algo chirriante, obsesionada por dar con eslóganes rimbombantes. Pero Skynet estaba ahí, durmiente.

Ayuso, como periodista, sabía que era clave controlar la comunicación, así que una de sus primeras medidas fue cargarse a su director general de Medios, Pablo Balbín, que había sido impuesto por Génova y que llevaba trabajando para el PP desde el año 2000. Lo sustituyó Juan Ignacio García Mostazo, exdirector de *La Mañana de la 1* y *Los Desayunos de TVE.*

Pero, lo que realmente le fastidiaba a Ayuso era no poder controlar Telemadrid, cuyo director general no se plegaba a las instrucciones que le trasladaban desde el Gobierno. No es de extrañar, por tanto, que a finales de 2019 Ayuso dijera en una entrevista radiofónica que revisaría el funcionamiento, las cuentas y la audiencia del ente público porque «ya no es un servicio público esencial».

«Querían lacayos. Y nosotros no nos íbamos a plegar a eso», aseguran fuentes del equipo directivo de la tele pública en aquella etapa. José Pablo López se estaba convirtiendo en una mosca cojonera, y se le hizo notar. El digital *ESdiario* (donde Ayuso había hecho prácticas de joven y era uno de los medios más leales a la lideresa) publicó en diciembre de 2019 que López se había buscado una «triquiñuela» legal para no publicar su declaración de bienes y ocultar así que era un tipo millonario[8]. López se lo tomó con humor y resignación. «Eran los mensajes que solía enviar MAR cuando no le bailabas el agua», señalan las fuentes antes mencionadas.

Steve Jarding había sido asesor de varios senadores y en EE. UU. lo consideraban un *king maker electoral* (hacedor de reyes). En 1996 había sido incluido en la lista de los 50 políticos más influyentes en Washington y en 2002 *The New York Times Magazine* lo definió como un director de campaña «que gana elecciones en lugares que se creían perdidos». Jarding había sido uno de los ponentes del programa de liderazgo político del IESE Business School al que, nueve años antes de convertirse en presidenta de la comunidad de Madrid, había asistido Ayuso, junto a Pedro Sánchez. En ese foro Jarding dijo: «La

[8] «El director de Telemadrid escondió su declaración para tapar que es millonario», *ESdiario,* 31 de diciembre de 2019.

política son resultados. Si no ganas, fracasas. Si pierdes en política, difícilmente tienes una segunda oportunidad. Así que te presentas para ganar». Ayuso necesitaba dar un volantazo.

«La presidencia de la Comunidad de Madrid le venía tan grande que no había *spin doctor* capaz de lograr disimularlo», señaló más tarde Aguado. Pero sí lo hubo. Ayuso sabía que MAR, su asesor en la sombra, podía ser la solución.

Todo cambió el 21 de enero de 2020. Era martes y había Consejo de Gobierno. El acuerdo de coalición entre populares y naranjas cumplía cinco meses. El coronavirus todavía era una lejana enfermedad asiática. Ese martes se contabilizaron seis muertos en la ciudad china de Wuhan y se confirmó que esta nueva neumonía se contagiaba rápidamente entre humanos. Pero eran noticias que todavía no ocupaban grandes titulares. Antes de terminar la reunión, Ayuso tomó la palabra para anunciar: «Por cierto, voy a cambiar a mi jefe de gabinete. Se incorpora Miguel Ángel Rodríguez Bajón». La presidenta pronunció los dos apellidos, lo que confundió en un principio a los consejeros de Ciudadanos. Hasta entonces, el jefe de gabinete de Ayuso había sido José Luis Carreras, su fiel escudero durante toda la campaña electoral. El consejero de Transportes, Ángel Garrido, cogió su móvil y buscó en Google. «Al principio no caímos. Nos descolocó que dijera el segundo apellido, fuimos varios los consejeros que tuvimos que mirar en internet».

Muchos sabían que Ayuso seguía consultando a MAR temas importantes, pero a partir de ese momento entraba oficialmente en el Gobierno. MAR había calificado en Twitter a Garrido como «tránsfuga de mierda» por haberse pasado a Ciudadanos. Primero lo llamó «mierda» para luego recalcar sus insultos: «Lo retiro. Y pido disculpas. Quise decir: tránsfuga de mierda». También se había metido con el vicepresidente

Aguado, al que calificó de «desleal». Otro de sus tuits más criticados fue su comentario machista sobre Inés Arrimadas: «Es físicamente atractiva como hembra joven. Políticamente es inconsistente».

El nombramiento de MAR (precisamente el mismo día que cumplía 56 años) ahondó más en la división de un Gobierno que ya empezaba a hacer aguas. Pero, como habían acordado los dos socios, cada uno podía hacer los nombramientos que quisiera en la parte del Gobierno que controlaba. Así que la decisión era inamovible, aunque Aguado acudió al despacho de Ayuso a pedirle explicaciones.

Allí, a solas, Ayuso argumentó que necesitaba un cambio porque deseaba tener un perfil más nacional y confrontar con las políticas de Pedro Sánchez. Sabía que MAR la ayudaría en esa función y le daría los titulares y la proyección que quería. También le explicó a Aguado que deseaba, como sus antecesores en el cargo, ser recordada por un hito presidencial. Gallardón había tenido su Metrosur y Aguirre su red de hospitales. Ella también quería hacer historia y necesitaba asesores con experiencia a su lado. No había más que hablar. «Además, tú has nombrado a Garrido consejero y yo no he dicho nada», le espetó a un descolocado Aguado.

MAR, a quien se le atribuye la construcción del Aznar presidenciable, sabía que con la joven de Chamberí tenía un diamante que pulir. El polémico asesor ha tenido siempre un talento innegable para fabricar personajes para la historia, así como un olfato portentoso para saber leer las nuevas corrientes sociales, los anhelos y frustraciones de la opinión pública. Ayuso encontró lo que buscaba. Y el nuevo gurú ayusista supo enseguida dar con la tecla. Mensajes eficaces y sencillos («Madrid es España dentro de España», «comunismo o libertad», «Madrid no se apaga») que conectaban con la gente.

«Cuando los gobiernos no tengan políticos en los lugares de mando sino asesores de imagen y publicistas, los ciudadanos comerán aire y se sentirán llenos de gloria. Así es el reino de los imagólogos», escribió el propio MAR en 1998 en una novela titulada *El candidato muerto*. En la novela de Rodríguez, el imagólogo es un experto en manipular la percepción. «El mejor de ustedes no será el más preparado, sino aquel a quien la gente entienda, aunque lo que diga no le importe a nadie. La gente desconfía de aquel a quien no entiende (...) Gestos que entusiasman al pueblo. Esos son los detalles en los que se fijan los periodistas y que son alabados por comentaristas que nunca están presentes en ningún sitio; aquellos que no saben de nada, pero que llenan minutos diciendo tonterías», rezaba la novela de MAR. Sabía lo que decía, como gran visionario.

Uno de los grandes hitos del tándem Ayuso y MAR es la invención de una especie de nacionalismo madrileño, un marco de confrontación entre buenos y malos, de bloques y no de partidos. Un guion que mostraba la lucha de dos presidentes, Ayuso contra Pedro Sánchez. A través de esta estrategia, MAR empezó a convertir a Ayuso en una especie de icono pop. Fichó a nuevas personas para su equipo de comunicación y consiguió también que algunos medios (publicidad mediante) se rindieran sin ambages a la nueva lideresa madrileña. Ayuso tenía que salir constantemente en todos los telediarios, radios y webs. Y lo consiguió.

«Yo creo que en el fondo MAR está enamorado de Ayuso. No en plan sentimental, sino en el reto que supone para él tener este personaje político con tantas posibilidades entre sus manos. Tras pasar un infarto, Miguel Ángel estaba de retirada, pero se ilusionó de nuevo. Le encanta la política. Ha estado muchos años sin encontrar un hueco y ahora ha recuperado lo que le gusta gracias a Isabel. No parará hasta que la lleve a la Moncloa», señala una amiga que lo conoce bien y pide no ser citada para que MAR, un hombre temperamental, no se moleste.

«No ha vuelto por dinero. Este año [2020] declaró un patrimonio de 5.7 millones. Cobra 93 885 euros brutos al año [como jefe de gabinete]. La mayoría de testigos y amigos consultados coinciden en que lo hace para desquitarse del fracaso de su salida con Aznar, para decir que es capaz de volver a crear a una política a nivel nacional desde cero. Ayuso está entregadísima a la causa. Los dos construyen eso que llaman relato a base de palabras sin complejos y sin miedo a alentar la crispación diaria. Son el trueno y la tormenta. Y Rodríguez cree que tiene de nuevo 29 años», escribió el periodista Manuel Viejo en un excelente perfil para explicar su regreso[9].

El innegable talento político de MAR se unió a la ambición de Ayuso para crear un cóctel explosivo. Él aportaba experiencia y olfato; ella, mucha naturalidad y ganas de aprender y trabajar. Pero ¿ambos se complementaban bien o, como decían las malas lenguas, era MAR quien realmente gobernaba y manejaba el rumbo de Ayuso? En las pocas entrevistas que ha concedido, Rodríguez ha argumentado que la gente le ha otorgado a él tanta importancia en el éxito de Ayuso simplemente para denostarla a ella. «No lo hacen para decir que yo soy cojonudo, sino para decir que ella es tonta», señaló en *El País*. Para MAR su pupila es «solvente y sincera», cualidades imprescindibles en política. «Son un binomio que se complementan muy bien. Se retroalimentan y comparten discurso, odios y fobias», coinciden en señalar exconsejeros de Ciudadanos. Sin embargo, hay quien opina distinto: «Yo me he

[9] Manuel Viejo, «Argucias y polémicas del principal estratega de Ayuso», *El País*, 26 de octubre de 2020.

tomado más de una copa con MAR y siempre me extrañó que a Ayuso la llamara la "niña". Siempre habla como si mandara él», señala un dirigente de Vox.

Al tándem hay que sumarle otro ingrediente: el poder económico de la Comunidad de Madrid. Las finanzas de la autonomía les permitieron, entre otras cosas, convocar importantes campañas de publicidad institucional que supusieron una fuerte inyección económica para muchos medios de comunicación. Por ejemplo, entre septiembre de 2019 (cuando Ayuso empezó realmente a gobernar) y julio de 2020, la Comunidad de Madrid invirtió 16.1 millones de euros en anuncios. Entre enero de 2022 y diciembre de 2023 esa cantidad había subido a 41.5 millones de euros. Como dice la máxima que se le atribuye a MAR, «no hace falta comprar a un medio de comunicación, basta con ser su mejor cliente».

«Nosotros éramos como palomas, y el PP como halcones. Picamos de inexperiencia. Ellos se las sabían todas», resumen desde Ciudadanos. «Firmamos un acuerdo al principio de legislatura en la que las dos partes consensuábamos las campañas de publicidad, pero fue papel mojado. Ellos controlaban la Dirección General de Medios. Cuando metían la publicidad, decían a los directores de los medios de comunicación que era cosa suya. Y cuando algunos medios no recibían publicidad y llamaban quejándose, MAR les decía que era cosa de Aguado, que les vetaba. La publicidad la daban ellos y la quitábamos nosotros. Eran muy hábiles», explican desde Ciudadanos.

En 2020 no solo llegó MAR a la Comunidad de Madrid: también lo hizo la pandemia. MAR y Ayuso vieron el virus como una gran oportunidad. Una presidenta autonómica novata y en minoría, como era su caso, se hubiera plegado a las decisiones del Gobierno central, como hicieron otros ejecutivos regionales.

Pero ella y MAR vieron la ocasión perfecta para confrontar con Pedro Sánchez. Ayuso ya había avisado a Aguado en su despacho. Es lo que quería y lo que buscaba, convertirse en la verdadera oposición al presidente socialista.

Aunque no es objeto de este libro hablar de la crisis del coronavirus, Alberto Reyero, consejero de Políticas Sociales y Familia en ese gobierno de coalición, hace una radiografía perfecta de lo vivido en esos traumáticos meses en su libro *Morirán de forma indigna* (Libros del K.O.). Una radiografía, además, que permite entender con todo detalle la estrategia de Ayuso. «La receta de confrontación y consignas simplonas se convirtió en el pan nuestro de cada día. La política como espectáculo y no como gestión (...) Si en circunstancias normales la confrontación con el presidente del Gobierno es una anormalidad (en un Estado de autonomías como el nuestro, las instituciones tienen que cooperar), en mitad de una pandemia es absolutamente reprochable. Pero esa fue la estrategia seguida por Sol desde febrero de 2020», señala Reyero, que explica en el libro cómo MAR diseñó una estrategia «apoyándose en periodistas y medios subvencionados» para echarle la culpa de la crisis sanitaria que se vivía en las residencias madrileñas e incluso de la aprobación del famoso «protocolo de la vergüenza» que hizo que muchos de los ancianos de la comunidad no fueran derivados a hospitales y murieran sin atención médica. «El nombramiento de MAR supuso que todo quedara al servicio del relato y que lo importante fueran los fines. Daba igual que lo que se transmitiera fuera verdad o mentira, aunque hay que decir que muchas veces era pura ficción. Los medios no importaban, como tampoco los escrúpulos».

Reyero relata, con datos y pruebas, cómo su consejería pidió que se medicalizaran las residencias. El consejero naranja solicitó además la ayuda del Ejército, que Ayuso desestimó en un primer momento. Reyero también protestó por el llamado protocolo de la vergüenza, pero lo que se encontró fueron titulares atacando su gestión. El 18 de marzo, por ejemplo, mientras Ayuso aseguraba que «en su práctica totalidad» las residencias madrileñas estaban medicalizadas (la realidad es que no había ninguna), el digital *ESdiario* (siempre *ESdiario*) publicaba una noticia con el siguiente titular: «La cruel masacre en una residencia destapa la negligencia del consejero de Ciudadanos». Aunque la consejería de Sanidad (del PP) había decidido no reforzar la asistencia sanitaria en las residencias de mayores y no derivar a muchos ancianos a los hospitales, la culpa debía ser de Ciudadanos. Ese era el plan. A finales de marzo la cifra de muertos en las residencias ascendía a 1130. Reyero explica que aquellas filtraciones contra él y su equipo para echarle la culpa de decisiones tomadas (o no tomadas) por la consejería de Sanidad del PP fueron frecuentes. «Cuando no podían negar que estaban de mierda hasta arriba, querían demostrar que nosotros éramos parecidos. En política, muchas veces, se utiliza el "tú y más" como estrategia defensiva».

La máquina del fango funcionaba a pleno rendimiento, daba igual lo que fueran demostrando los datos. En la Comunidad gobernada por Ayuso, el exceso de mortalidad durante la primera ola de la pandemia (primavera de 2020) fue el más elevado de las 17 comunidades autónomas. Entre marzo y abril de 2020 fallecieron 9470 mayores, una de cada cinco personas que vivía en un geriátrico. De ellos, 7291 perdieron la vida en el propio centro, sin ser derivados a un hospital. «Viví en primera persona cómo la presidenta ordenaba hacer lo contrario de lo que, en privado, aconsejaban los propios expertos de la consejería y el propio sentido común», resume Ignacio Aguado en su libro. «Tuve que sufrir sus filtraciones y mentiras a los medios para tratar de desgastarme y desgastarnos (…)

Comprobé cómo me limitaban el acceso a información relevante para impedirme preparar adecuadamente las ruedas de prensa y así fuera más sencillo que metiera la pata».

Paralelamente a aquellas maniobras comunicativas, MAR quería que Telemadrid fuera su brazo ejecutor. En los primeros días de confinamiento, Ayuso contrató a Telepizza, Rodilla y Viena Capellanes para alimentar a los menores más vulnerables de la región. Como las clases estaban suspendidas por la pandemia, los alumnos que almorzaban todos los días en los comedores escolares tenían que hacerlo en casa, y qué mejor que tomarse una pizza o un sándwich diario durante tres meses. La iniciativa levantó muchas críticas. Hasta la Fundación de los hermanos Gasol, que promueve hábitos de vida saludables, escribió a Ayuso molesta por esta medida. ¿Qué hizo MAR? Llamó a Telemadrid para que enviaran un equipo a la Cañada Real Galiana, el gran poblado chabolista, y que «grabaran a unos niños gitanillos contentos con los menús de Telepizza». José Pablo López se negó. Como represalia, el Gobierno regional envió a la Intervención General para que hiciera una auditoría sorpresa de las cuentas de la tele pública.

En aquellos momentos, tanto sus socios de Gobierno como los partidos de la oposición empezaron a conocer el manual de estilo político del binomio que conforman Ayuso y MAR: la culpa nunca es de Ayuso, Ayuso es siempre la víctima, la autocrítica es un signo de debilidad y hay que confrontar todas las semanas con el Gobierno de Pedro Sánchez e introducir en el debate político regional temas de ámbito nacional.

En junio de 2020, por ejemplo, en un Pleno sobre la situación de la pandemia celebrado en la Asamblea de Madrid, Ayuso fue capaz de condensar en menos de un minuto a Podemos, Hugo Chávez, ETA, la Corona y el fenómeno de la okupación. «Me sorprende profundamente que sea Podemos el que me hable de estabilidad! ¡Ustedes, que nacen del ALBA, de Hugo Chávez, de una organización internacional para desestabilizar a las democracias occidentales; de la moqueta de la Complutense, que buscaba sobre todo desestabilizar la vida universitaria; de las casas okupas y del patio Maravillas, que se creó para desestabilizar los vecindarios y la vida municipal! ¡Ustedes, que buscan minar el Estado de derecho y se alían con independentistas o con el entorno político de ETA, que buscan tomar la justicia, derrocar la Corona y convertir el Congreso en un campo de batalla!».

El resultado: ruido, polémica y confusión. O, como me dijo un diputado de la oposición, a «Ayuso le gusta el jaleo, la confrontación y la política marrullera». Con el avance de la crisis del covid-19, la presidenta empezó a marcar una línea más dura en su política. Quería *comerse* electoralmente a Ciudadanos y dar fuertes bocados a Vox, incluso despuntar por encima de su jefe de filas, Pablo Casado. En esa dirección, su Gobierno inició la tramitación de la reforma legal que le permitiría personarse como acción popular en casos de terrorismo, enaltecimiento y humillación a las víctimas. También recibió con honores de jefe de Estado a Juan Guaidó, presidente interino de Venezuela, y aprovechó para criticar a Sánchez por no hacerlo. Confrontaba a diario con el independentismo catalán y anunciaba como un mantra la bajada de impuestos como eje de su política liberal.

(Hagamos aquí un paréntesis para introducir en el relato un hecho relevante que marcará el devenir del PP. El 28 de marzo de 2020, en lo más duro del inicio de la pandemia, una empresa de ropa llamada Priviet Sportive SL envió una escueta carta a la Comunidad de Madrid ofreciendo la posibilidad de suministrar 250 000 mascarillas a cambio de 1.5 millones de euros.

El Gobierno de Ayuso acabaría aceptando la oferta de esta sociedad administrada por un tal Daniel Alcázar, amigo personal de Tomás Díaz Ayuso, el hermano de la presidenta. Pero esta es una historia que se abordará más adelante. En esos momentos el contrato pasó desapercibido, como uno más de los centenares que se tramitaban por unas Administraciones desbordadas por la virulencia de la pandemia y la falta de recursos médicos).

A medida que avanzaba la pandemia, Ayuso y MAR empezaron a deslizar otro mensaje entre los medios: que su socio de Gobierno era desleal y quizás lo mejor sería convocar elecciones anticipadas. En mayo, el diario *El Mundo* publicó una información titulada «Diputados del PP avisan a Ignacio Aguado: Ayuso tiene el botón rojo»[10]. Es decir, que Ayuso, como presidenta, tenía la potestad de convocar elecciones cuando quisiera. «A nadie se le escapa que la situación demoscópica de la formación naranja no es buena en Madrid, ya que podría perder más de la mitad de sus diputados en la Asamblea. De ahí que surjan voces populares que pidan enseñar 'músculo' ante lo que consideran una deslealtad», decía la información.

¿Qué deslealtad? ¿La comisión de Avalmadrid? ¿Qué Aguado tuviera una agenda y un discurso propios? «El PP siempre pensó que el castillo era suyo, que nosotros éramos simples invitados y que nos tomábamos demasiadas libertades», señala uno de los estrategas políticos de Ciudadanos.

En mayo, la columna de Raúl del Pozo en el *El Mundo* citaba a un portavoz de Sol denunciando una supuesta cacería contra Ayuso: «En Moncloa han decidido poner la cabeza de Isabel Díaz Ayuso en el cuarto de trofeos». «La presidenta de Madrid

[10] Juanma Lamet, «Diputados del PP avisan a Ignacio Aguado: "Ayuso tiene el botón rojo"», *El Mundo*, 8 de mayo de 2020.

se ve acosada por un Gobierno que bajo un mando único hace oposición a la oposición»[11]. El papel de víctima le permitía a la presidenta desviar la atención de la noticia de esos días: la revista *Vanity Fair* había descubierto que Ayuso se alojó, cuando se contagió del virus, en un apartamento de lujo propiedad del empresario Kike Sarasola[12]. En realidad, eran dos: uno para que pudiera trabajar y que convirtió en oficina de crisis, y otro para vivir junto a su pareja, Jairo Alonso. Allí la vieron algunos vecinos del edificio de enfrente de la calle Cadarso, muy cerca de Plaza de España, salir a protestar al balcón del apartamento contra el Gobierno de Sánchez (cuando se pusieron de moda las caceroladas contra el Ejecutivo). Ayuso pagó de su bolsillo el apartamento (porque siempre habló de uno): 5680 euros por 69 días de confinamiento. Fue MAR quien negoció con Sarasola el precio, que pedía 110 euros por noche y finalmente se lo dejó en 80 euros.

MAR es un experto en la propaganda, en el arte de hacer política sin hacer política, como demuestra la famosa portada de *El Mundo* en la que Ayuso aparece posando de negro con las manos en el pecho y cara de infinita tristeza, en una escena que remite a la iconografía de la Inmaculada Concepción[13]. «La verdad es que en esos momentos, cuando me estaban haciendo las fotos, te confieso que no estaba tampoco muy cómoda. Lo que pasa es que había sido un día muy largo, una semana durísima, viernes por la tarde. "Ponte así, ponte asá"... bueno, pues lo haces», explicó después Ayuso en una

[11] Raúl del Pozo, «La cabeza de Isabel», *El Mundo*, 13 de mayo de 2020.

[12] Eva Lamarca, «La 'Royal Suite' de Ayuso es un apartamento para clientes exclusivos de Kike Sarasola no abierto al público», *Vanity Fair*, 14 de mayo de 2020.

[13] Marta Belver, Ferran Boiza, «Díaz Ayuso: "Tienes que dar el primer paso; cada semana que pasa un negocio se cierra, un autónomo se queda fuera"», *El Mundo*, 10 de mayo de 2020.

entrevista radiofónica. «Estaba deseando irme a casa y no reparé en más», se justificó.

En esa entrevista se anunció la apertura de un nuevo hospital de 1000 camas dedicado solo a epidemias. El virus le había propiciado la oportunidad de tener su hito de legislatura, como ella deseaba.

Cuatro días después de la portada de las manos en el pecho, Ayuso protagonizó el primer homenaje a las víctimas de la pandemia, recibiendo en la Real Casa de Correos la donación de una escultura de Víctor Ochoa, que cedía su obra como homenaje a los fallecidos por el virus. Una semana después, la obra de Ochoa apareció envuelta en unas mantas, escondida detrás de una escalera. Se supo que la escultura era de 1995 y que representaba a un fauno.

En junio, Ayuso se reunió con Pablo Casado para tantearlo. No se había cumplido ni un año de la formación del Gobierno madrileño de coalición y ella ya quería convocar elecciones anticipadas. Las encuestas le eran favorables y no aguantaba más a su socio naranja. Los rumores que llegaron a Ciudadanos apuntaban a que Ayuso, previsora por si era capaz de convencer a su jefe Casado, había ordenado incluso que se redactara el borrador del decreto de disolución de la Asamblea. La presidenta además ya alimentaba por entonces otro rumor: que su vicepresidente Aguado no miraba con malos ojos apoyar una moción de censura del PSOE. Si se registraba oficialmente esta moción, argumentó Ayuso, no se podrían convocar elecciones y el Gobierno de Madrid se podría perder.

La treta no coló en Génova. Adelantar elecciones en plena pandemia era peligroso. Aparte del riesgo innecesario de perder un gobierno autonómico, lo que pedía Ayuso suponía dinamitar una alianza nacional con el socio de referencia del PP. El pacto con Ciudadanos estaba funcionando bien en toda

España: en Andalucía, en Murcia, en Castilla y León y en Madrid (tanto en el Ayuntamiento como en la Comunidad). Así que Casado no avaló el adelanto electoral. Comió con Aguado y con Ayuso y creyó haber dado carpetazo al asunto. Aguado, por su parte, desmintió que estuviera negociando nada con los socialistas. Relató, preocupado, que se había extendido, entre algunos periodistas, el rumor de haberle visto entrando y saliendo de la sede del PSOE en Ferraz.

Las puñaladas de Ayuso contra sus socios de Gobierno no cesaron. En septiembre de 2020, Ayuso nombraba a una nueva directora de comunicación, la periodista Sandra Fernández, jefa de gabinete de la consejera naranja Marta Rivera. «No ficharon una estrella, sino un topo. Aunque Fernández trabajaba para Ciudadanos ya sabíamos que pasaba información a MAR desde hace tiempo», aseguran desde el propio partido.

Ayuso llamó a Aguado para informarle de que le quitaba a Fernández, y esta última llamó a Ciudadanos para justificar su marcha prometiendo encargarse de suavizar las malas relaciones entre ambos socios. Sandra Fernández había sido directora de *Salsa Rosa*, *La Sexta Noche* y también jefa de Nacional de *Okdiario* (otro de los digitales entregados a la gestión de Ayuso). Con Fernández, Ayuso ganaba un gran activo estratégico. «Ella tiene un control del *timing* televisivo como pocos, y tiene los teléfonos de todos los directores de programas a nivel nacional. Trabaja con todo perfectamente *escaletado*, sin improvisaciones, como si estuviera al mando de un gran programa de televisión. Fue una petición de MAR, en su objetivo de que Ayuso tuviera más presencia nacional. Y eso lo dan las televisiones», explica una periodista que la conoce muy bien.

En septiembre de 2020, durante la segunda ola de la pandemia, con una Ayuso desafiante, feliz de oponerse a todas las medidas sanitarias anunciadas por el gobierno central (reducción en los horarios de hostelería, limitaciones a los viajes entre distintas comunidades autónomas), llegó su primer éxito en la guerra contra Pedro Sánchez: la cumbre «bilateral» entre el presidente nacional y la presidenta de Madrid celebrada en la sede de la Comunidad, en un escenario rodeado de una pomposa y barroca escenografía de 24 banderas, doce españolas y doce madrileñas. La versión oficial para justificar ese «tapiz de banderas» apuntó a un consenso entre MAR e Iván Redondo (el gurú de Sánchez) para tapar el muro que había al fondo y evitar una posible imagen de división entre los dos líderes al quedar colocados debajo de arcos distintos. Algunos analistas coincidieron entonces en señalar que la Moncloa cometió un grave error de cálculo. Aquella reunión supuso una muesca en el revólver propagandístico de la lideresa madrileña: Ayuso fue la única que sacó rédito político de aquel acto que, simbólicamente, la situaba a la misma altura institucional que el presidente de Gobierno.

El periodista Alfonso González Jerez señaló que ese tipo actos le servían a MAR para crear el relato de «una mujer valiente a fuer de liberal y liberal a fuer de valiente que se opone al ataque de un gobierno socialcomunista empecinado en amargarles la vida a los madrileños. ¿Por qué? Porque no soportan la libertad que la mujer representa y por eso buscar acabar con ella. Un victimismo heroico»[14]. A partir de entonces, Ayuso ya no soltaría la presa. En sus intervenciones públicas interpelaría siempre a Sánchez y casi nunca a su rival socialista en Madrid, Ángel Gabilondo, quien realmente había ganado las elecciones meses atrás.

Su siguiente movimiento fue la inauguración en el otoño de 2020 del polémico Hospital Isabel Zendal, «un centro pionero en

[14] Alfonso González Jerez, «Gourmet de casquerías», *El Periódico*, 15 de septiembre de 2022.

nuestro país y sin precedentes en Europa. Un auténtico pulmón asistencial, una bomba de oxígeno para los profesionales del conjunto de hospitales del Servicio Madrileño de Salud y del resto de España», comunicó la Comunidad de Madrid. Ayuso tenía por fin su hito de legislatura, su gran sueño, como le había contado a Aguado un año antes. A la inauguración asistió Pablo Casado, que, desde la inocencia, puso en apuros a su amiga Isabel.

—¿Hay quirófanos?

Ayuso, en silencio, levantó las manos esperando a que alguien la echara un capote.

—Hay salas de procedimientos donde se pueden hacer traqueotomías —respondió raudo el director general de Infraestructuras Sanitarias, Alejo Joaquín Miranda de Larra.

«Hay sala de curas», le apostillan a Casado. Un hospital sin quirófanos. Pero lo importante estaba cumplido: si Gallardón tuvo su Metrosur y Aguirre su red de hospitales en varios municipios, ella se había sacado de la manga esta infraestructura que costaría 158 millones de euros, según los contratos analizados por *Infolibre*[15]. En 2024, los costes de mantenimiento elevaban la factura a los 200 millones[16].

Isabel Zendal fue una enfermera gallega que participó en una misión internacional para llevar la vacuna de la viruela hasta América. Ayuso conoció la historia de Zendal gracias a uno de los enfermeros que le atendió cuando se infectó del

[15] Álvaro Sánchez Castrillo, «Los documentos del Zendal: estas son las 65 empresas que han hecho negocio con el 'hospital milagro' de Ayuso», *Infolibre*, 26 de abril de 2021.

[16] Sofía Pérez Mendoza y Yuly Jara, «El hospital Zendal apenas ingresó un paciente al día en 2023, tras una inversión de 200 millones del Gobierno de Ayuso», *eldiario.es*, 19 de abril de 2024.

coronavirus y se aisló en el apartahotel de Kike Sarasola. Ella misma contaría que le gustó la historia de la enfermera, y, sobre todo, el nombre de pila de la heroína.

El propio secretario general del partido, Teodoro García Egea (futuro enemigo de la presidenta) se atrevió a decir públicamente, porque en ese momento tocaba echar un capote a la presidenta madrileña, que dentro de varios años «los ciudadanos pedirán» que el nombre de Isabel Zendal se cambie por el de Isabel Díaz Ayuso. Egea no vaticinó cómo los madrileños exigirían ese cambio: si con manifestaciones masivas o con peregrinaciones a Lourdes.

El Zendal ¿era un hospital o una estrategia de marketing? «Más que un propósito hay una ocurrencia política huérfana de contraste técnico», explica José Ramón Repullo, profesor de planificación y economía de la Salud de la Escuela Nacional de Sanidad. «No es lo mismo preparar Ifema para auxiliar en una emergencia sanitaria, que construir un 'Sani-Ifema' *ex novo*, que va a durar muchas décadas. Porque construirlo al lado del aeropuerto no añade ningún valor y mimetizar el modelo Ifema lleva a construir un hospital inhóspito: no hay habitaciones sino núcleos de pacientes que comparten espacios de interior y aseos; con el techo a muchos metros, ruidos permanentes por la renovación forzada de aire, y con enormes incomodidades para enfermos y personal. Sin olvidar que el error más llamativo consiste en intentar hacer un hospital sin plantilla sanitaria, ni siquiera basado en contratos temporales —aunque algunos hubo—, ya que el grueso del personal era captado de forma imperativa de los centros sanitarios. Desvestir a un santo para vestir a otro», insiste Repullo.

Detalles técnicos sin importancia para Ayuso y su cohorte de palmeros mediáticos. El Zendal se convirtió en el ojito derecho de la presidenta, el hospital milagro, como se encargaron de bautizarlo desde el PP. Aunque allí nunca derivaron a un número significativo de enfermos de coronavirus con pronóstico grave. Ayuso fue a Telemadrid a contar a todos los ciudadanos las bondades de su gran proyecto, pero se encontró con una periodista, Silvia Intxaurrondo, que de nuevo se atrevió a hacerle las preguntas adecuadas.

«¿A cuántos sanitarios va a contratar para el Hospital de Valdebebas?», quiso saber Intxaurrondo. Los sindicatos sanitarios habían denunciado que la Comunidad iba a trasladar al Zendal a profesionales de otros hospitales ya operativos. A partir de ahí comenzaron los titubeos y vaguedades de Ayuso, que terminó espetando a la presentadora: «Son preguntas que no se le hacen a un presidente autonómico». Se refería a preguntas incómodas, aquellas que están fuera del guion previsto y para las que no hay respuesta. Para MAR esta entrevista ya fue el colmo de la indisciplina y convocó a José Pablo López a una reunión urgente. En ella, le entregó a López un papel con dos listados. Uno que ponía «salen» y otro que ponía «entran». Lo que viene a ser una purga. MAR reflejaba por escrito los nombres de los periodistas que tenían que salir de Telemadrid y los que tenían que sustituirlos, más afines a sus intereses. López cogió la lista y se la guardó. Obviamente, no hizo nada al respecto.

MAR ya tenía experiencia en estos asuntos. Siendo portavoz del gobierno de José María Aznar en Castilla y León, a finales de los años ochenta, ya elaboró una lista negra de periodistas a los que clasificaba como «amigos», «neutros» y «enemigos», incluyendo valoraciones personales y profesionales. En 1996, cuando Antena 3 y Prisa llegaron a un acuerdo contrario a los intereses del gobierno de Aznar, MAR amenazó al presidente de Antena 3, Antonio Asensio: «Asensio no sabe lo que ha hecho firmando con [Jesús de] Polanco y le va a costar muy caro»; «Dile a tu jefe que terminará en la cárcel como Mario Conde, que vamos a ir a por él».

El equipo de comunicación de Ayuso intensificó su trabajo para que la presidenta madrileña empezara a ser conocida en el mundo entero. El diario francés *Le Figaro*, de corte conservador, la calificó en noviembre de 2020 como «la nueva musa de la derecha española» y «el descubrimiento político de 2020». *Le Figaro* repitió un mes después y la llamó la «mujer que liberó Castilla», alabando su capacidad para encontrar el equilibrio entre la lucha contra la pandemia y salvar la economía. El diario alemán *Die Welt* habló también ese invierno de «el milagro de Madrid: cómo disminuyen las infecciones a pesar del intenso nivel de vida». En Madrid, los hosteleros empezaron a elogiar la política de Ayuso creando una pizza con el nombre de *Madonna Ayuso*, unas *papas a lo Ayuso* —con «pocas papas y muchos huevos»—, e incluso una cerveza artesana: *la caña de España*. En diciembre de 2020, un admirado reportaje de *El Mundo* contaba a los madrileños que Ayuso era capaz de «vestirse y peinarse sin ayuda de peluquero y estilista», acompañando la información de unas fotos de la presidenta quitándose ella sola una cinta del pelo.

Pero no todo fueron alabanzas. La revista alemana *Stern* la apodó «la Trump española» y la acusó de manipular las estadísticas oficiales para minimizar la epidemia. El diario británico conservador *The Times* la comparó además con un general francés de la Primera Guerra Mundial, Ferdinand Foch, que no dudaba en sacrificar a sus soldados. El medio inglés recordaba una frase que había usado Ayuso para justificar la flexibilidad de las normas anticovid: «Todos los días hay atropellos y no por eso se prohíben los coches». Pero el equipo de comunicación detrás de Ayuso amortiguó los artículos críticos. La Cope destacó que este reportaje había sido escrito por el periodista John Carlin, que colaboraba con *El País* y *La Vanguardia*, y que se había «mostrado en contra de los políticos más cercanos a la derecha». Es decir, según la maquinaria de Ayuso, un periodista prestigioso, premiado con el Ortega y Gasset de Periodismo o en los British Press Awards, era imposible que escribiera un reportaje objetivo.

Esta creciente atención mediática le vino muy bien a Ayuso para explotar su papel de principal baronesa del PP durante todo 2020, eclipsando cada vez más a su amigo y jefe de filas, Pablo Casado. Ya no se hablaba solo de Madrid. Con Ayuso y MAR se hablaba de España. La principal oposición a Pedro Sánchez salía de la Puerta del Sol. Ya lo había hecho MAR con Aznar cuando este presidía la Junta de Castilla y León. El coronavirus fue el campo de batalla ideal: un sinfín de restricciones, inéditas hasta la fecha, provocaron un sentimiento de hartazgo entre la población que Ayuso y su equipo supieron aprovechar. La clave discursiva en su ascenso estaba en lo emocional. Ayuso fue capaz de reducir hasta la parodia un concepto tan complejo como «libertad», al que equiparó a «salir a tomar unas cañas».

Porque la libertad para tomar unas cañas conectaba además con otro marco conceptual: el de camareros y camareras trabajando, tirando y sirviendo las cañas (unas 270 000 familias viven de la hostelería solo en Madrid) y empresarios que regentan pequeños bares y restaurantes, emprendedores que dirigen sus negocios, que arriesgan. Es decir, la reactivación de la economía y el empleo que tanto defendió Ayuso para vencer a un inoportuno y letal virus. La ocurrencia de las cañas sirvió para lanzar un mensaje sencillo, directo, que captó la atención del público de manera inmediata y eficaz, tocando muchas fibras de personas de distintas ideologías. En un momento en que la gente estaba más cansada psicológicamente y más ganas tenía de evadirse por todo lo sufrido, aquella maniobra fue todo un acierto electoral.

«Las cañas son importantes. Después de un mal día, una caña anima. Mucha gente se lo toma a pitorreo, pero el tema de los bares no solo es una cuestión de borrachera, es también de estado de ánimo, cultural y laboral», señaló Ayuso para justificar la tecla que tocaba una y otra vez en sus mensajes públicos. «Hay más protección en los bares que en los domicilios», sentenció en una entrevista; «yo no viviría en un lugar sin bares», dice siempre a sus conocidos. Ayuso apostó también por una especie de nacionalismo madrileño repitiendo hasta la saciedad que «vivir a la madrileña» te convertía en alguien especial. Tanto que en Madrid uno podía pasear (y tomarse unas cañas) «sin encontrarte con tu ex».

Otro ingrediente imprescindible de aquella narrativa era, de nuevo, el victimismo. «Ahora parece que el virus lo inventó Ayuso, que la culpa es de Ayuso y que todo lo que ocurre en el planeta y en España es culpa de Ayuso, en una pretendida, descarada y despiadada campaña de difamación y de desprestigio personal, urdida precisamente de manos de aquellos que van de feministas, progresistas, que van dando lecciones, y está perfectamente hilado en unos argumentarios dictados desde la Moncloa, desde donde intentan desprestigiar y humillar personalmente a la presidenta de la Comunidad de Madrid en una campaña absolutamente clara y demostrable», señaló en un Pleno de la Asamblea.

Cuando Alberto Reyero, harto de los ataques personales que llegaban desde los medios afines al PP, presentó su dimisión en octubre de 2020, llamó a la presidenta Ayuso para despedirse. «La principal razón de mi salida es que me sentí maltratado durante los primeros meses de la pandemia y que los mensajes que se lanzaron desde tu entorno no me parecieron justos», le dijo Reyero. La presidenta no hizo autocrítica y se presentó de nuevo como una víctima. «Yo también lo pasé mal, lo del hotel [de Kike Sarasola] me hizo mucho daño», le respondió Ayuso.

Siempre el victimismo. «Es verdad que he tenido muchísimas campañas de descrédito y en muchas ocasiones no me han aceptado como política. Han minusvalorado mi currículum. Siempre me intentan emparentar con alguien: que si soy hija política de Esperanza Aguirre, cuando no de Aznar, cuando no de Miguel Ángel Rodríguez. En realidad, soy una mujer independiente y tengo mi criterio. Llevo las riendas de mi vida. Siempre», decía en una entrevista concedida a la revista *Vanity Fair* en enero de 2021[17]. Esta última frase mostraba además cómo quería Ayuso afrontar el nuevo año 2021: llevando las riendas de su vida y del Gobierno de coalición que presidía.

En el plano personal, para inicios de 2021 ya había roto con su novio Jairo y había empezado una nueva relación con un padre divorciado que la prensa presentó como un simple «técnico sanitario»: Alberto González Amador. «Enamorada en secreto», decía la revista *Lecturas*. Un periodista, Ángel Montiel, publicó que Alberto había dejado a su novia abogada, trabajadora del Gobierno de la Región de Murcia y simpatizante del PP.

El 10 de marzo de 2021 se registra un aleteo de mariposa a 406 kilómetros de distancia de la Puerta del Sol. A las 6 de la mañana, el periodista Carlos Herrera anuncia que PSOE y Ciudadanos quieren presentar una moción en Murcia para desbancar al PP del Ejecutivo autonómico. Horas antes, casi

[17] Vera Bercovitz y Alberto Moreno, «Isabel Díaz Ayuso, contra todo y contra todos: "Soy una mujer crítica. Si creo que algo no está bien, lo digo"», *Vanity Fair,* 21 de enero de 2021.

a medianoche, Casado ya había llamado a Ayuso para advertirle de lo que se fraguaba en la Región. Ayuso vio entonces la oportunidad que tanto anhelaba. Si Ciudadanos se aliaba con el PSOE en tierras murcianas, lo mismo podría pasarle a ella en Madrid. La dirección nacional del PP, más cautelosa, no pensaba que la puñalada de Murcia se fuera a repetir en otros lugares. Pero Ayuso ya había echado a andar. Aquel mismo miércoles incluyó un último punto del día en el Consejo de Gobierno. Muchos se temían lo que iba a pasar. La presidenta tomó la palabra: «Bueno, quiero deciros una cosa —anunció ante el silencio de los presentes—. Creo que hace falta estabilidad en el Gobierno y voy a convocar elecciones».

Aguado y sus consejeros se quedaron pálidos. Ayuso, que llevaba meses solicitando permiso a la dirección de su partido para realizar esta maniobra, cumplió sus amenazas. Pero antes de oficializar la convocatoria, el reglamento del Consejo obligaba a una deliberación. «Es una irresponsabilidad. Habéis roto el pacto», le reprochó Aguado. «Nos han jodido», se escuchaba entre las filas naranjas, sabedores de que sus expectativas electorales eran malas. Fabio Pascual, el secretario del Consejo de Gobierno, reflejó a las 12:25 horas la firma del decreto electoral. Habría comicios el 4 de mayo de 2021.

En 2019 no pudo convocar elecciones (como quería) porque hubiera quedado poco estético después de varios meses invertidos en llegar a un acuerdo de gobierno con Ciudadanos y convencer a Vox para su investidura. En 2020 llegó el covid y Casado no la dejó. Por ley no podía disolver la cámara en 2022, en el último año de legislatura. Así que solo le quedaba 2021. El amago de moción en Murcia, una jugada política torpe porque ni siquiera prosperó, le dio la excusa ideal. «Lo de Murcia fue la peor decisión en la historia de Ciudadanos», señaló Ignacio Aguado.

¿Iba a presentar realmente el partido naranja una moción de censura con el PSOE en la Comunidad de Madrid como hicieron sus compañeros de Murcia? Aguado señala que, de ser esa su intención, lo habría hecho antes que Murcia, para que Ayuso no pudiera adelantarse disolviendo el Parlamento y convocando elecciones. Además, ese miércoles 10 de marzo por la tarde estaba previsto que PP, Ciudadanos y Vox firmasen un acuerdo para aprobar los presupuestos de 2021.

«Ayuso decidió convocar elecciones anticipadas con el único objetivo de impedir que se produjera dicho acuerdo. ¿Por qué? Los presupuestos de este año 2021 iban a ser los más altos de la historia de nuestra región, con inversiones récord en residencias, universidades, empleo o ayudas directas a empresas afectadas por la crisis provocada por el coronavirus. Ese 10 de marzo Ayuso y el PP rompieron su palabra, el acuerdo de Gobierno y los mejores presupuestos de nuestra historia. Cuando busquen traiciones y deslealtades, miren siempre en dirección a los despachos de la Puerta del Sol. Desde el punto de vista político, su movimiento fue tan valiente como irresponsable. Logró ser más libre, que es lo que quería, pero a costa de paralizar centenares de proyectos y ayudas que habrían mejorado nuestra región y la vida de los madrileños», argumentó Ignacio Aguado, que aseguró por activa y por pasiva que él nunca negoció ninguna moción de censura con el socialista Ángel Gabilondo.

Lo cierto es que las direcciones nacionales del PSOE y Ciudadanos sí pactaron y dejaron por escrito presentar una moción de censura en Madrid para hacer presidente a Ignacio Aguado[18]. Estas negociaciones se llevaron a cabo en diciembre de 2020 y enero de 2021, pero el acuerdo nunca se materializó

[18] Antonio Rodríguez, «Sánchez pactó por escrito dar a Ciudadanos las presidencias de Madrid y Murcia en 2021», *The Objective*, 9 de marzo de 2025.

porque Inés Arrimadas, entonces líder de los naranjas, no vio nada clara la moción contra Ayuso y ordenó pararla.

A Génova no le gustó que Ayuso adelantara las elecciones, pero tuvo que tragar. MAR y Teodoro García Egea, secretario general del partido, discutieron. El mandatario popular le recordó, en una amenaza velada, que la elección del candidato o candidata del PP para esos comicios convocados apresuradamente dependía de ellos. MAR sabía que era un farol, una rabieta pasajera. Ayuso era el mejor activo del PP en esos momentos. «Si quieres, puedes abrir la ventana y tirarte. Eso sería un suicidio. No hemos tenido otra opción que adelantar las elecciones porque Ciudadanos estaba en conversaciones con el PSOE», respondió MAR.

El Gobierno que cesaba entonces, el primero de coalición en Madrid, fue un experimento fallido, si se analiza su actividad legislativa. De las doce comunidades autónomas que habían celebrado elecciones dos años antes, en mayo de 2019, el Ejecutivo madrileño tuvo el honor de ostentar dos récords políticos: fue el que menos proyectos de ley llevó a la Asamblea y fue el único que nunca presentó Presupuestos. La producción del Gobierno de Ayuso se limitó a la aprobación de dos proyectos de ley, ambos por lectura rápida y tramitación urgente. El primero fue una reforma de la Ley del Suelo que eliminó la obligación de obtener licencias urbanísticas para empezar a construir y las sustituyó por simples declaraciones responsables de los promotores inmobiliarios, es decir, una declaración de buenas intenciones. Y la segunda, la que adjudicó a una empresa del Grupo Planeta la licencia para tener una nueva universidad privada.

De las 27 proposiciones de ley que otros grupos políticos presentaron en el Parlamento madrileño, el Gobierno de Ayuso no apoyó ninguna. El periodista Jesús Maraña, de *Infolibre*, señaló en un artículo de opinión que la baja productividad legislativa de la Comunidad de Madrid se debía a que Ayuso «había dedicado todos sus esfuerzos a confrontar con el Ejecutivo central, en lugar de priorizar los intereses de la comunidad que preside. ¿Qué dirían Ayuso y sus altavoces mediáticos si un gobierno de izquierdas fuera incapaz en dos años de acordar unos Presupuestos o limitara su cosecha parlamentaria a la aprobación de dos proyectos de ley? Mi apuesta: "panda de vagos", "gobiernan para los amigos", "solo saben mandar a golpe de decreto", "bolivarianos"... Sin complejos».

Ayuso convocó, por tanto, las elecciones que tanto anhelaba. Y aunque era hija política de Aguirre y de Cifuentes aseguró sin complejos que encarnaba «la renovación»[19]. La campaña empezó inmediatamente. A Aguado ni siquiera le dejaron salir a la posterior rueda de prensa que se celebra después de todo Consejo de Gobierno, aunque no lo cesaron oficialmente como vicepresidente y portavoz hasta el día siguiente, 11 de marzo. El equipo de Ayuso también le prohibió a él y a sus consejeros que acudieran ese día a los actos de homenaje de las víctimas del 11-M. Ya no formaban parte del Ejecutivo. Ayuso le dijo a Aguado que había tenido que convocar elecciones «porque no podía permitir que gobernara en Madrid la izquierda bolivariana». Para romper definitivamente con sus ya exsocios, el PP eliminó a Ciudadanos hasta de WhatsApp. Todo el Ejecutivo madrileño tenía un chat bajo el nombre de «Consejo de Gobierno». La administradora del grupo, la consejera de Presidencia, Eugenia Carballedo (del PP), echó a todos los consejeros de Ciudadanos con un mensaje:

[19] Juan José Mateo y Aurora Intxausti, «Entrevista a Isabel Díaz Ayuso, "Quien tenga que pedir perdón por lo que ha hecho mal, que lo pida"», *El País*, 7 de abril de 2019.

«Si os parece, damos por concluido el fin que tenía este chat y lo suprimimos».

Ese día 11, Ayuso cogió su pluma y firmó lo que tanto tiempo llevaba deseando firmar: el cese de los consejeros naranjas. Todos los consejeros lo llevaron con dignidad, ya que la mayoría procedían del ámbito privado y habían asumido su paso por la política como algo pasajero. Menos uno, el que más sufrió por la situación. Cuando por la tarde tuvo que recoger sus cosas del despacho, se dio cuenta de algo importante. Acostumbrado al coche oficial preguntó al que había sido su chófer hasta ese mismo día: «Y ahora, ¿quién me lleva a casa?».

Aguado nunca ha vuelto a cruzar palabra con Ayuso. En una entrevista con el autor de este libro la define con las siguientes palabras: «Ayuso es un personaje tóxico construido de forma artificial, urgente e interesada por parte de las élites mediáticas y económicas de nuestro país con el fin de cubrir la acuciante necesidad de un liderazgo en el centro derecha español. La apuesta del *establishment* por Feijóo ha dejado en suspenso su ascenso a cotas mayores, pero volverá a relanzarse si Feijóo fracasa en su intento de desbancar a Sánchez de la Moncloa. Quiénes conocen a Ayuso, coinciden en que es una política tan sobrevalorada como bien rodeada, capaz de traicionar a quien sea necesario con tal de alcanzar sus objetivos. Nos traicionó a nosotros, rompiendo el acuerdo de gobierno que teníamos firmado. Traicionó a su mentor y mejor amigo, Pablo Casado, y no dudará en traicionar a Feijóo en cuanto tenga la más mínima oportunidad para hacerlo. Es una persona tóxica».

6. MÁGICO GONZÁLEZ

La revolución comenzó por su cara. María Pelayo, que para febrero de 2019 ya había dejado de ser jefa de prensa de Almeida en el Ayuntamiento y había ascendido a directora de comunicación de Casado, le recomendó al madrileño dejarse barba para parecer mayor, más experimentado, y dejar atrás su cara aniñada. Pepelu le comentó la idea a Esperanza Aguirre, ya retirada de la política, y esta sacó su carácter y sinceridad en la respuesta: «Pero si no tienes pelo, ¿cómo te vas a dejar barba? Anda, anda…».

A contrario que su vello facial, la carrera política de Almeida había cambiado radicalmente un mes antes. El 11 de enero de 2019 Pablo Casado había elegido a los candidatos a la alcaldía de la capital y a la Comunidad de Madrid para las elecciones de mayo de ese año. Muy pocos querían ser los agraciados, porque en ambos casos todas las encuestas internas del partido y de medios daban al PP como claro perdedor.

Pero Almeida, como Ayuso, quería ser *ungido* por Casado, que había sondeado una quincena de nombres buscando un galáctico para ambas candidaturas. No lo encontró. Génova llegó incluso a considerar a una persona de fuera del partido para ser el candidato a la alcaldía. Una especie de *Carmena* de derechas. Almeida se enteró de que su madrina política, Esperanza Aguirre, que ya había trabajado en el pasado para una empresa de cazatalentos, estaba ayudando al partido en este cometido. «Fue una gran decepción para él», señala la misma amiga. Pero esta idea no cuajó. En el sector privado se gana más dinero y pocos se querían adentrar en el complicado mundo político. También se sopesó a Ayuso para el puesto, para presentar batalla cultural contra Carmena, que encabezaba todas las encuestas. Pero María Pelayo, David Erguido y Ángel Carromero, personas de total confianza de Casado, insistieron en que diera una oportunidad a Almeida. En su contra jugaba su poco peso dentro del partido, que en las primarias internas había apoyado a Cospedal antes de pasarse al bando *casadista*, y que era poco conocido entre la opinión pública, aunque llevaba dos años ejerciendo una oposición bronca al Gobierno de Carmena. Pero era un gran orador y llevaba esos dos años batiéndose el cobre con los carmenistas, en esos momentos peleados y divididos en varias *familias*. Así que como no había nadie más y los pronósticos eran muy malos, Casado se decidió por un tándem inédito y con poca experiencia: Almeida lucharía por la alcaldía y Ayuso por la Comunidad. Dos cartas al azar. Pero dos cartas que pertenecían a la baraja de Casado.

Almeida confesó a un periodista esos días que tenía pensado volver a la abogacía si el partido no contaba con él para metas mayores. Pero a media tarde del 11 de enero de 2019, María Pelayo llamó a Pepelu por teléfono para que le dijera su fecha de nacimiento. No podía adelantarle nada más, pero Almeida sabía por ese telefonazo que le había llegado de nuevo una buena oportunidad. Aunque fuera por descarte, por accidente, por eliminación. «No tengo una flor en el culo, tengo la Casa de Campo entera», le dijo a una amiga.

Los más optimistas dentro del PP (eran pocos) vieron en esta dupla electoral una buena combinación. Ayuso encarnaba una figura poco «clásica» dentro del partido: de familia con problemas económicos, con un estilo de vida divergente (con separación matrimonial de por medio), que vivía de alquiler, un poco rebelde y ambiciosa. «No era la clásica niña bien del PP, de mechas rubias y misa dominical», señala un exmiembro de la Ejecutiva de Casado. Y luego estaba Almeida, de familia conservadora, con una profesión de prestigio, preparado, educado por el Opus Dei, de los de misa todos los domingos y fiestas de guardar. Solo había que pulirlos un poco más. De ahí nació la recomendación de la barba. Incluso corrió el rumor de que alguien le aconsejó también que se pusiera alzas en los zapatos (como Sarkozy) para parecer más alto.

En Génova sabían que era imprescindible que la opinión pública lo conociera mucho mejor. A tres meses de las elecciones, un 34 % de los electores no sabía quién era Almeida, así que hubo que realizar campañas específicas para presentarlo en sociedad. El PP se gastó 54 000 euros en colocar vallas publicitarias en el Metro con un mensaje atrevido: fotos de varios políticos de otros partidos con el lema «él no quiere a Almeida». Se diseñó incluso una silueta con unas gafitas, una especie de icono que actualmente sigue usando en su cuenta de Twitter. También se llenaron las redes sociales de vídeos donde familiares y compañeros contaban quién era José Luis Martínez-Almeida: «Un tío muy castizo», «sufridor colchonero», «amigo de sus amigos».

Había que venderlo como el besugo que está de oferta en la pescadería. Que era un tipo familiar y divertidamente caótico. Que, por ejemplo, el primer pañal que había puesto a una de sus sobrinas se lo colocó al revés, que tenía la manía de acabar de bajar o subir las escaleras con el pie derecho, que tuvo un hermano que se presentó por Vox en Soria, que era un soltero de oro, que le gustaba *Operación Triunfo*, que en la cocina era un desastre con una nevera que dejaba mucho que desear, que le gustaban las croquetas y la tortilla de patatas, que era un fan (tirando a *hooligan*) del Atlético de Madrid y que era un apasionado del golf. Un tío sencillo y simpático, incluso cuando le mete un balonazo a un niño pequeño en un acto. Un madrileño con sentido del humor, gamberrete, un buen vecino para ser alcalde de Madrid. En las redes sociales incluso se creó el hashtag #zascómetro[1], y el apodo de «Pitbull» dentro del PP, para alabar la gran oposición que había ejercido contra Manuela Carmena.

Las elecciones llegaron en mayo y, a pesar de todas las campañas, la candidatura popular solo sacó 15 concejales, los peores resultados del PP en la capital en toda su historia. Almeida perdió, igual que Ayuso las autonómicas, pero gracias al acuerdo de Gobierno con Ciudadanos y el pacto de investidura con Vox, se convirtió en alcalde y recuperó un Ayuntamiento que el PP había gobernado entre 1991 y 2015. En su candidatura contó con Los Dalton; con su amiga Almudena Maíllo (gracias a ella entró en política en 2007); con un par de enchufados que le había endosado Ángel Carromero; con la novia de David Erguido (a petición expresa de este); con la secretaria de toda la vida de Pío García-Escudero (otro favor); y con Andrea Levy, una imposición de Génova.

La negociación para formar Gobierno con Ciudadanos tuvo dos fases. En la primera, los de Begoña Villacís querían demostrar una posición de fuerza y presentaron una oferta osada: que la alcaldía se repartiera durante los cuatro años de mandato: dos años para los populares y dos para los naranjas. Al fin y al cabo, Ciudadanos se había quedado 83 000 votos

[1] https://twitter.com/almeidapp_/status/1123267452769583106.

del PP. Villacís jugó este farol, aunque Ciudadanos sabía que el PP no aceptaría, y acabaría tachando la propuesta de «ocurrencia». «Lo siguiente será gobernar los días impares o pares», se mofó Andrea Levy.

Ciudadanos quería ganar peso en las negociaciones, aunque la dirección nacional ya había ordenado a sus candidatos que no pidieran ni la alcaldía ni la Comunidad, puesto que Albert Rivera no quería de momento ni barones ni baronesas que le hicieran sombra. «Nos planteamos también no entrar en el Gobierno y apoyar puntualmente desde fuera, desde la oposición, lo que haría más complicado a Almeida gobernar en solitario, ya que necesitaría nuestro apoyo para cada propuesta que presentara», explica Miguel Gutiérrez, el principal negociador de Ciudadanos.

La segunda fase de la negociación se centró en un reparto equitativo de concejalías. No era discutible la vicealcaldía, que sería para Begoña Villacís. Ciudadanos también quería Hacienda, pero era un área que el PP no deseaba perder. Al final se dividió: Hacienda para los populares y Economía para los naranjas. La portavocía se la quedó el PP, aunque Ciudadanos luchó por ella hasta el final, sin suerte (de hecho, en la Comunidad de Madrid sí la consiguió).

Desde Ciudadanos reconocen que, al igual que en las negociaciones regionales, pecaron un poco de novatos. El PP se quedó con aquellas concejalías que manejaban mayor presupuesto: Seguridad y Emergencias; Obras y Equipamientos; y Medio Ambiente y Movilidad (la joya de la corona). Ciudadanos se conformó con Servicios Sociales, y al principio creyeron que habían obtenido un tanto al quedarse con Urbanismo y Vivienda. «Esta última era muy importante, porque sabíamos que en el anterior mandato de Carmena se habían iniciado miles de viviendas protegidas que había que terminar. Eso eran miles de fotos entregando viviendas, un tema muy potente», señalan desde Ciudadanos.

Pero Begoña Villacís tenía otros planes. El PP había cedido Urbanismo y Vivienda y a cambio se quedó con Cultura, Turismo y Deporte. Y Villacís quería el área de Deportes para Ciudadanos porque tenía en mente conseguir el sueño olímpico para Madrid. «Era una utopía lo de las Olimpiadas. No era seguro. Políticamente hablando era mejor tener Vivienda que Deportes». Sin embargo, Villacís y Almeida negociaron personalmente un trueque para que Villacís consiguiera quedarse con Deportes (Cultura y Turismo seguirían en manos del PP) a cambio de perder Vivienda (que pasaría al PP mientras Urbanismo lo gestionaba Ciudadanos). Reparto de cromos.

Al final ambos partidos firmaron un pacto de 80 medidas y se repartieron las concejalías. El PP dirigiría cinco áreas de Gobierno y Ciudadanos cuatro (incluyendo la vicealcaldía). También surgieron las áreas delegadas (se crearon seis), que dependerían directamente de Áreas de Gobierno y que según destacó Begoña Villacís en diversas entrevistas «no eran parte del Gobierno». Eufemismos políticos. PP y Ciudadanos vendieron que simplemente iban a formar parte de la estructura administrativa del Consistorio, pero las áreas delegadas se crearon para colocar a gente de ambas formaciones, es decir, para repartirse mejor el pastel entre tantos comensales.

Las negociaciones tuvieron también su punto cómico, casi surrealista, como ocurrió con el reparto de los distritos (doce fueron para los populares y nueve para los naranjas). «Empezamos nosotros eligiendo Retiro y Ciudad Lineal, que era donde mejores resultados habíamos sacado», afirman en Ciudadanos. «Luego le tocó al PP, luego a nosotros, luego a ellos. Uno cada uno. Como cuando eras pequeño y jugabas al fútbol con los amigos e ibas eligiendo a cada jugador por turnos. Así lo hicimos. Nuestra idea era obtener aquellos distritos donde mejor resultado electoral habíamos sacado para fidelizar a los votantes con el trabajo que pensábamos hacer durante el mandato». Centro se quedó de los últimos, «ya que nadie lo quería porque es un distrito que siempre da muchos problemas». Chamartín, por ejemplo, que también lo quería Ciudadanos, se lo llevó el PP.

Con el acuerdo cerrado con Ciudadanos, Almeida se sentó con Vox, cuyos votos también necesitaba. Lo único que la ultraderecha quería era sacar a la izquierda del Ayuntamiento, y para eso bastaba con firmar un simple acuerdo de investidura (sin entrar en el Gobierno) con Almeida. Era impensable un tripartito entre PP, Ciudadanos y Vox. Almeida y Javier Ortega Smith, portavoz municipal de Vox (y diputado nacional), nunca se llevaron bien. Ortega Smith siempre acusó a Almeida de pasar «de la política municipal» y este afirmaba que Ortega Smith era un vago que gustaba de trabajar poco. Para Almeida, «la concepción de la política de Ortega Smith es "o conmigo o contra mí" y, por tanto, cuando se pone blanco o negro, no hay matices, no es capaz de sentarse siquiera a hablar, es muy difícil que uno pueda llegar al entendimiento. Él decidió que su ocupación y preocupación principal no era el Ayuntamiento de Madrid y es muy difícil poder hablar con él».

Vox y PP no se entendían mucho, pero no tenían más remedio que colaborar para sobrevivir. El primer año Vox se abstuvo en la votación de presupuestos, en el segundo los aprobó, en el tercero votó que no y en el cuarto ni se sentó a negociar. «¿Cómo pueden cambiar tanto de opinión? Siempre decían que Ciudadanos era la derecha veleta. En el caso del Ayuntamiento, la veleta eran ellos», lamentan desde el PP.

Después de las negociaciones a dos bandas, Almeida tomó finalmente posesión como regidor madrileño el 15 de junio de 2019. Carmena le entregó el bastón de mando y tras finalizar el acto tuvieron una conversación privada. La exalcaldesa le pidió que reconociera que «había sido un poco gilipollas con ella» cuando estaba en la oposición. «En lo personal sí que me gustaría que algún día me dijeras: "he sido un gilipollas"». Almeida se defendió. «Manuela, he sido un poco duro si quieres». «No, no, que has sido un poco gilipollas», le respondió la jueza.

Almeida y su vicealcaldesa Villacís tuvieron desde el principio mucho mejor relación que Ayuso y Aguado en la Comunidad. Al menos representaban mejor ese buen rollo. Pero como pasaba en la Comunidad, donde había dos gobiernos en uno, en el Ayuntamiento había dos Corporaciones. Eso no quiere decir que no hubiera colaboración, pero cada uno marcaba su agenda y sus actos. Donde más tensión había era en las áreas delegadas. La de Vivienda, por ejemplo, gestionada por Alvarito el Pobre (del PP), dependía orgánicamente de la de Urbanismo, que llevaba Mariano Fuentes, de Ciudadanos. Álvaro y Mariano eran como el agua y el aceite, no se aguantaban. El del PP nunca entendió que su superior jerárquico fuera el concejal de Ciudadanos. Había tantos roces que una vez fueron incapaces de sacar una nota de prensa conjunta porque Álvaro González exigió que en un párrafo su nombre apareciera primero que el de Mariano Fuentes, cuando este era el concejal de Gobierno y el otro un edil delegado de Fuentes.

Villacís, por su parte, nueva en los entresijos del poder, siempre sospechó que Almeida y su equipo habían estado detrás de ciertas filtraciones a la prensa que le habían hecho mucho daño. En la precampaña, en febrero de 2019, el diario *ABC* publicó que Villacís ocultó durante sus tres primeros años como concejala (2015, 2016 y 2017) que había administrado una sociedad patrimonial junto a su marido[2]. Un *olvido* que incumplía la Ley de Transparencia y la Ley Reguladora de las Bases del Régimen Local. En teoría, Villacís había sido administradora de esa sociedad entre febrero de 2007 y marzo de 2018 y nunca lo reflejó en sus declaraciones de bienes y actividades como concejala.

«Begoña siempre supo de dónde partió esa filtración interesada para hacer daño a las expectativas electorales de Ciudadanos, que en 2019 antes de las elecciones eran altas», señala una persona de la máxima confianza de Villacís. ¿Quién lo filtró? «Lo sabemos y fue muy grave. Porque en aquellos momentos Begoña estaba embarazada de cinco meses y el disgusto fue muy grande. Además, fue una de las causas de la posterior separación de su marido, quien le decía que por estos ataques interesados no merecía la pena seguir en política y que lo dejara». Lo más llamativo es que uno de los periodistas que firmaron esas informaciones contra Villacís en *ABC* luego entraría a trabajar en el Ayuntamiento para el PP. Villacís enfureció.

El núcleo duro del alcalde lo formaron al inicio del mandato Matilde García-Duarte, nombrada coordinadora general del Ayuntamiento, abogada del Estado y amiga íntima de Almeida. Su mano derecha. La izquierda era Ana de Miguel Cabrera, arquitecta, a la que había conocido de su etapa en la Comunidad, y ahora sería nombrada jefa de gabinete.

[2] Javier Chicote y Tatiana G. Rivas, «Villacís ocultó durante tres años una sociedad patrimonial con dos millones de euros en inmuebles», *ABC*, 19 de febrero de 2019.

Su director de comunicación era Daniel Hidalgo, experiodista de Telemadrid, exjefe de prensa del ministro Rafael Catalá y que llevaba con Almeida desde la oposición en 2018. Apodado «Lord Inglés» por su forma de vestir, Hidalgo pensó que Almeida necesitaba un jefe de prensa dedicado solo a él y sumó al equipo a su amigo el periodista Joaquín Vidal. Luego estaba David Erguido, diputado en la Asamblea y una especie de asesor del alcalde en la sombra. De hecho, su novia, Sonia Cea, periodista y publicista, llevaba la estrategia digital del regidor.

Mención aparte en esta historia merece Ángel Francisco Carromero Barrios (Madrid, 1985). El «Maquiavelo» del PP. «Hubo una época, he de reconocer, que era un personaje que provocaba cierto pánico. Hacía y deshacía como quería en Nuevas Generaciones», señala un exmiembro que tuvo la mala fortuna de coincidir con él. Carromero se afilió al PP antes de la mayoría de edad, cuando era estudiante del colegio madrileño de Nuestra Señora del Pilar (controlado por los marianistas). Un tuitero llegó a colgar una ficha de su época como alumno con la siguiente descripción: «Popularmente conocido como Cannavaro, Carromato, Caramelo, Cronómetro, Estraperlo y Gollum, aunque también responde a Tommy. Frecuentador de la sede del PP que, gracias a su impecable historial político, probablemente llegue a gobernar nuestro país como un auténtico Nixon. Le veremos por los pasillos de ICADE incitando a la muchedumbre a que se una a su causa. A nuestro experto lanzador de bolos le apoyaremos en su futuro mandato al pueblo español»[3]. El texto se publicó en 2003 en la revista *Soy Pilarista*.

Carromero tuvo la fortuna de congeniar muy pronto con Casado cuando este dirigía NNGG, lo que le permitió codearse

[3] https://twitter.com/sr_donze/status/1494445709898227720?s=24.

pronto con grandes figuras del partido. Pero no fue hasta 2019 cuando Almeida lo nombró director general de Coordinación de Alcaldía. Un cargo con un nombre que parece importante pero que era simbólico, porque a Carromero nunca le gustó ser un tecnócrata, un político que ayudara a los ciudadanos que le pagaban el sueldo y a los que debía servir. Como mucho se encargaba de supervisar algunos actos del alcalde. Él estaba realmente en las cosas del partido, sobre todo en Nuevas Generaciones de Madrid, organización que controló con mano de hierro durante años. «La peor persona que he conocido en mi vida en el PP», señala otro exmiembro de NNGG. Carromero era un fontanero del partido, que conocía a casi todos y controlaba muy bien los entresijos de la formación. «Coleccionaba información de todo el mundo» y tenía tanto poder que lo apodaban «el Gestoras», capaz de quitar y poner cargos en agrupaciones populares en su papel como vicesecretario electoral del PP de Madrid[4]. De hecho, en uno de sus cumpleaños le regalaron un muñeco de Baby Yoda (uno de los protagonistas de la saga de *Star Wars*) y contó irónico a sus amigos que la primera palabra que había aprendido el monigote era precisamente esa: «gestoras». Llegó a colocar a su compañero de piso, un estudiante de criminología, como presidente de NNGG en el distrito de Hortaleza.

Toda su vida ha estado vinculada al PP, aunque tuvo sus pinitos en el sector privado. Con 21 años trabajó de comercial en El Corte Inglés[5] y montó incluso un gimnasio en el barrio de Salamanca bajo el nombre jurídico de Lostic Investment SL. Su nombre también aparecía en el registro mercantil

[4] J. M. Olmo, «Las Nuevas Generaciones de Carromero: ceses fulminantes, gestoras y cargos a dedo», *El Confidencial*, 22 de enero de 2017.
[5] Marta Espartero, «Quién es Ángel Carromero, el cerebro detrás del espionaje de Génova a Ayuso», La Sexta, 17 de febrero de 2022.

como administrador de una asesoría jurídica llamada Winterfell Partners.

Antes de formar parte del Ejecutivo de Almeida, empezó como asesor municipal (cobrando un salario público) en diciembre de 2008, cuando lo fichó Alberto Ruiz-Gallardón con solo 23 años. Primero, en la junta municipal de La Latina y luego en la de Moratalaz. Aparte de asesor, ostentaba el cargo secretario de organización de NNGG Madrid y presidente de NNGG del distrito de Salamanca. No tardó en destacar y en 2010 tuvo sus primeros problemas por sus supuestas fechorías. El Comité Nacional de Derechos y Garantías propuso su expulsión por una falta muy grave: cambiar ficticiamente al menos 50 afiliaciones de militantes madrileños de una agrupación a otra para favorecer al candidato que Carromero quería que ganase[6]. El expediente y la sanción se archivaron, porque Carromero, Casado y Aguirre movieron sus hilos. Aguirre siempre argumentó que Carromero no era de su confianza, aunque años después le presentó un libro, lo visitó en la cárcel y bajo su vigilancia permitió que hiciera todo tipo de trapicheos.

Pero el verdadero incidente que lo catapultó a la fama se produjo en Cuba, el 22 de julio de 2012. El vehículo que conducía ese día se estrelló contra un árbol en la carretera que une las poblaciones isleñas de Las Tunas y Bayamo. La colisión que provocó la muerte de dos de los principales disidentes cubanos de la época: Oswaldo Payá Sardiñas y Harold Cepero Escalante. Carromero pasó cinco meses en una prisión cubana y fue condenado por homicidio imprudente a cuatro años de cárcel, pena que pudo cumplir en España, en

[6] Javier Casqueiro, «El PP paró en 2010 la expulsión de Ángel Carromero por hacer trampas», *El País*, 28 de febrero de 2022.

tercer grado, ingresando en un centro de reinserción donde solo tenía que ir a dormir de lunes a jueves.

Tras volver del «infierno» de Cuba, tuvo que dejar su despacho en la Junta de Distrito por las críticas de muchos de sus compañeros que se opusieron a su reincorporación y filtraron a la prensa que el Ayuntamiento le había pagado el sueldo mientras estaba preso en la isla. El PP alivió esa presión destinándolo al Palacio de Cibeles, como asesor del grupo municipal. Allí estuvo con Ana Botella y luego con Aguirre, hasta llegar a Almeida, a quien acompañó en la oposición cobrando 53 589 euros brutos anuales.

Carromero no se sintió cómodo con toda la atención mediática que arrastró su caso. Apenas usaba las redes sociales (solía tuitear versículos bíblicos), y las pocas que tenía eran de acceso restringido. No concedía entrevistas (solo cuando promocionó su libro *Muerte bajo sospecha* en 2014) y siempre descartó asumir responsabilidades públicas. Ni concejal, ni diputado, ni director general. Carromero siempre estuvo donde le gustaba estar, en la sombra, sabedor de que su amistad con Casado y Almeida se lo permitía. Sus amigos lo tachaban de «supertrabajador» y sus enemigos de «peligroso». Los que lo conocen menos coinciden en señalar que «lo mejor era no llevarse mal con él». Una persona que padeció sus malas artes asegura que «no tenía otra vida que el PP. Siempre omnipresente en el entramado del partido. Actos electorales, conferencias, mítines, homenajes a víctimas del terrorismo... Con Esperanza Aguirre, con Soraya Sáenz de Santamaría, con Rajoy, con Cristina Cifuentes, con Pablo Casado... Carromero siempre estaba. Tenía una gran dedicación al partido. Una lealtad inquebrantable a cambio de un salario para toda la vida», ironiza.

En las filas de Almeida, Carromero se encargaba, por ejemplo, de intentar que Villacís no brillara en los actos importantes.

Sonora fue la bronca que él y la vicealcaldesa tuvieron en enero de 2020 cuando Juan Guaidó, líder de la oposición venezolana, recibió la Llave de Oro de la capital de manos del alcalde. Villacís quería hablar en el acto y Carromero intentó que no lo hiciera. «Por encima de mi cadáver», le espetó Villacís.

Con estos mimbres Almeida formó su primer equipo, que enseguida empezó a funcionar como un reino de taifas. Almeida dejaba hacer, pasaba de poner orden y él mismo parecía sentirse cómodo en ese ambiente de indisciplina. Tanto, que lo empezaron a apodar «Mágico González», ese genial futbolista salvadoreño que prefirió la noche gaditana al sacrificio y los grandes títulos.

—¿Por qué llamáis al alcalde Mágico González? —preguntó el autor de este libro en una ocasión a un estrecho colaborador del regidor.

—Porque solo le gustan cuatro cosas: jugar al golf siempre que puede, ir a misa los domingos, su Atleti y las comidas y sobremesas largas con sus colegas. Y lo que es prepararse una reunión o un acto pues le va menos. Lo que pasa es que como es abogado del Estado es un tipo brillante. Tiene gran oratoria, mucha memoria y destaca en sus intervenciones».

—Vamos, que digamos que entrenar le gusta poco, pero luego en los partidos [los actos] destaca porque el tío sabe desenvolverse bien —concluí.

—Eso es.

«No es que tenga una mente prodigiosa precisamente. Pero poseo una ventaja: tengo la técnica del opositor, que me proporcionó una técnica de estudio que me permite retener los datos, hacerlo rápido, saber lo que tengo que priorizar…», señaló en una entrevista, confirmando un poco lo que decía su equipo.

Yo lo pude comprobar con mis propios ojos. Tras 20 años ejerciendo el periodismo en prensa escrita, había empezado a trabajar a finales de 2019 en el Ayuntamiento de Madrid como personal eventual. Me habían ofrecido la jefatura del departamento de prensa de la Empresa Municipal de la Vivienda y Suelo. Me pareció una buena idea dar el salto y conocer de primera mano los entresijos del «lado oscuro», la comunicación política. Una loca aventura teniendo en cuenta que nunca había sido votante del PP. El salario era muy bueno y pensé que merecía la pena, al menos durante una legislatura, ampliar conocimientos y experiencias. Los periodistas tenemos una regla básica: escribir cuanto más sencillo, mejor. Sujeto, verbo y predicado. Conseguir un texto ágil, sin complicaciones ni grandes adornos. Hacérselo fácil al lector. Sujeto, verbo y predicado. Sujeto, verbo y predicado. Una buena norma. Pero cuando decidí adentrarme en el mundo de la comunicación política me dieron un consejo sorprendente, que con el paso del tiempo comprobé que debía aplicar si quería seguir perteneciendo a este peculiar ecosistema. «Ahora pasarás del sujeto, verbo y predicado, al sujeto, verbo y cumplido». A los políticos les encantan que los adulen y les digan lo bien que lo hacen.

En 2020 con la llegada de la pandemia del coronavirus, Almeida se convirtió en «el alcalde de España», «en el alcalde de todos». Si Ayuso vio el virus como una oportunidad para confrontar con el Gobierno de Sánchez, Almeida apostó por una posición dialogante y de cooperación con todas las administraciones que le valieron los elogios de todos los actores políticos y sociales, desde la oposición municipal hasta el partido ecologista Pacma. Almeida ponía un tuit por las mañanas dando ánimos, con una ilustración, con un texto, con un vídeo que llamaba a quedarse en casa y a soñar con un mañana lleno de optimismo, por ejemplo, para tomar unas cañas (una fijación dentro del PP), dar paseos por el Retiro y salir al cine con los amigos. Y hablaba de unidad y lealtad con convicción; los reproches, decía, había que dejarlos para después. Una encuesta realizada por Metroscopia en mayo de 2020 lo situó como el político mejor valorado por los españoles. En junio era el político del Ayuntamiento más conocido por los madrileños (96.6 %), según un sondeo de Sigma Dos para Telemadrid. El estudio también reflejaba que era el político municipal mejor valorado por los madrileños, con un 6.43 sobre 10.

Su amiga María Pelayo vio un filón en aquellos datos y encargó a dos periodistas de *La Razón*, Carmen Morodo y Pilar Gómez, que escribieran un libro sobre el alcalde, una biografía en principio no oficial que se convertiría en un panegírico del regidor madrileño. La titularon *El Hombre tranquilo* (Espasa). No sabemos cuántos ejemplares ha vendido porque, según explica la editorial, «por política no damos datos de ventas de nuestros libros». Sobre todo, cuando esos datos son malos.

«Almeida se ha consagrado como un político sensato y con las ideas claras y ha destacado por su liderazgo firme y sosegado». «Almeida consiguió con su buen hacer en la gestión de la pandemia ser el alcalde de todos, el gestor por encima de lo político al servicio de unas siglas. «Pepito fue un chaval tímido, introvertido, abrumadoramente inteligente y nada problemático. El niño que toda madre querría tener», son algunos de los elogios que cosechó Almeida en un libro que él mismo prologó y que recogió un capítulo con las opiniones, obviamente excelentes, de otros políticos que habían ocupado la alcaldía. Curiosamente el diario conservador *La Razón* (donde trabajaban las dos autoras) encabezó en 2021, un año después de la publicación del libro, el listado de medios que más publicidad recibió por parte del Ayuntamiento: 173 000 euros más IVA en 41 contratos, según un análisis que hizo *El Salto Diario*[7].

Sus asesores le indicaron entonces que con el buen cartel que tenía era el momento de atraer votos de izquierda y de derecha para ensanchar los resultados y arrasar en 2023. Había que aprovechar el debilitamiento de Más Madrid tras la marcha de Manuela Carmena y el agotamiento de Ciudadanos. Un alcalde de centro, enrollado, moderado y con el mantra del «alcalde de todos» colgado a la espalda. Su popularidad subía como la espuma, se escribían titulares del tipo «¿Por qué todos aman a Almeida?»[8]. Aquella súbita popularidad había que aprovecharla.

En mayo de 2020 la periodista Cristina Pardo (de La Sexta) tuvo serias dificultades para entrevistarlo en directo en plena calle debido a los aplausos que recibía de los viandantes que se cruzaban con el espectáculo. «Señor Almeida, no se ha visto usted en otra. Que aplaudan a los políticos hoy en día mira que es difícil», le dijo Pardo. El alcalde, sonrojado, quitó hierro al asunto: «Soy vecino del lugar, va más por ahí». Y todo ello sin grandes obras o proyectos de calado en la ciudad. Mandaba la pandemia.

Otro de los ingredientes que empezó a explotar el alcalde en su estrategia mediática, que empezó a ser abusiva, fue lo de no tener novia. Una situación insólita para un tipo

[7] Ter García y Yago Álvarez Barba, «Así ha repartido Almeida la publicidad del Ayuntamiento a medios afines y de extrema derecha», *El Salto*, 6 de abril de 2022.

[8] Beatriz Miranda, «¿Por qué todos aman al alcalde Martínez-Almeida, incluso la izquierda?», *El Mundo*, 16 de mayo de 2020.

tan «divertido, inteligente y simpático» como él. Cayetana Álvarez de Toledo recuerda en su libro *Políticamente indeseable* (Ediciones B) que cuando conoció a Almeida le pareció un «madrileño hasta el tópico y con esa coquetería autodenigratoria que bien trabajada hace tanta gracia». Nunca se supo mucho de su vida sentimental. Solo que cuando opositaba salía con una chica que se llamaba Arantxa y de quien realmente estaba enamorado. Eso fue antes de 2001. «Una niña monísima, la gente flipaba», publicó *Vanity Fair*[9]. Algunos rumores apuntaron, cuando ya era alcalde, hacia una posible relación con otra joven muy atractiva, la popular bilbaína Bea Fanjul, presidenta nacional de Nuevas Generaciones. «Somos muy buenos amigos, a pesar de la diferencia de edad. Hablamos muchísimo, casi todos los días. Pero nada más», señaló Almeida. Una fuente del equipo del alcalde asegura con mala leche que Fanjul se acercó adrede al alcalde para que colocase en el Ayuntamiento a amigos suyos de NNGG. Alguno entró con buenos sueldos.

«Es cierto que no suele ser habitual que un político alcance un puesto de estas características y esté soltero. Yo creo que esas cosas en la vida se dan o no se dan y en mi caso no se ha dado. A mí me encantaría tener pareja. Yo creo que tanto el hombre como la mujer están hechos para vivir en pareja (...) están deseando casarme pero no hay manera», señaló en *El Mundo*. Almeida presumía entonces de su soltería. En otra entrevista en *La Razón* contestó que el mejor titular que le gustaría dar sería «ni soltero ni de oro, ¿se imagina?». En Telemadrid confesó que sus amigos le llamaban «el latino», porque siempre tenía el frigorífico vacío y se alimentaba a

[9] Vera Bercovitz, «Un día con Almeida: "Cuando me nombraron alcalde, pensé: 'Algo me va a pasar. Un atentado, que se caiga un edificio...'. Ahora, esto no se te ocurre jamás"», *Vanity Fair*, 17 de agosto de 2020.

base de comida en lata. Con este panorama «he perdido toda posibilidad de encontrar pareja. Soy un desastre».

A la revista *Elle* le dijo que le encantaría tener novia e hijos después de que la periodista Benedetta Poletti le informara que «la segunda entrada más buscada en Google cuando se introduce su nombre es "Martínez-Almeida novia"». En los Premios del Museo Chicote también habló de su soltería: «Alguna vez estuve incluso a punto de perder la soltería aquí pero, como me suele pasar, al final no lo conseguí. Jugué como nunca, perdí como siempre». «¿Cuáles son sus métodos para los cambalaches del amor?», le preguntaron en la revista *Yo Dona*. «Pues picando piedra. Soy muy clásico, Nada de Tinder». En *El Español* declaró que su primer beso «fue a la luz de la luna, tras una barbacoa: ella repitió, así que sospecho que fue bien».

Almeida se casó en abril de 2024 con Teresa Urquijo, veinte años más joven que él y emparentada con la Familia Real, ya que es nieta de una prima hermana de Juan Carlos I. Almeida, que toreó a los medios durante años con el tema amoroso, también se tomó con humor que se metieran con su físico y su poca estatura. Se hizo muy popular el mote despectivo «Carapolla». En *El Hormiguero* contó que algunos adolescentes maleducados se lo gritaban por la calle. «Ahora ya me da igual, gajes del oficio, ser alcalde y soltero puede llamar la atención, y más con mi físico. Pero entonces me dejó tocado: pensé en esos niños, que no tenían los 18 años, y que los hubieran envenenado de esa forma».

El éxito de esa campaña para convertir a Almeida en una figura campechana contrastó con su forma de gestionar la legislatura. Muchas fuentes consultadas aseguran que uno de los grandes errores al inicio de su primer mandato fue hacer un equipo de colegas y amiguetes en lugar de buenos profesionales.

Eso provocó que, poco a poco, el núcleo duro de Almeida se fuera desintegrando. En una reunión a la que asistí a mediados de noviembre de 2020, algunas personas me hicieron una radiografía de la situación: Ángel Carromero y Matilde García-Duarte, dos de las personas más cercanas al alcalde, no se aguantaban. «Ana de Miguel, la jefe de gabinete, una arquitecta de carácter complicado, decide la agenda política del alcalde sin tener ni idea de política ni de comunicación», añadieron; Borja Carabante, el concejal con más poder (de él dependía la política de movilidad y medio ambiente con el presupuesto más alto) «iba a su bola» y llegó incluso a adjudicar un contrato a su hermano[10]; Andrea Levy, la edil de cultura, «estaba todo el día con sus excentricidades». En definitiva, aquello «era una anarquía» y muchos de los asesores y enchufados en el Ayuntamiento «eran amiguetes del partido y follamigas».

Para complicar más las cosas, Pablo Casado nombró a Almeida portavoz nacional del PP en agosto de 2020, un cargo que lo distraía de la gestión municipal. «Se demostró que era un hombre importante. Empezó a ser muy solicitado en los mítines de las campañas electorales. Había que darle un espacio más representativo», explica una fuente de Génova para justificar esta elección. Otra fuente señala que «fue un regalo envenenado que le dio Casado, que no le estaba gustando el excesivo protagonismo que estaba tomando Almeida. Sabía que dándole la portavocía se iba a empezar a quemar».

Almeida coincidía con esta segunda opinión, y la oposición se sumó a las críticas para achacarle que con esta nueva función sería «un alcalde parcial» y que al mojarse en temas nacionales y criticar con más fuerza al Gobierno central empezaría

[10] Manuel Viejo, «Anticorrupción investiga un contrato de Almeida que implica al concejal de Medio Ambiente y a su hermano», *El País*, 22 de febrero de 2023.

a perder esa fama que tanto le gustaba de «alcalde de todos». Una narrativa contraria a lo que estaba siendo su mandato, pues un mes antes, en julio de 2020, Almeida había logrado que los 59 ediles del Ayuntamiento (de todos los colores políticos) firmaran un documento conjunto de 352 medidas, los famosos «Acuerdos de la Villa», para revitalizar la ciudad tras la crisis que estaba sufriendo durante la pandemia.

«Esta iniciativa fue de Más Madrid, pero Almeida fue muy hábil políticamente y la hizo suya. ¡Pero si había reuniones en las que no aparecían los concejales del PP! Él quería destacar por un perfil sereno, de hombre de consenso, todo lo contrario que Ayuso. Y esto le vino muy bien. Nosotros como oposición hicimos todo lo posible por llegar a un acuerdo. En esos momentos Almeida tuvo una oposición que no se merecía», señala la exconcejala socialista Mar Espinar. «Nosotros propusimos los Pactos de Cibeles. Y al PP le pareció bien, los negociamos y cambiaron el nombre a Acuerdos de la Villa para que pareciera cosa suya. Pero la realidad es que el alcalde pasa de todo. No sabría decirte un tema de ciudad que le interese aparte del deporte», afirma Rita Maestre, de Más Madrid.

Pero, en medio del mandato, su *partner* Ayuso anunció elecciones anticipadas. Una jugada política imprevista incluso para Almeida, que se enteró de la noticia esa misma mañana durante un acto en el centro de la capital que tenía programado con su concejala de Hacienda.

El alcalde y la vicealcaldesa no se sumaron a la ruptura, insistiendo que ellos eran «un gobierno cohesionado y fuerte que trabajamos juntos». Un día después, Villacís coincidió con Pablo Casado en el homenaje a las víctimas del 11-M. Y, frente al mensaje oficial, un micro captó a hurtadillas la realidad política de ambos grupos y del riesgo que sentían frente a la convocatoria sorpresa de Ayuso. «Como gobiernen PSOE y Podemos en la Comunidad nos habéis jodido, de verdad os lo digo», sentenció Villacís.

La aplastante victoria de Ayuso opacó el ascenso de Almeida. Sus niveles de popularidad habían sido altos durante lo más duro de la pandemia, pero la aceptación y el liderazgo político y mediático que estaba alcanzando la presidenta madrileña empezaban a ser impactantes. El alcalde sentía que necesitaba un cambio. Ayuso lo había hecho en enero de 2020 fichando a MAR. Y le había ido bastante bien. Su estrategia había sido clara: se había *comido* electoralmente a Ciudadanos y se escoraba a la derecha cada vez más para dar *bocados* al electorado de Vox. ¿Qué debía hacer Almeida? Entre su equipo no había un gurú como MAR que le marcase el camino.

Almeida empezó a meditar un volantazo. Había que cambiar para mejorar. Como jugador de golf ya había notado una significante mejoría. El día después de las elecciones autonómicas en las que Ayuso arrasó, el 5 de mayo, el alcalde decidió celebrar la victoria de su homóloga en la Comunidad echando unos hoyos en el Club de Campo Villa de Madrid. Su hándicap había bajado al 5.4. Recordemos que en 2007, cuando lo fichó Aguirre, era mucho peor, del 16. Los jugadores suelen decir que su hándicap suele ser igual al número de días que trabajan al mes. Y allí, en el verde y entre palos, Almeida decidió que el cambio que necesitaba tenía nombre y apellidos.

Pilar Rodríguez conoció a Almeida a través de Bea Fanjul. El regidor se quedó prendado de la joven murciana y decidió contratarla para la campaña electoral de 2019 para ayudarlo a preparar ciertos debates. Después, Pilar se fue a Bruselas con Ciudadanos y en 2021 el alcalde la convenció para que volviera a trabajar con él. Pilar Rodríguez Losantos llegó al Ayuntamiento el 5 de mayo con 28 años y pronto se convirtió en la persona de máxima confianza del regidor. En su Linkedin[11] indicó sin reparos que le habían fichado como «directora de Estrategia y Acción Política de la Alcaldía de Madrid», un cargo que no existe en el organigrama municipal. Digamos que era una asesora de alto nivel con un salario bruto anual de 77 206 euros. Pero ella se consideraba la nueva *spin doctor* del alcalde. Si Ayuso tenía al veterano y resabido MAR, Almeida lo fiaba toda a una chica muy joven que había trabajado para Ciudadanos en el Parlamento europeo y para el PP en el Ayuntamiento de Alcobendas y en el Senado. «Mi trabajo se asemeja al de Miguel Ángel Rodríguez o al de Iván Redondo, pero sin entrar en las cosas del partido», señaló sin ningún tipo de complejos[12]. Se encargaba de la estrategia política, de diseñar los mensajes de Almeida, de pulir sus discursos, le aconsejaba qué tuitear, incluso le guiaba sobre cómo encauzar las relaciones con Ciudadanos. *El Mundo* la describió como la encargada de «descubrir los atributos del alcalde, redondearlos y exportarlos».

Pero ya lo dijo Miguel de Unamuno: «La envidia es la íntima gangrena de la vida española». La creciente influencia de Rodríguez Losantos empezó a incomodar al núcleo duro del alcalde. Algunos miembros de su equipo comenzaron a enseñar a algunos periodistas los mensajes que ella enviaba en ciertos chats, mandando y ordenando, diciendo a jefes de gabinete e incluso a concejales lo que debían decir. Así que los agraviados contratacaron rebuscando en su pasado. Y qué mejor manera que sumergiéndose en la basura de las redes sociales.

[11] https://www.linkedin.com/in/pirlosantos/.

[12] Manuel Viejo, «La mujer que susurra a Almeida», *El País*, 5 de octubre de 2021.

Y algo encontraron. Entre 2019 y 2021, cuando estaba en Bruselas con Ciudadanos, Pilar Rodríguez lanzó dardos contra Pablo Casado: «No es que esté perdido, es que vive en otras galaxias paralelas». «Está tan fuera de todo que es apabullante». «NO sabe leer el teleprompter, que alguien se lo quite, por favor». Llamaba «torpe» y «memo» al presidente nacional del partido mientras ensalzaba a Iván Espinosa de los Monteros, de Vox: «Sería un excelente presidente del PP». También coleccionaba pullas contra otros dirigentes populares, por ejemplo, contra Alberto Núñez Feijóo, al que acusaba de tener una visión política de España «con la *txapela* a presión»: «Si Feijóo es la alternativa [para liderar el PP], mejor cerrar el partido y salir corriendo», escribió en junio de 2019.

Aunque ella había eliminado muchos de aquellos tuits, no pudo esconderlos ante un experto en informática. La noticia estaba clara para quien tuviese un poco afilado el colmillo: «La nueva estratega política de Almeida denigró a Casado». Un buen titular. Los tuits se filtraron a un par de medios. *El Confidencial* los publicó en junio de 2021: «La nueva *spin doctor* de Almeida que critica a Casado y *se rifan* PP y Cs», tituló el digital[13]. *Eldiario.es* también se centró en ella: «Almeida ficha como asesora de discursos a una extrabajadora de Ciudadanos que criticaba en público a Casado y al PP»[14]. El daño ya estaba hecho.

El alcalde se enfadó mucho al ver que su *MAR* particular se convertía de repente en noticia de varios medios, informaciones que encima sentaron mal en Génova porque dejaban en mal lugar a Casado. La sangre no llegó al río, pero Almeida pidió

[13] «La nueva 'spin doctor' de Almeida que critica a Casado y 'se rifan' PP y Cs», *El Confidencial*, 18 de junio de 2021.

[14] Sofía Pérez Mendoza, «Almeida ficha como asesora de discursos a una extrabajadora de Ciudadanos que criticaba en público a Casado y al PP», *eldario.es*, 17 de junio de 2021.

a ciertas personas de su equipo que intentaran averiguar quién había filtrado los tuits incendiarios de Pilar Rodríguez. Se estaba empezando a dar cuenta de que estaba rodeado de hienas.

En julio de 2021 hubo otra filtración que también molestó, y mucho, al alcalde. El digital *Vozpopuli* publicó que «Almeida quiere colocar a un implicado en 'Púnica' en la Empresa Municipal de la Vivienda»[15]. La noticia era cierta. Se trataba de David Erguido, íntimo de un Pablo Casado que había recibido su apoyo para ser elegido líder de los populares.

Erguido había desempeñado cargos en el PP de Madrid y en la administración pública, y en 2019 se integró en la lista de Isabel Díaz Ayuso y salió elegido diputado autonómico. Además, el PP lo nombró también senador para que estuviera aforado. Ya sabía que tarde o temprano desfilaría por la Audiencia Nacional por sus implicaciones en la trama Púnica. En efecto, en septiembre de 2020 empezaron sus problemas con la justicia. Tras dimitir como senador y diputado autonómico, el partido le apartó de todas sus funciones y cargos públicos para dar imagen de limpieza y regeneración política. En verano de 2021, y después de toda una vida viviendo del PP, Erguido se encontró sin trabajo y sin sueldo. Habló con Almeida y le explicó su situación, asegurando al regidor que el juez le archivaría la imputación y quedaría limpio de polvo y paja.

Desde el Ayuntamiento le buscaron una solución. Una de las seis direcciones que había en la Empresa Municipal de la Vivienda se había quedado libre porque su ocupante, Orlando Chacón, había sido elegido diputado autonómico con Ayuso.

[15] Antonio Rodríguez, «Almeida quiere colocar a un implicado en 'Púnica' en la Empresa Municipal de Vivienda», *Vozpópuli*, 19 de julio de 2021.

Esa dirección se había creado a su vez *ex profeso* para colocar a Chacón, que iba en la lista de Almeida y no había salido como concejal. Así que vieron que donde en su día enchufaron a Chacón, podían colocar ahora a Erguido. El sueldo oficial sumaba 63 500 euros, pero con complementos subía hasta los 80 000.

Lo más sangrante es que desde el Ayuntamiento comunicaron a la Empresa Municipal de la Vivienda que no se preocuparan, que «David Erguido no quería el puesto, solo el sueldo, así que iba a ir poco por las oficinas de la empresa pública». Como el nombramiento era delicado —estamos hablando de un imputado por corrupción— el plan era hacerlo con «agostidad», es decir, en pleno agosto, con medio país de vacaciones y cuando, en teoría, el juez le iba a desimputar.

Pero la noticia se filtró el 19 de julio y el fichaje de Erguido se jodió. Ese mismo día, el alcalde tuvo que dar explicaciones ante los periodistas y mintió con total descaro: «A mí no me han comunicado desde la Empresa Municipal de la Vivienda que hubiera esa previsión de incorporación de David Erguido, que por cierto es una persona con la que he trabajado y siempre me ha demostrado su valía», señaló, cuando en realidad había sido él quien había solicitado que el puesto fuera para su amigo. «Los políticos no mienten, disfrazan la verdad», dice con sorna un buen amigo del alcalde. Lo que sí hizo Almeida fue buscar un culpable y acusar a directivos y trabajadores de la Empresa Municipal de la Vivienda de la filtración de la noticia, convocando incluso una reunión de urgencia en Cibeles.

Para quien supiese leer entre líneas, la noticia de *Vozpopuli* no dejaba lugar a teorías: «Fuentes cercanas a Ciudadanos en la capital han asegurado a este diario que no permitirán este nombramiento». Ciudadanos se enteró de este fichaje porque Erguido y su novia (concejala con Almeida) lo iban pregonando por todo Madrid. Y los naranjas se lo contaron a la prensa. Quien también mintió al final fue Erguido. Porque el juez del caso Púnica no solo no lo desimputó (como él iba diciendo), sino que a finales de julio de 2021 lo procesó y lo envió al banquillo para que fuera juzgado acusado de prevaricación y tráfico de influencias. «Mi carrera política ha acabado», señaló Erguido a un conocido.

Según la Guardia Civil, Erguido participó en el presunto amaño de ocho contratos públicos para organizar fiestas en Algete dando indicaciones a los técnicos que debían redactarlos. Todos fueron adjudicados a una de las empresas de la trama, Waiter Music, que llegó a facturar 1.9 millones de euros al Ayuntamiento de Algete. Es decir, casi dos millones de euros en fiestas para un municipio de apenas 20 000 habitantes. Con dinero público de Algete, Erguido autorizó la contratación, por ejemplo, de un grupo de mariachis o la fiesta de la comunión de un hijo de la alcaldesa de Algete, también imputada. A fecha de envío a imprenta de este libro, no hay todavía fallo judicial.

El caso Erguido también sirvió para desatar definitivamente una guerra soterrada en el núcleo duro de Almeida, porque Carromero (muy amigo de Erguido) acusó a Matilde García Duarte de ser quien lo había filtrado. Cuenta el periodista de *El País* Lolo Viejo que «una discusión al principio de la pandemia entre ellos provocó que no se hablaran. Tanto Carromero como García tenían un duelo por ejercer sus influencias sobre Almeida a la vista de muchos».

Con tantos escándalos en prensa y guerras internas, algo que Almeida llevaba mal, el alcalde decidió en el verano de 2021 que era el momento de hacer nuevos cambios. «Porque seremos fascistas, pero sabemos gobernar», había dicho tres meses antes en un mitin en la campaña de Ayuso. Así que decidió gobernar y se cargó a su jefe de prensa, Joaquín Vidal. El periodista no se fue a la calle, sino que fue recolocado en el departamento de comunicación de la Empresa Municipal de Transportes (la EMT), que dependía jerárquicamente del concejal Borja Carabante, uno de los Dalton.

El alcalde no estaba para bromas. Porque, aunque le molestaban unas filtraciones en prensa que creía que nacían dentro de su propio equipo, había otro tema que le preocupaba. Un extraño contrato que el Ayuntamiento había adjudicado en lo peor de la pandemia de 2020 y que podía salpicar a un familiar suyo, al que llamaban dentro del Ayuntamiento «el primo guapo». «¿El primo guapo?», pregunté. «Sí, debe de ser que el alcalde tiene varios primos y este debe de ser el más guapo, así lo llaman». Curiosamente, sería la biografía panegírica de Almeida quien esclarecería este asunto, a través de un párrafo que entonces parecía inocente pero que con el paso del tiempo se convertiría en esclarecedor.

El libro (*Almeida, el hombre tranquilo*) hablaba de las dificultades que había tenido el Ayuntamiento al principio de la pandemia para encontrar material sanitario (mascarillas, guantes...) para el personal municipal: bomberos, policías y otros funcionarios. Todo era «un mercado persa» y «nadie se salvaba del pirateo». Según el libro, «en el éxito de estas adquisiciones de material fue decisiva la ayuda de Rafa Medina», hijo de la modelo Naty Abascal y del duque de Feria, «cuyos contactos en el mercado textil chino fueron muy útiles». ¿Qué tipo de ayuda brindó Rafael Medina, y qué tenía que ver él con «el primo guapo»?

En realidad, los contactos en China no los tenía Medina, sino un amigo suyo, Alberto Luceño, periodista e hijo de un joyero. Este último fue el ideólogo del pelotazo que se fraguó.

Su socio, Luis Medina, hermano de Rafael, tan solo aportó un número de teléfono de su agenda. Lo consiguió gracias a una amiga suya, presidenta de una universidad privada. Era el del abogado Carlos Martínez-Almeida Morales, supuestamente el «primo guapo». Medina llamó a su amiga, esta al primo del alcalde, y este llamó a su vez a Matilde García-Duarte, la mano derecha de Almeida, quien facilitó un correo para que escribieran al Consistorio.

Medina envió un primer e-mail el 18 de marzo y un segundo el día 19. Para ofrecerles ese material sanitario que tanto escaseaba. Lo hicieron, según la Fiscalía Anticorrupción, «con ánimo de obtener un exagerado e injustificado beneficio económico». «De este modo tan rápido y eficaz, al margen del correo general de ofertas habilitado por el Consistorio y, por tanto, con manifiesta ventaja sobre otros posibles ofertantes de material», Medina consiguió abrir las puertas del Palacio de Cibeles. García-Duarte remitió a su vez la propuesta de Medina a Elena Collado, la coordinadora general de Presupuestos del Ayuntamiento y el alto cargo encargado de comprar el material sanitario.

Luis Medina hizo de intermediario porque «era un personaje público y famoso, hijo del duque de Feria y de una afamada modelo». Entre los antepasados directos de Luis Medina están varios de los nobles más poderosos de los últimos siglos. Como su bisabuelo Luis Fernández de Córdoba y Salabert: once veces duque, quince veces conde, diecisiete veces marqués y también el mayor terrateniente de entre todos los grandes de España en los años de la Segunda República (poseía 74 000 hectáreas). O el propio rey Alfonso X, de donde viene su familia.

Elena Collado empezó a tratar con Medina y Luceño, sobre todo con este último, quien «fingió ser agente exclusivo para Europa de la empresa malaya Leno Sdn Bhd». Collado acabaría aceptando su propuesta porque era fiable al venir de «empresarios» y «españoles». Con el paso de los meses y de las negociaciones, Collado incluso propuso que el Ayuntamiento otorgara medallas a los dos desinteresados empresarios que tanto ayudaron en lo peor de la crisis sanitaria.

¿Qué ofrecía la pareja de avispados empresarios patrios? Un millón de mascarillas KN95, dos millones y medio de guantes de nitrilo y 250 000 test rápidos para detectar el coronavirus. Todo el material procedía de la empresa de Malasia llamada Leno, administrada por un empresario llamado supuestamente San Chin Choon. Y todo por la «comedida» suma de 15.9 millones de dólares. Luceño y Medina ocultaron al Ayuntamiento «no solo su nula experiencia en temas de material sanitario, sino lo que es más grave, el hecho de que habían inflado el precio de los contratos»[16]. Porque el coste del material era mucho más barato, ya que ellos se llevaban una comisión del 60 % en las mascarillas, del 81 % en los guantes y del 71 % en los test. Un negocio redondo a costa de las arcas públicas municipales en un contexto de extrema necesidad. El Ayuntamiento, que nunca se interesó por saber si estos intermediarios se iban a llevar una comisión, aceptó los pagos e hizo nueve transferencias entre marzo y abril de 2020. Luceño se alegró tanto que en un correo electrónico que envió a Medina le dijo que ya estaba en marcha «la operación pa la saca». Y por dos llamadas telefónicas y el envío de un e-mail, Luceño recompensó a Medina con un millón de euros, un buen pellizco del botín. Al saber las cifras de la operación, el propio Luis Medina le dijo a Alberto Luceño: «Hostia, pero qué tipo de pelotazo es este».

[16] Auto de procesamiento de Luis Medina y Alberto Luceño.

Elena Collado, en principio, solo protestó por los guantes. Luceño le había prometido que eran de gran calidad y que cubrían gran parte del brazo. Pero los que se recibieron «eran una mierda y solo llegaban hasta la muñeca», según un policía que los tuvo que usar. Así que Elena Collado, mosqueada, se fue a un mercado de Madrid donde encontró los mismos guantes a ocho céntimos la unidad cuando el Ayuntamiento había desembolsado dos euros por cada uno. Luceño intentó calmar los ánimos de Collado y le dijo que había conseguido hablar con el fabricante para que le rebajara el precio hasta los 36 céntimos, por lo que devolvería al Ayuntamiento unos cuatro millones de euros. Estos cuatro millones eran en realidad la comisión que pensaban llevarse los empresarios, ya que ellos iban a pagar por los guantes esos 36 céntimos por unidad. El negocio era tan lucrativo que el propio Luceño se estaba llevando comisiones que Medina no conocía, engañando así al socio que le había abierto las puertas del Ayuntamiento.

En cuanto a los 250 000 test recibidos, «solo 75 000 tenían un nivel de sensibilidad aceptable, del 94 %» para poder detectar el virus, según la Fiscalía. Luceño nunca envío otros nuevos para sustituir los defectuosos. En cuanto a las mascarillas, el jefe del servicio de prevención de riesgos laborales de Madrid Salud, empresa pública del Ayuntamiento, explicó en un e-mail que había «problemas graves» con los certificados de las mascarillas, que parecían «bastante endebles» y que se rasgaban «con relativa facilidad». Las críticas cayeron en saco roto. En total, Luceño y Medina cobraron por facilitar este material casi 11 millones de euros, de los que más de 5.5 millones eran comisiones para la pareja que salieron de los contribuyentes madrileños. Fueron las compras del Ayuntamiento más caras de toda la pandemia (5.7 euros por cada unidad de mascarillas y

14.72 euros por cada test de anticuerpos), según un informe del Tribunal de Cuentas[17].

¿En qué se gastaron todo ese dinero? En una bacanal de compras de lujo. Luceño, que es el que más había recibido, fue el que más disfrutó. Adquirió una vivienda en Pozuelo de Alarcón por 1 107 440 euros; tres relojes de lujo de la marca Rolex valorados en 42 450 euros; y cochazos (Aston Martin, Ferrari, Mercedes, Range Rover, BMW, Porsche, Lamborghini, McLaren…) cuyo valor conjunto superaba los dos millones de euros. Como último capricho, Luceño estuvo seis días en un hotel de lujo de Marbella pagando 6000 euros la noche. Luis Medina, por su parte, solo se compró un yate de 325 515 euros bautizado Feria (en honor a su hermano, el duque de Feria) y adquirió dos bonos de inversión de 400 000 euros.

La investigación de la Fiscalía comenzó en noviembre de 2020 cuando detectó el ingreso de seis millones en las cuentas de Alberto Luceño y Luis Medina.

El escándalo de las mascarillas y del «primo guapo» no se destapó hasta abril de 2022 en una exclusiva publicada por *eldiario.es*[18]. Días después, Almeida dio explicaciones ante los periodistas diciendo que él no sabía nada de este asunto hasta unas semanas antes. También dijo que desconocía que un primo hermano suyo hubiera intermediado y hablado con el Ayuntamiento, a pesar de que Matilde García-Duarte fuera amiga suya desde hacía veinte años y lo lógico sería que se lo hubiera comentado. Además, confesó que nunca habló con Luis Medina, «más allá de una llamada telefónica en la que le agradecí una donación. Esa ha sido la única vez». ¿Min-

[17] https://www.tcu.es/repositorio/9621e589-9bc5-4723-81c7-f55592e8bf11/I1452.pdf.

[18] Pedro Águeda y Alberto Pozas, «Anticorrupción investiga comisiones millonarias en compras de material sanitario por el Ayuntamiento de Madrid», *eldiario.es*, 31 de marzo de 2022.

tió el alcalde? Al menos «disfrazó la realidad». Luis Medina envió un mensaje de audio a su socio Luceño el 26 de marzo de 2020 para contarle que le había llamado Almeida «para agradecerles» todo lo que estaban haciendo por la ciudadanía madrileña. «Me ha preguntado por ti, ha tenido unas palabras muy cariñosas. Está muy agradecido y que cuando pase todo esto promete que nos veremos y que está a nuestra disposición para lo que queramos. Muy cariñoso».

Elena Collado declaró como testigo ante la Fiscalía Anticorrupción ya en la primavera de 2021, y parecía imposible que no comunicara esta declaración judicial a sus superiores. Además, en otoño de ese 2021, antes de que el caso trascendiera en la prensa, ya existía una honda preocupación en el Ayuntamiento por un contrato que «podría salpicar al alcalde por un primo suyo», según señalaron fuentes municipales al autor de este libro. Anticorrupción había iniciado sus pesquisas a finales de 2020 y finalmente formalizó una querella en abril de 2022 contra Medina y Luceño por estafa agravada, falsedad en documento público y mercantil, y delito fiscal. El ministerio público sostenía que los dos empresarios engañaron al Ayuntamiento al falsificar documentos. El Ayuntamiento solo se personó en la causa cuando la Fiscalía denunció. No antes, a pesar de que ya sabía que le habían vendido material sanitario que no cumplía las condiciones.

El escándalo de Medina y Luceño hizo mucho daño al alcalde. Un importante cargo socialista ofreció entonces a Edmundo Bal, portavoz adjunto de Ciudadanos en el Congreso, a los ocho ediles socialistas en el Ayuntamiento para apoyar una moción de censura en el Consistorio para hacer alcaldesa a Villacís el año que quedaba de legislatura. Que ya contaban con el apoyo de los cuatro ediles que se habían escindido de

Más Madrid y que solo quedaba convencer a los 15 concejales que aún tenían los de Rita Maestre. Era una oportunidad única para echar a Almeida y al PP del poder. «Yo le comuniqué la oferta a Begoña Villacís, pero esta no quiso. Habrá que preguntarle por qué», señala Bal, muy buen amigo del alcalde, quien acabó enterándose de la operación. «Estáis gilipollas, yo en vuestro lugar hubiera presentado la moción», le dijo.

POSDATA 1: en marzo de 2025, la Audiencia Provincial de Madrid absolvió a Luis Medina y a Alberto Luceño del delito de estafa a pesar de embolsarse casi seis millones de euros en comisiones («pa la saca», según sus propias palabras) por intermediar en la venta de material sanitario al Ayuntamiento de la capital en lo peor de la pandemia de coronavirus. El tribunal entiende que no se probó durante el juicio que los dos acusados engañaran durante la negociación con el Consistorio ocultando que no iban a cobrar esas comisiones. «Así ocurre en el mercado, donde es sabido que nadie regala nada por nada», apuntó la Audiencia en su sentencia. Simplemente desde el equipo de Almeida no lo preguntaron y ellos no lo dijeron. Es más, ni siquiera estaban legalmente obligados a decirlo. No quedó acreditado el engaño ya que el Ayuntamiento siempre estuvo de acuerdo en pagar la cantidad que le dijeron los dos comisionistas. Todo fue perfectamente legal, aunque buena parte del material sanitario fuera defectuoso, los precios fueran desorbitados e hicieran creer al Ayuntamiento de Madrid que lo suyo era filantropía y no pura codicia. Aunque lograran este pelotazo a través del primo del alcalde, que les facilitó los contactos. Aunque las comisiones fueran incluso mayores que el precio real del pedido.

Luceño, no obstante, sí fue condenado a tres años y ocho meses de prisión por falsedad de documento público (manipuló dos salvoconductos para poder circular durante el periodo que duró el confinamiento y un documento de identificación como agente del CNI) y por defraudar a Hacienda. Fue condenado al pago de una multa de 3.5 millones de euros y a indemnizar a la Agencia Tributaria con 1.3 millones. La sentencia fue ratificada por el Tribunal Supremo.

7. LOS CHIQUILICUATRES

La hemeroteca es muy cruel. Sábado, 1 de mayo de 2021. Bea Fanjul, 29 años, presidenta nacional de Nuevas Generaciones, interviene en el mitin final de campaña en Madrid. Coge el micro y suelta un discurso con una felicidad sospechosa. «¿Quién ha sido la primera persona en plantar cara al Gobierno de Sánchez?, ¿quién ha sido la primera, no solo en crear un hospital, sino dos para nuestros enfermos? Ayuso. Ayuso es Lady Madrid. Es que Ayuso es una mujer con mayúsculas. Es que no hace falta experimentar más». Y siguió. «¿Sabes eso que dicen que más vale lo malo conocido que lo bueno por conocer? ¡Pues eso, eso es Ayuso!». Caras de circunstancias entre los asistentes: «¿Ha dicho lo que ha dicho?». Silencio incómodo de la propia Fanjul: «¿He dicho lo que he dicho?». Da igual, un desliz sin importancia. Las encuestas son favorables para el PP madrileño. Fanjul, sonriente, concluye: «La verdad es que he decidido improvisar, pero cada vez que improviso asusto al personal».

Tres días después, el 4 de mayo de 2021, Isabel Díaz Ayuso gana las elecciones autonómicas que había convocado por sorpresa dos meses antes. Más vale lo malo conocido. Pasa de 30 a 65 diputados (de entre ellos dos tránsfugas de Ciudadanos que fueron incluidos en la lista popular como gratitud por algunos servicios prestados). Gana con un lema de una sola palabra: Libertad. La candidatura popular no alcanza la mayoría absoluta, se queda a tres escaños, logrando más representantes que los tres partidos de la izquierda juntos. Ciudadanos pasa de los 26 diputados obtenidos en 2019 a cero.

«Me gusta cuando los planes salen bien», escribe aquella noche MAR en su cuenta de Twitter.

La dimensión de este resultado se engrandece al recordar que en abril de 2018 muchas encuestas daban como ganador a Ciudadanos, ahora desaparecido del Parlamento madrileño. También al tener en cuenta que Pablo Iglesias, vicepresidente del Gobierno, renunció al cargo para presentarse a las elecciones y dar batalla a una Ayuso que, iniciada la campaña, dijo que España le debía una por sacar a Iglesias del Palacio de la Moncloa. La presidenta celebraría gozosa la retirada de la política del dirigente morado tras los malos resultados del 4-M: «Ahora España me debe dos».

Ayuso quería disfrutar de su triunfo en aquel terremoto político. MAR quiso que su pupila tuviera su momento de gloria. Sola. La idea era festejarlo a pie de calle rodeada por los miles de militantes que seguro que se iban a dar cita en Génova. Y si no fuera posible el numerito de la calle (como un futbolista que se acerca a la grada a abrazarse con los hinchas), el plan B era que Ayuso saliera sola durante unos momentos de merecida inmortalidad al balcón para recibir el calor y cariño de los simpatizantes. Pero Pablo Casado y su secretario general, Teo García Egea, tenían otros planes: querían que la celebración fuera, como es costumbre, en el famoso balcón de Génova, y con Ayuso acompañada por la plana mayor de la dirección nacional. ¿Qué era eso de salir sola a la calle o al balcón? ¿Acaso Ayuso no estaba donde estaba porque así lo decidió su amigo y jefe Pablo Casado?

Y de repente, lo que parecía una plácida victoria se convirtió en una guerra de egos. El equipo de Ayuso aceptó lo del balcón, nada de calle; pero insistió en que la lideresa madrileña saliera primero sola y que luego se sumara el resto de dirigentes. MAR, que había seguido los resultados desde el Centro de Proceso de Datos habilitado en IFEMA por la Comunidad de Madrid, no se despegó del teléfono para intentar conseguir la escenografía deseada. Pero el mensaje de la cúpula nacional es claro: Ayuso tiene que salir acompañada del presidente, Casado; del secretario general, Teo García; del presidente que dirige la gestora del PP madrileño, Pío García-Escudero; y de la secretaria general de esa gestora, Ana Camins.

Así que cuando Ayuso llegó a Génova sobre las 20 horas para seguir el escrutinio —su equipo ya le había dicho que la victoria sería abrumadora— se encuentra a su amiga Ana Camins esperándola en el aparcamiento de la sede. La dirección nacional la ha enviado como mediadora, para que Ayuso entre en razón: ambas se conocen desde hace muchos años porque empezaron juntas en NNGG. «No le puedes hacer esto a Pablo», le dijo Camins. Ayuso, que ya sabía que su jefe de gabinete había tenido bronca con Génova, se dio cuenta entonces de que su victoria iba a tener un sabor amargo. Camins también le soltó un argumento incómodo: tenía que decidir si MAR era «simplemente su jefe de gabinete o su jefe», ya que Génova tenía la sensación desde hacía tiempo de que era MAR quien decidía todo en el devenir político de Ayuso, incluso cómo se festeja un triunfo electoral.

La noche del 4 de mayo supuso un punto de inflexión en la relación entre Casado y Ayuso. Y eso que cuatro meses antes, en una entrevista para *Vanity Fair*, Casado era «como un hermano» para la presidenta[1]. «Es uno de mis mejores amigos

[1] Vera Bercovitz y Alberto Moreno, «Isabel Díaz Ayuso, contra todo y contra todos: "Soy una mujer crítica. Si creo que algo no está bien, lo digo"», *Vanity Fair*, 21 de enero de 2021.

y alguien a quien quiero muchísimo». Pero algo cambió ese día. Al final, la celebración se ejecutó a gusto del partido y los dos aparecieron juntos en el balcón de Génova. Quizá los más perspicaces pudieron ver cómo, a los pocos segundos de salir, Pablo intentó tomar del hombro a su amiga Isabel, pero ella se zafó para irse a una de las esquinas a saludar sola. Luego ya vino el abrazo de rigor, aunque las mascarillas apenas dejaban ver sus rostros. Ayuso, emocionada, tenía los ojos llorosos. Tras unos minutos, aparecieron Teo García Egea, Pío García-Escudero, Ana Camins y José Luis Martínez-Almeida mientras los congregados empezaban a cantar eufóricos: «¡Ayuso, Ayuso, Ayuso…!».

La bronca siguió después. MAR envió por la noche un mensaje al teléfono de Casado que decía: «Me has demostrado ser una mala persona». Según publicó *El Mundo*, el texto contenía además otras lindezas como «mierda» e «hijo de puta»[2]. A Teo García Egea le mandó otro recadito por mensaje: «Te voy a matar», le dijo. Los prontos de MAR son conocidos en la profesión.

Al todopoderoso jefe de gabinete de Ayuso no le gustó cómo Génova había decidido celebrar el triunfo y que Casado diluyera en su discurso el protagonismo de Ayuso, al atribuir la victoria al resto de los presentes en el balcón. «Quiero dar las gracias al PP de Madrid, a Pío, a Ana, a Teo, a todos los equipos y a nuestro alcalde, José Luis Martínez-Almeida», enfatizó, eludiendo citar en algunos momentos a la ganadora de los comicios. Casado plegó velas esa noche. Pero al día siguiente el presidente nacional le enseñó a Ayuso el mensaje de MAR exigiendo explicaciones y consecuencias. La más drástica, el

[2] Esteban Urreiztieta, «El 'whatsapp' de Miguel Ángel Rodríguez a Casado la noche del 4-M: "Me has demostrado ser una mala persona"», *El Mundo*, 27 de marzo de 2022.

cese de MAR. Ayuso se negó. Imposible. Para Ayuso, MAR era «su escudero y su protector, un compañero de aventuras, la persona que más me divierte, que más me inspira y que más me enseña. Sabía que había llegado donde había llegado por él».

Casado se dio cuenta ese día de que algo había cambiado para siempre en la relación con su amiga Ayuso. Skynet empezaba a tomar conciencia. Pero ¿qué había cambiado? «Muy sencillo. Que desde parte de Génova siempre se menospreció y ninguneó a Ayuso, en un principio se la consideró poco preparada. Era "IDA", pero era de la pandilla de Casado, y se la presuponía fiel, leal y dócil, pero resultó que con el paso del tiempo y la llegada de MAR se hizo más independiente, empezó a pensar por ella sola, a ser más ambiciosa. Y, sobre todo, a ser más famosa que el propio Casado. ¡Ay, los egos!», señala un exdirigente popular que fue muy cercano a Casado.

Muchos miembros de la dirección nacional del PP seguían viendo a Ayuso con los mismos ojos que el presidente del CIS, José Félix Tezanos, que en un artículo publicado ese mayo electoral en la revista *Temas* la describió de la siguiente manera: «La mayor parte de los analistas —al menos los que mantienen alguna independencia de criterio— vienen mostrando su sorpresa por la escasa entidad intelectual y política de la candidata. Algunos, incluso, no han dudado en recordar su pobre trayectoria anterior en el PP, subrayando la humillación que tuvo que soportar por parte de quienes valoraron en su día su nivel óptimo de competencia encargándose del Twitter del perro de Esperanza Aguirre (Pecas)»[3].

Pero Ayuso siempre había sido la misma. «Lo que pasa es que Casado y su equipo nunca entendieron lo que suponía

[3] https://fundacionsistema.com/wp-content/uploads/2021/05/ElPulso_T317.pdf.

dar a Ayuso la oportunidad de conocer el verdadero poder», señala el mismo exdirigente. Ayuso nunca cambió su estilo pese a las críticas, también internas, que hubo en su candidatura de 2019. Las famosas ayusadas de entonces se fueron transformando poco a poco de desastre retórico a imbatible arma electoral en la candidatura de 2021. La llegada de un estratega como MAR y una pandemia que cambió muchas cosas hicieron el resto.

Ayuso fue muy hábil para convertir la mofa en ataques personales. Alimentó la idea de política permanentemente agredida por la izquierda. Y supo identificar muy pronto a Sánchez como su adversario político, convirtiéndose en la principal oposición al Gobierno tras la llegada del virus. Entendió que ella debía ser el único ariete contra la Moncloa para capitalizar así todo el cansancio que se estaba fraguando contra el PSOE de Sánchez.

Ayuso y MAR estaban obsesionados por el poder de la comunicación, por el mensaje repetido para proporcionar noticias continuas de consumo fácil y rápido, por la dureza en las formas y las respuestas sencillas y viscerales a cuestiones complejas. En definitiva, por ganar la batalla de la opinión pública. Ayuso empezaba a marcar la agenda política de su partido y sus intervenciones siempre tenían más presencia que las de Casado.

También cambió el humor de un país tras un intenso confinamiento. Así que, con este caldo de cultivo, de repente prosperó una especie de costumbrismo cervecero madrileño basado en cañas y tapas. Y es que, según ella, «los ricos y los pobres nos entendemos en la terraza del bar». Con todos estos ingredientes, sumados a su estilo irreverente —para algunos espontáneo y para otros, en cambio, muy planificado— y presto siempre a presentar batalla contra la izquierda, Ayuso pescó 1.6 millones de votos en Madrid, el 45 % de los sufragios. Ganó en 176 de los 179 municipios de la región y en los 21 distritos de Madrid. Acabó con las carreras políticas de Ángel Gabilondo y Pablo Iglesias, golpeó de muerte a Ciudadanos y frenó el avance de Vox. Como diría Bea Fanjul, nació «Lady Madrid».

A pesar de aquel dominio electoral, los populares confesaban cierta incomodidad. En un sector de Génova, liderado por Teo García Egea, no sentó nada bien, por ejemplo, que la publicidad electoral del PP de Madrid en esa campaña de mayo de 2021 solo mostrara la cara de Ayuso y el nombre de Ayuso. «La marca Ayuso está claro que trasciende a Pablo Casado», afirmó en *El Mundo* un integrante de la candidatura[4].

Ella sola encarnaba a la perfección su lema electoral: Libertad. Era ella o el malvado comunismo, ella o el socialismo entregado a independentistas y filoetarras. MAR se dio cuenta enseguida del tirón imparable de su pupila, que ya era un producto mediático por encima de un producto político. En ese momento, desde la Moncloa se la apodaba «la Rock Star». Ayuso trascendió Madrid y opinaba ya de todo: de la inmigración en Ceuta, de los fondos europeos, de Nicolás Maduro o de los indultos a los políticos catalanes. Lo importante para la lideresa nacional era intentar introducir siempre que podía mensajes nacionales, quitando protagonismo a Pablo Casado, quien curiosamente tampoco participó en muchos actos de la campaña madrileña.

El equipo de Ayuso hizo además un trabajo excelente. La publicidad institucional ayudaba y fluía muy bien. Ese 2021, por ejemplo, la Comunidad de Madrid inyectó 377 000 euros a *El Mundo*, 329 000 euros a *ABC*, 295 000 euros a *Okdiario*,

[4] Juanma Lamet, «Isabel Díaz Ayuso reclama a Pablo Casado autonomía absoluta en su campaña», *El Mundo*, 6 de abril de 2017.

200 910 a *La Razón*, 198 000 euros a *El Confidencial*, 95 000 euros a *Libertad Digital.* Incluso el *pseudomedio* conservador *Estado de Alarma* se llevó 13 500 euros, según informaciones del periodista Yago Álvarez en *El Salto Diario*.

La presidenta madrileña estaba en todos los medios y los perfiles sobre ella inundaban diarios y televisiones. «Isabel inflama a las masas. La vitorean por la calle. Se hacen fotos con ella», señalaba *El País* en un reportaje sobre la campaña. Esa era una de las estrategias comunicativas que más trabajó su equipo: dar siempre la impresión de que Ayuso era amada y querida allí por donde iba. «Cuando entro en un restaurante de diez mesas, me saludan las diez», señalaría en una entrevista en *ABC*. Si iba a comer a un local de su barrio en Chamberí «de camino se forman colas espontáneas para pedirle fotos y la gente se levanta de sus mesas. "Gracias por salvarnos", le dicen varios ciudadanos», reflejaba otro reportaje.

Dos días antes de las elecciones autonómicas, por ejemplo, el acto de entrega de las medallas del Dos de Mayo se convirtió en una especie de mitin en apoyo de Ayuso con un Nacho Cano totalmente entregado. «El nombre del milagro de la cultura en Madrid tiene piernas, cabeza y corazón», señaló el fundador de Mecano, que recibía la Gran Cruz madrileña. «Mis empleados han podido conservar su puesto de trabajo porque tú no cerraste. Gente que vota a Podemos, a Vox, a todos los lados, me han dicho, si ves a la presidenta, dile dos palabras: gracias y valiente. Por ser tan buena presidenta, la medalla te la mereces tú», sentenciaba mientras le colocaba a Ayuso la banda que ella le había puesto a él minutos antes.

Ayuso incluso bajó la cabeza para facilitar la actuación de Cano, que hizo una reverencia. Pocas veces la política ha rendido tributo de forma tan perfecta a su pariente lejano, el teatro, lo que hizo que toda la oposición presente en el acto denunciara después que la tragicomedia vivida en Sol parecía preparada para loar a Ayuso dos días antes de las elecciones. Al final, un micrófono captó una frase inoportuna de Ayuso cuando acababa todo: «Qué ganas de que esto pase. Es un plomo».

Pero la euforia, en la vida real, nunca es plena y duradera. Hay una sombra que Ayuso arrastra desde hace años y de la que no se ha podido librar: el elevado número de fallecidos en las residencias de mayores durante la pandemia. La izquierda había insistido en que era necesaria una comisión de investigación: 7291 muertos eran demasiados y los «protocolos de la vergüenza» aprobados por la Consejería de Sanidad merecían explicaciones. Así que la sorpresa saltó a mediados de junio, días antes de la investidura de Ayuso, cuando Rocío Monasterio lanzó una bomba política y apostó por que esa comisión se llevara adelante. «Sería muy irresponsable por nuestra parte no analizar, más que investigar, en qué hemos fallado. Hay muchas familias que siguen sufriendo con horror la pérdida de un ser querido en una residencia, y no podemos dejar sin respuesta a todo lo que ocurrió allí. Si viniera una ola como la de marzo, volvería a pasar, porque las residencias siguen exactamente en la misma situación», señaló la líder de Vox.

A Ayuso, que necesitaba los votos de la ultraderecha para retener el poder, no le gustó su decisión. ¿A qué venía ahora? El PP pensaba que era un farol, que tras los contundentes resultados electorales los de Monasterio necesitarían marcar territorio y perfil propio. En dos años, en 2023, habría de nuevo elecciones y los populares sabían que Ayuso podía acabar devorando a Vox como ya había hecho con Ciudadanos. Seguramente se trataría de una pataleta de Monasterio. «Les pediría que recapaciten. Quiero preguntarles si se van a volver a unir a la izquierda para volver a retorcer y a utilizar el dolor de las familias. No todo vale. Esto es inadmisible. No ocurre en ningún otro Parlamento en España», afirmó Ayuso. La matemática parlamentaria era sencilla. A pesar del gran triunfo de los populares, dependían de Monasterio para todo. Pero, al mismo tiempo, la líder de Vox no quería aparecer como una simple muleta del PP. Al fin y al cabo, los dos partidos luchaban por seducir al mismo electorado.

Ayuso intentó cortar de raíz el problema que se avecinaba. Así que invitó a comer a Monasterio en la Casa de Correos, sede de la Comunidad de Madrid. Las dependencias de presidencia tienen allí un comedor privado. Ambas almorzaron, hablaron de la actualidad política y, cuando llegaron a los postres, la lideresa del PP sacó abiertamente el tema, para pedirle por favor que no insistiera con el espinoso asunto de las residencias. Los populares hilaron el argumento público de que era un asunto ya pasado, de que las familias no querían revivir tanto dolor y que el virus hizo estragos en toda España por igual, que cada Ejecutivo autonómico hizo lo que pudo. «Había muertos en todas partes, en las casas, en los hospitales, en las residencias. Se hizo lo que se pudo. Se iban a morir igual», espetó Ayuso. Fuentes del entorno de Monasterio aseguran que a Rocío se le atragantó el postre al escuchar esa gélida frase cuando salió de la boca de su anfitriona. «Se quedó pálida. Dio por terminada la comida y se fue, dejando plantada a la presidenta».

Días después, sin embargo, Monasterio cambiaba de opinión. «No vamos a apoyar una comisión de la izquierda que viene con un interés revanchista y que además no ha presentado en otros parlamentos donde ha ocurrido lo mismo con las residencias. Vox tiene el afán de mejorar el sistema de residencias y de garantizar que no se puede negar el acceso a un hospital para los mayores. Estudiaremos cuáles son las medidas para cambiar el modelo de residencias y para que nunca más se pueda dar el protocolo que presuntamente ha vulnerado los derechos fundamentales de nuestros mayores», recalcó Monasterio. No hacía falta ya una comisión parlamentaria. ¿A qué vino este cambio radical de postura? La líder de Vox ya sabía cómo se las gastaba MAR cuando contradecían a su pupila. «Ya había teledirigido una campaña en los medios contra Rocío y su familia cuando apoyaron la comisión de Avalmadrid. Supongo que pensó que era mejor dejar pasar el tema y que no volvieran los dosieres contra ella y los suyos», explica una fuente con peso dentro de la formación de ultraderecha.

Y es que el aparato propagandístico de Ayuso funcionaba a pleno rendimiento, y aparte de ejercer presión de puertas para dentro, conseguía incluso que traspasara fronteras. *La Nación Televisión* la presentaba en Argentina como la «política del momento en el planeta, la mujer de España, la mujer de Europa y la mujer de Iberoamérica»[5]. RFI, la radio francesa de actualidad internacional, la calificaba en otro reportaje como la «figura en ascenso de la derecha»[6]. El diario estadounidense *The Wall Street Journal* la elogió como «la política conservadora más destacada de España», por delante de Casado. Y el prestigioso semanario británico *The Economist* la llamó «Lady Liberty» y dijo de ella que era la «nueva esperanza de la derecha española (...) Hoy su rostro adorna carteles en las tiendas e incluso hay calcetines que la representan como una santa católica».

[5] https://www.youtube.com/watch?v=yz54U86oVW8.
[6] https://www.rfi.fr/fr/podcasts/europ%C3%A9en-de-la-semaine/20210801-isabel-d%C3%ADaz-ayuso-figure-montante-de-la-droite-espagnole.

Ella, mientras, cultivaba un personaje. «Soy lo que ve la gente. He sido siempre muy independiente, muy libre, y tengo claro que viviré siempre a mi manera. Lo que pienso, lo digo. Es como hablo. No le doy más vueltas. Pretendo ser clara y transparente para no caer en mi propia trampa; para no mentir y que me saquen los colores. Vuelo sin equipaje. No finjo ser quien no soy. Y puede dar la imagen de que no razono. No es cierto. Los políticos hay cosas que no dicen porque no les parecen correctas. Yo las digo sin corsé. Y estoy muy segura de lo que sale de mi boca en cada momento. Me hace feliz que la gente me quiera y rece por mí».

Con estas confesiones personales, ¿a quién no le gustaría ser como Ayuso? «Como si fuese una Lawrence de Arabia a la madrileña. De repente creó un personaje de mujer libre, sin complejos, hecha a sí misma, sincera, cuando todos conocíamos desde hace tiempo a la verdadera Isabel», explica un miembro que perteneció a la Ejecutiva de Casado. ¿Y cómo era la verdadera Isabel? «Yo siempre la conocí muy insegura, acomplejada, poco preparada. Un cascarón vacío. Pero la política es así de caprichosa».

Ángel Viviente Core, coordinador general de Convocatoria Cívica (una plataforma ciudadana fundada por varias personalidades progresistas del mundo de la judicatura, la cultura, el periodismo y la sociedad civil) señalaba en un artículo en *Infolibre*[7] cómo el «fenómeno Ayuso» inundaba los medios con panegíricos camuflados de reportajes que vendían a la nueva lideresa madrileña como «una persona cercana, sencilla, similar a la de un gran porcentaje de españoles. No es lista, incluso algo cortita y poco experimentada, muchos votantes pueden asociarla a ellos mismos. «Es como yo, yo podría ser ella, yo

[7] Ángel Viviente Core, «El 'fenómeno' Ayuso y los medios», *Infolibre*, 8 de julio de 2021.

tampoco doy mucho de sí, pero mírala lo lejos que ha llegado», se dirán muchos. ¡Y qué más da! Si eso funciona. Es el viejo sueño americano de la toma del poder por los humildes, los *Forrest Gump* con los que muchos pudieran identificarse. Sin ninguna base sólida, muy de la calle, de Chamberí por más señas, pero muy del pueblo, sabiendo con claridad cuáles son los intereses y mensajes con los que atraer a la gente: cervezas, juerga, atascos nocturnos, libertad, libertad, mucha libertad. Una de los nuestros». Core explicaba que echaba en falta en la mayoría de los medios un mínimo análisis de las políticas de Ayuso y qué había hecho en sus dos primeros años de gobierno. «Eso no importa, eso es agua pasada y pasa por encima de su simpatía y belleza».

La periodista Cristina Pardo hizo un análisis más sencillo en La Sexta: «La culpa es nuestra por estar retransmitiendo al minuto todo lo que dice y hace Díaz Ayuso. ¿A cuántos presidentes autonómicos miramos con esta lupa? ¡Es alucinante!». Razón no le faltaba. Por ejemplo, un informe que hizo la consultora GECA revelaba que Ayuso fue la segunda política que más tiempo apareció en la televisión generalista entre julio de 2021 y julio de 2022. Mientras que Pedro Sánchez sumó 5429 minutos en espacios informativos y programas de actualidad, Isabel Díaz Ayuso concentró 4826 minutos, por delante de Pablo Casado (3566 minutos) y Alberto Núñez Feijóo (2553 minutos). Curiosamente la cadena donde más salió Ayuso fue en La Sexta (el 52 % de los minutos).

Además de la incesante atención mediática, Ayuso y su equipo controlan a la perfección el marketing, estrategias con las que consiguen aún más titulares. Se pudo ver el día de su investidura, el 19 de junio de 2021. Tras tomar posesión, lanzar su discurso y poner el himno de España con la cara de la presidenta mezclada con la bandera rojigualda, alguien decidió que Ayuso debía bajar sola las escaleras de la Casa de Correos y darse un baño de masas con los madrileños congregados en la Puerta del Sol, lo que nunca habían hecho otros presidentes autonómicos.

Vestida con un traje fucsia de la diseñadora Vicky Martín Berrocal, como si de una reina se tratase, se acercó a la multitud, visiblemente emocionada, y saludando con la mano para recibir los piropos del vulgo: «¡Guapa, guapa! ¡Salva España! ¡De aquí a la Moncloa! ¡Grande Isabel! ¡Isabel la Católica!» Pablo Casado y Teo García ya se habían marchado de allí porque aquello, más que la fiesta del PP, era la fiesta de Ayuso. Sus dolidos egos ya tenían bastante. Casado y su secretario general habían tenido la oportunidad de hablar antes con MAR, quien aprovechó la *coronación* de su discípula para pedir disculpas al presidente por los ofensivos mensajes que le había mandado la noche del 4 de mayo. Pelillos a la mar.

Pero Ayuso quería más. Tras ganar las elecciones con aplastante mayoría y ya investida presidenta, ahora tocaba dar el siguiente paso: ser elegida presidenta del PP de Madrid (controlado por una gestora desde la espantada de Cifuentes en abril de 2018). Ser presidenta del partido en Madrid supone controlar las listas electorales de cara a los comicios municipales y autonómicos, contar con muchos compromisarios en el Congreso Nacional que elige al presidente del partido, y, sobre todo, tener el poder de hacer y deshacer, de que te deban favores y de cobrarte venganzas. A mediados de mayo, tras su aplastante victoria electoral, la presidenta autonómica escribió a Casado un mensaje adelantándole sus planes: «Como te imaginarás quiero presentarme al Congreso en Madrid. Llevo días esperando para decírtelo y hablarlo antes de ser sincera en las entrevistas. Llevo 17 años en la casa siendo todo tipo de cosas. Quiero un proyecto, el tuyo, en Madrid. Pero quiero dar el paso, tengo que darlo. Y te pido tu apoyo».

Casado le contestó que ya lo hablarían en persona. Porque Génova tenía otra idea. La ambición y la dimensión política y social de Isabel Díaz Ayuso empezaba a generar suspicacias entre las filas populares. Ayuso había arrasado y tenía todo el poder en Madrid, la comunidad más rica y con más peso político y mediático. Mientras, Pablo Casado sufría en la oposición, sin opciones claras de volver al Gobierno, con un papel muy secundario en el Congreso y sometido a un profundo cuestionamiento interno, tras haber perdido dos elecciones generales.

Soterradamente, empezó entones una batalla entre Ayuso y Casado y, sobre todo, entre sus dos principales estrategas: el veterano MAR y Teo García Egea, más joven que Ayuso, doctor ingeniero de Telecomunicaciones, experto en marketing político, y que realizó toda su carrera en Murcia antes de dar el salto a Madrid. Un tipo hiperactivo, ambicioso y currante, algo tosco para algunos, y campeón mundial de lanzamiento de hueso de aceituna. Esta guerra de celos se empezó a cocer en las encuestas, crueles con Casado en detrimento de Ayuso, la nueva «Lady Liberty».

La del digital *Vozpopuli*[8] decía que Ayuso gustaba más que Casado tanto a los votantes del PP como a los de Vox. La de *Electomanía*[9] deslizaba que el 66.5 % del electorado popular prefería a Ayuso para dirigir el partido, más del doble (30.3 %) de los que optaban por Casado. Otra encuesta de *eldiario.es*[10] señalaba que entre quienes manifiestan su intención

[8] Jesús Ortega, «Ayuso vence a Casado como líder en los votantes del PP y arrasa en los de Vox», *Vozpopuli*, 15 de noviembre de 2021.
[9] Rubén Rozas, «Ayuso arrasa frente a Casado entre los votantes del PP», *El Plural*, 11 de octubre de 2021.
[10] Marcos Pinheiro, Fátima Caballero, Ana Ordaz y Victòria Oliveres, «El 63% de los votantes del PP prefieren a Ayuso como candidata del partido frente al 28% que se inclina por Casado», *eldiario.es*, 25 de enero de 2022.

de votar al PP en las próximas generales, un 63.3 % expresaba su preferencia por Ayuso como líder y candidata para el partido. Es decir, dos de cada tres votantes no querían a Casado. Otra encuesta de *El Confidencial*[11] aseguraba que el ciclón Ayuso se llevaba por delante a Casado: sacaría 15 puntos más en unas elecciones en Madrid que él. El presidente nacional leía cada uno de los sondeos y estudios que se publicaban para confirmarse una y otra vez que Skynet estaba devorándolo poco a poco.

El 16 de junio, para desaire de Ayuso, Génova celebró un acto en un parque madrileño para conmemorar los dos años de gobierno local de José Luis Martínez-Almeida. El alcalde fue el gran protagonista y Ayuso ni apareció. ¿Fue invitada? Teodoro García Egea ensalzó la figura del regidor y se limitó a mencionar a la presidenta madrileña para subrayar que si Almeida y Ayuso estaban gobernando era gracias a una decisión personal de Casado. «No nos despistemos, el único capaz de ganar a Pedro Sánchez es Pablo Casado. Con siglas y con candidato, Pablo Casado y el PP, que no nos confundan», enfatizó el secretario general. Ayuso, molesta, envió el siguiente mensaje a Casado: «Me gustaría que quedáramos un día, que hablemos serenamente y no nos alejemos. La falta de comunicación entre nosotros provoca estas tonterías».

«Había otro problema. Pablo Casado se tenía por muy inteligente y creía más en la fidelidad que en la preparación, pensaba que con un equipo de leales le bastaba para controlar poco a poco el partido. Y se equivocó. El PP no es como Nuevas Generaciones. Ayuso no es tan lista, pero en esto fue más inteligente. Sí supo rodearse de un buen equipo. En esto ganó

[11] Itziar Reyero, «Ayuso arrasa en Madrid: saca 15 puntos más en autonómicas que Casado en las generales», *El Confidencial*, 17 de noviembre de 2021.

claramente a Pablo», señala un analista político que trabajó para Génova pero que ya está fuera del PP.

Además de MAR y de Sandra Fernández, aquel fichaje robado a Ciudadanos para afianzar su control de los medios televisivos, otra pieza importante del equipo de la presidenta era Rafael Núñez Huesca, «periodista, publicitario con más de 12 años de experiencia, analista, cronista político, columnista y asesor de comunicación», según su currículo. Empezó su carrera política en el PP, pero la abandonó junto a Santiago Abascal para fundar Vox. Él, que estuvo detrás de la marca del partido ultraderechista, volvió a los brazos de los populares en 2019 bajo el cobijo de Ayuso. «El magnetismo personal de Ayuso responde a una desconcertante naturalidad, una cualidad poco común en un dirigente político (...) Habla para la gente como la gente (...) Se ven interpelados como iguales», llegó a escribir Núñez Huesca sobre su jefa y lideresa, que finalmente le hizo diputado autonómico.

Luego estaba Daniel Rodríguez Asensio, autodefinido como asesor económico de la presidenta madrileña, además de consultor político y presidente de Asociación Liberal, una organización en defensa del «pensamiento liberal. «Luchamos por la defensa de las personas y sus libertades individuales ante la proliferación de colectivismos». Llegó a ser viceconsejero de Economía. El equipo lo cerraba José Luis Carreras, periodista, el primero que estuvo al lado de Ayuso en la campaña de 2019 cuando nadie apostaba por ella, su fiel escudero, su actual jefe de prensa personal, pero que por cuestiones del destino y de ambiciones políticas ha quedado relegado a un segundo plano en un grupo lleno de estrellas de la propaganda.

Este equipo no trabaja para la Comunidad de Madrid, trabaja para Ayuso. Todo está pensando para la presidenta. Un equipo (el *pool* lo llaman) alerta y proactivo casi las 24 horas del día, que se escucha todas las radios, se ve todas las teles, se lee todos los digitales y analiza las redes sociales para mandar varios resúmenes de prensa cada día. Y que escribe todo tipo de argumentarios para vender las políticas de Ayuso, contrarrestar las críticas a su gestión y *golpear* siempre que se pueda al Gobierno de Sánchez. Argumentarios que luego se distribuyen entre tertulianos, periodistas y directivos de medios de comunicación. Todo se controla, nada se deja al azar. Y es que Ayuso es periodista. MAR es periodista. José Luis Carreras, su jefe de prensa personal, es periodista. Francisco García Diego, mano derecha de MAR, es periodista. La dircom de la Comunidad, Cristina, Gil, es periodista. El propio consejero de Presidencia, Miguel Ángel García Martín, es periodista. Saben que imponer el relato es primordial.

Con el viento a favor, Ayuso y MAR vieron en aquella legislatura el momento propicio para poner orden en la *rebelde* Telemadrid, y pactaron con Vox reformar la ley para poder destituir al director José Pablo López. Sus seis años de mandato quedaron reducidos a cuatro, así que le echaron a la calle junto a varios miembros de su equipo, responsables de informativos, contenidos, Onda Madrid y el departamento de comunicación.

En lugar de López los populares (con el apoyo de Vox) nombraron a José Antonio Sánchez como administrador provisional de la cadena autonómica, un hombre afín al PP que ya había dirigido Telemadrid, ejecutando el ERE más traumático de su historia, y RTVE bajo el Gobierno de Mariano Rajoy. «Me emociona más el papa que mi mujer», llegó a decir en una entrevista. Ayuso y MAR se sintieron con fuerzas. No solo ajustaron cuentas con López, también con fantasmas del pasado. Por esas mismas fechas la Abogacía de la Comunidad de Madrid presentó su escrito de acusación en una de las piezas del caso Lezo en el que pedía 16 años de prisión para Ignacio González, expresidente de la autonomía. Fue la petición de pena más alta de las cinco acusaciones personadas. La Comunidad solicitó incluso más cárcel que la Fiscalía Anticorrupción. El antiguo mandatario y Ayuso nunca se tragaron. La hermana de González, que llegó a ser buena amiga de Ayuso, le escribió un mensaje quejándose por el ensañamiento. «Es lo que hay», obtuvo como respuesta. «Yo no controlo ese lugar». Por «ese lugar», la presidenta se refiere a la Abogacía de la Comunidad, una institución que solo recibe instrucciones del Gobierno regional.

Mientras, Ayuso seguía a lo suyo. En sus giras frecuentes por los medios de comunicación empezó a deslizar que quería liderar el PP madrileño. Lo confirmó el 31 de agosto en un desayuno informal con periodistas celebrado en la azotea del Círculo de Bellas Artes: presentaría su candidatura cuando Génova convocara un congreso regional que sustituyera a la gestora de Madrid, que funcionaba desde 2018. Para Ayuso ser la presidenta del PP madrileño era natural, lo lógico por «operatividad y unidad de acción» como confesó a su entorno. Según el calendario de la Junta Directiva Nacional, los congresos uniprovinciales (como el de Madrid) debían empezar a celebrarse a partir de enero de 2022 y antes del congreso nacional, que tocaba en julio de 2022. Pero Ayuso tenía prisa, quería adelantarlo cuanto antes, así que se marcó este objetivo político como prioridad.

(Hagamos de nuevo un paréntesis. En julio de 2021, Alberto González Amador, el novio de Ayuso, tuvo que justificar ante Hacienda las cuantiosas ganancias que obtuvo un año antes, en 2020, durante la pandemia. El técnico sanitario era en realidad un empresario comisionista que veía negocio en la necesidad. Y en 2020 el negocio —y la necesidad— estaba en las mascarillas. González se movió rápido para destacarse en la intermediación de material sanitario. Así pues, pactó una comisión del 4.5 % con FCS Select Products, con contactos en el mercado chino, para que le encontrara clientes en España a los que vender material sanitario. Y González halló a un gran comprador, el importador sanitario Mape Asesores, que compraba mercancía para revenderla a empresas y administraciones españolas a su vez. Mape hizo dos compras a FCS por 45 millones de euros: el 5 de mayo y el 5 de agosto de 2020. Ese negocio le reportó a la sociedad Maxwell Cremona, administrada por la pareja de Ayuso, 1.9 millones de euros. A pesar de esos ingresos tan altos, González apenas pagó al fisco. Al contrario. Por el ejercicio 2020, la Agencia Tributaria le devolvió a su sociedad Maxwell 1353 euros. Pero había truco. González emitió 15 facturas falsas por trabajos no realizados para desgravarse gastos ante Hacienda, reducir sus beneficios y pagar 350 000 euros menos en impuestos. Pero toda esta historia, latente a finales de aquel 2021, no estallaría hasta marzo de 2024, así que la detallaremos más adelante).

Ayuso le reiteró sus intenciones a Casado el 1 de septiembre de 2021. «Buenos días, ayer estuve tomando el aperitivo con periodistas que cubren Madrid. Y como cada día desde hace mucho tiempo me preguntaron por el congreso regional y les dije que sí me gustaría presentarme. Y eso es lo que han contado muchos medios». Ayuso le pidió al pidió que le hiciera una visita oficial al Gobierno autonómico. «Es tu momento (...) Que se te vea con ellos. Cualquier consejero de Madrid supera a cualquier ministro de Sánchez». Pero Casado solo escuchaba y asentía. Y en lugar de confirmarla como próxima líder regional, respondía a los medios que ya decidirían «los militantes» cuando tocara.

La presidenta estaba nerviosa. Sabía que su creciente popularidad, sumada a las malas artes de su protector y escudero MAR, le había creado enemigos en Génova. Había rumores de que Ana Camins, secretaria general de la gestora madrileña y buena amiga de Casado, podía ser la elegida para presidir el PP de Madrid. El alcalde capitalino José Luis Martínez-Almeida, elegido portavoz nacional del partido, apostaba públicamente por esta bicefalia, abogando por un líder que trabajase a tiempo completo en el partido. Es decir, Ayuso en lo suyo, el Gobierno regional, y Camins en lo que ya controlaba desde hace dos años, el partido en Madrid. «Ángel Carromero y la propia Camins son los que susurran esta idea continuamente a los oídos de Casado y Teo», señala una fuente popular. «No querían ni en pintura a Ayuso como presidenta del partido».

Además, Casado empezaba a cansarse de que fuera Ayuso quien marcara la agenda mediática del PP: después de su anuncio en el Círculo de Bellas Artes, ya no se hablaba de otra cosa en los medios madrileños conservadores. «Ayuso gobierna una Administración y, por tanto, tiene dinero para publicidad institucional. Casado está en la oposición y no controla ninguna publicidad institucional», explica un analista político. «Traducido: Ayuso tiene más poder que Casado para controlar los tempos mediáticos». Casado quería organizar una convención nacional entre finales de septiembre y principios de octubre para recuperar protagonismo y relanzar su proyecto, pero la apuesta de Ayuso por adelantar el congreso regional relegaba a un segundo plano su convención. Había también otro runrún en Génova: Ayuso no solo se conformaría con Madrid. Había voces que señalaban que podría aspirar ya a liderar el PP nacional y mover la silla a su otrora «hermano» Casado.

A principios de ese verano, Florentino Pérez invitó a desayunar a MAR para hacerle una oferta laboral muy tentadora: el poderoso presidente del Real Madrid quería que el gurú de la comunicación dejara a Ayuso para enrolarse con él en su batalla por la implantación de la Superliga en Europa, uno de los sueños de Florentino en su lucha con la UEFA. Antes de mover ficha, MAR habló con Ayuso para saber cuáles eran sus verdaderas intenciones. Si su techo era la Comunidad, consideraría aceptar la oferta madridista. Al fin y al cabo, la presidenta ya estaba consolidada en el puesto tras las elecciones de mayo, el trabajo de MAR ya estaba hecho. Pero si la lideresa quería seguir jugando en el tablero político y aspirar a más, MAR se quedaría. Como publicó el periodista Carlos Hernanz en *El Confidencial*, «Ayuso está siempre en campaña, contra Pedro Sánchez o contra Génova. Y la cita con Florentino Pérez le sirvió a MAR para confirmar ante su jefa que la presidencia de la Comunidad de Madrid no es la meta, sino una estación más»[12]. La noticia llegó a oídos de Génova antes de que se publicara.

Todo se precipitó el 7 de septiembre, en un desayuno que Pablo Casado dio en Madrid organizado por Fórum Europa. Allí, Ayuso, Almeida y Teo compartieron mesa para lanzar una imagen de unidad interna en torno al líder con el arranque del nuevo curso político. Pero Ayuso escuchó ojiplática cómo su amigo y presidente nacional no apoyaba explícitamente su candidatura, asegurando simplemente que tanto ella como el alcalde eran dos «militantes de mucho peso» y que no se podía

[12] Carlos Hernanz, «Florentino Pérez, MAR y la Superliga: el sueño imposible de Génova», *El Confidencial*, 10 de enero de 2022.

decantar por ninguno de ellos si los dos decidieran presentarse al congreso regional de 2022. «La dirección nacional no tiene que meterse en esos procesos», señaló Casado. Almeida completó la jugada asegurando que no descartaba presentarse y que lo decidiría cuando llegase «el momento».

Ayuso tomó nota. El 10 de septiembre, en un acto del partido celebrado en Toledo, lamentó que el PP de Madrid fuera el único partido cuyo presidente o candidato autonómico no era el presidente de la organización. «Hay que devolverle la normalidad al partido. Por los mensajes que me llegan, cuento con el apoyo necesario», señaló. Para luchar contra las intenciones de la presidenta, Génova comenzó a sembrar la idea de que los alcaldes podían ser presidentes regionales: Jorge Azcón (primer edil de Zaragoza), Gema Igual (Santander) o el propio Almeida. Por su parte, el alcalde de Madrid deslizó a algún miembro del partido que él no quería que Ayuso presidiera el PP madrileño. «Conociendo al alcalde, no sé si hablaba por su boca o por boca de Génova», señaló uno de los interlocutores que escucharon las palabras de Almeida. Y en esto apareció la reina madre, Esperanza Aguirre, que había dimitido tres veces, pero nunca se acababa de ir del todo. Entrevistada casualmente por *El Mundo*, soltó la bomba: «Poner trabas a Ayuso es ayudar a Sánchez», decía el titular[13]. «¿Sospecha que Génova quiere posponer el congreso madrileño?», le preguntaron. «Quiere retrasarlo y eso no puede ser. Hay que recordar que el Supremo condenó al PP de Mariano Rajoy por no convocar el congreso cuando correspondía. Tienen que celebrarlo cuanto antes. Mi opinión es que Almeida no se va a presentar. Y lo que él dice es que los de Génova

[13] Juanma Lamet, «Esperanza Aguirre: "Ponerle trabas internas a Ayuso es ayudar a Sánchez"», *El Mundo*, 13 de septiembre de 2021.

le están empujando. Puede que sea verdad, porque algunos chiquilicuatres que tienen por ahí detrás Génova y Almeida es lo que van diciendo».

«Chiquilicuatre», según la Real Academia Española de la Lengua, es una «persona, frecuentemente joven, algo arrogante y de escasa formalidad o sensatez». Aguirre, que lideró el partido con mano de hierro, que obtuvo grandes mayorías absolutas, que intentó destronar a Rajoy y que no se enteró de que su partido estaba carcomido por la corrupción (véanse casos Gürtel, Púnica o Lezo), radiografía en aquella simple respuesta la situación que estaba viviendo el PP cuando sus hijos políticos, sus chicos de Nuevas Generaciones, los que ella dejó, llegaron al poder. En su opinión resumida, Ayuso debía ser la presidenta del PP de Madrid, acusaba a Génova de retrasar el Congreso porque Casado tenía celos y utilizaba a Almeida en esa batalla infantil. Y, finalmente, que todo aquello era culpa de unos chiquilicuatres que estaban susurrando cosas equivocadas al oído de Casado. La entrevista no sentó nada bien en Génova.

Cuando el expresidente francés Nicolás Sarkozy fue invitado el 29 de septiembre de 2021 a dar una conferencia junto a Pablo Casado en Madrid, Aguirre se sorprendió de que no la hubieran sentado en la primera fila, sino mucho más atrás. Así que llamó al responsable del evento, un diputado nacional, y le dijo que por qué estaba sentada tan alejada, que eso era un insulto. «Esperanza, qué esperabas, si nos acabas de llamar chiquilicuatres».

La guerra civil dentro del PP ya había comenzado.

8. LOS CUERVOS EN «MANADA»

«Aquí seguimos, con el partido unido como una piña y fuerte como una roca, preparados para volver a echarnos el país a las espaldas, para rescatar a nuestros compatriotas de la ruina y para abrir un nuevo horizonte para España». Aplausos. Domingo 3 de octubre de 2021 en la plaza de toros de Valencia. Día soleado, de temperatura agradable. Más de 9000 personas se dan cita para escuchar a Pablo Casado en el mitin que cierra la Convención Nacional del PP. Hay tanta expectación que 2000 simpatizantes populares se quedan fuera del coso. Casado está feliz. Vive un «chute emocional». El acto es para él una suerte de terapia colectiva, de reafirmación de su liderazgo al frente de un partido aparentemente cohesionado que se postula como una seria alternativa de gobierno. Pero en su fuero interno sabe que no es así. Si el PP es una roca, ya ha empezado a resquebrajarse.

Un día antes había sido el turno de Ayuso, que había llegado *in extremis* de su gira por EE. UU., en teoría para buscar inversores, en la práctica, para restar protagonismo mediático al recorrido triunfal de su jefe Casado en una convención que había pasado por varias ciudades españolas y que culminaba en Valencia. «Hoy te quiero decir, Pablo, delante de tu mujer, de la gente que más te quiere, del partido, de tu familia, de los medios, de todo el mundo… que tengo meridianamente claro dónde está mi sitio, y sé que mi sitio es Madrid, y que daré lo mejor para Madrid porque Madrid es España». Casado la escuchaba y sonreía. No le quedaba otra.

Ayuso, que se había dado un baño de masas en la alfombra roja al llegar a la convención, consiguió lo que quería. Ser el foco de atención. Seguir marcando la agenda. Muchos entendieron sus palabras con una doble intención. ¿Acaso estaba sobre la mesa el liderazgo nacional de Ayuso?, ¿no estaba claro que solo era la presidenta de la Comunidad de Madrid y que, por tanto, su sitio era y debía ser Madrid? La sorpresa por su atrevimiento fue mayúscula. El presidente de Murcia, Fernando López Miras, bromeó sobre la supuesta lealtad de Ayuso asegurando que él tampoco daría el salto nacional: «Querido presidente, yo también me quedo en Murcia», señaló. A muchos de los oyentes tampoco se les escaparon las posibles segundas intenciones de la frase «Madrid es España» y que en Madrid estaba, efectivamente, la sede del Gobierno regional, pero también el cuartel general de Génova… y el Palacio de la Moncloa. Ayuso también coló otra frase en su discurso solo para entendidos: «Las águilas vuelan solas y los cuervos en manada». ¿Qué había querido decir? El partido no era una roca, como aseguraba Casado. Los chiquilicuatres, como los había definido Esperanza Aguirre, ya habían empezado a romperla.

La noche del sábado, tras el discurso de Ayuso y antes de que llegara el de Casado a la mañana siguiente, el PP de Madrid había organizado una cena en el hotel de cinco estrellas Only You. Los populares madrileños solían organizar este tipo de encuentros en los eventos nacionales del partido. Allí se juntaron en un mismo salón alcaldes y concejales madrileños, diputados autonómicos de la Asamblea, presidentes de agrupaciones locales, miembros de la dirección nacional y hasta algún representante del PP europeo.

En la mesa presidencial se sentaron Ayuso; el alcalde de Madrid, José Luis Martínez-Almeida; el presidente en funciones del PP madrileño, Pío García-Escudero; su secretaria general, Ana Camins; un vicesecretario nacional como Antonio González Terol… Cenaron tartar de salmón y un buen solomillo ibérico. Con el postre, una mousse de limón, hizo su aparición el secretario general Teodoro García Egea para saludar a los presentes. Al llegar a la mesa de Ayuso, todos se pusieron de pie como gesto de cortesía para estrecharle la mano o darle dos besos. Todos menos Ayuso, que lo ignoró y se quedó sentada mirando el plato sin levantar la vista, ante la incredulidad de algunos de los presentes que le pidieron por favor que saludara a Teodoro. Ayuso no quería ni dirigirle la palabra. Estaba bastante molesta. Teodoro se dio cuenta y uno de los comensales le explicó discretamente que la presidenta madrileña estaba que trinaba. «La dirección me está machacando. Ya sé que van a por mi familia», había confesado Ayuso a algunos íntimos.

En octubre de 2021, Ayuso y Teodoro ya no se tragaban. En la última semana de agosto, Génova había recibido un anónimo de folio y medio escrito en mayúsculas que empezaba así: «En el peor momento de la pandemia, en abril de 2020, la Comunidad de Madrid (CAM) adjudicó un contrato (Expediente A-SUM-011335-2020) para mascarillas y EPIs (Equipos de Protección Individual) para el hospital de IFEMA. Fue a la empresa Priviet Sportive, de Daniel Alcázar, amigo de Isabel Díaz Ayuso de Sotillo de la Adrada (Ávila), que se dedica al calzado y a la confección, pero que días antes cambió su CNAE (Clasificación Nacional de Actividades Económicas) para poder vender material sanitario».

«En cuanto ingresó los pagos de la CAM, el empresario transfirió 300 000 euros a la cuenta de Tomás Díaz Ayuso en dos transferencias con el concepto "intermediación Comunidad de Madrid". Una intermediación por el contrato público ya sería delictivo por corrupción entre particulares, pero lo grave es que el monto de la transferencia (25 % en total) revela que el empresario es un testaferro de Ayuso», proseguía la nota. En resumen: alguien estaba acusando a Isabel Díaz Ayuso de favorecer a su hermano con un contrato otorgado por la Administración que ella presidía, y que el hermano a su vez habría utilizado a un amigo como tapadera para poder llevarse dicho contrato.

El artículo 71.1g de la ley de Contratos del Sector Público señala claramente que determinados familiares no pueden participar en la licitación de un contrato «cuando se produzca conflicto de intereses con el titular del órgano de contratación o los titulares de los órganos en que se hubiere delegado la facultad para contratar». Por ejemplo, una concejalía determinada no puede adjudicar un contrato a un hermano del concejal. El artículo 4 de la Ley de Incompatibilidades de Altos Cargos[1] regula algo parecido y obliga a los altos cargos a «inhibirse del conocimiento de los asuntos» que interesen a empresas en las que participen «ellos mismos, su cónyuge o persona de su familia dentro del segundo grado civil».

Génova sabía que tenía entre sus manos una bomba que podría hacer mucho daño a la díscola Ayuso. Díscola porque la presidenta madrileña ya había hecho pública su intención de convertirse en lideresa y presidir también el PP de Madrid lo antes posible. Ella quería marcar los tiempos e imponer su criterio al de la dirección nacional. El anónimo decía además que «solo este contrato supondría prevaricación, mal-

[1] http://www.madrid.org/wleg_pub/secure/normativas/contenidoNormativa.jsf?opcion=VerHtml&nmnorma=186#no-back-button.

versación, tráfico de influencias y otros delitos de corrupción a los que habría que sumar cohecho de la propia presidenta, ya que comparte intereses societarios con su hermano». Isabel y Tomás tenían cada uno el 50 % de las acciones de una empresa llamada Sismédica SL, que no presentaba cuentas desde el año 2014. No obstante, siendo rigurosos, el contrato en cuestión no fue adjudicado directamente por el Consejo de Gobierno que presidía la presidenta Ayuso, sino por la Consejería de Sanidad de su Ejecutivo. Aun así, la pregunta que cabía hacer era si Ayuso sabía que su hermano estaba contratando con la Comunidad de Madrid y si ella intermedió de alguna manera, lo que estaría tipificado como tráfico de influencias en el artículo 428 del Código Penal.

Tomás Díaz Ayuso, diplomado en gestión comercial y marketing, había sido vendedor de productos sanitarios durante más de veinte años, y el Ejecutivo regional era uno de sus clientes habituales. El hermano de la presidenta conocía muy bien a dos personas claves en el organigrama de la sanidad madrileña. Una era Manuel de la Puente, que durante la pandemia se encargó de detectar las necesidades en los hospitales públicos y avalar las compras bajo el cargo de director general del Proceso Integrado de Salud. Tomás ya le había vendido productos en el pasado. Otra era Teresa Requejo, secretaria de De la Puente, y que hacía años había sido compañera de Tomás Díaz Ayuso en la empresa del padre de este, MC Infortécnica, la firma que pidió el crédito a Avalmadrid y no pudo devolver. ¿Avisó Tomás a su hermana de que iba a llevarse una comisión de una empresa que iba a contratar con la Comunidad de Madrid que ella presidía? ¿Sabían estos dos funcionarios de la consejería que Sanidad estaba dando el contrato a una empresa vinculada al hermano de la presidenta? Porque eso sería tráfico de influencias. ¿Recibieron alguna dádiva por hacerlo? Porque eso sería cohecho. ¿Estaba inflado el precio del contrato? Porque eso sería malversación de fondos públicos. Génova llegó incluso a encargar un informe jurídico a un abogado de confianza, quien dictaminó que de confirmarse todos los hechos estos podrían ser constitutivos de un par de delitos: concretamente tráfico de influencias y malversación.

Había más preguntas. ¿Quién había enviado ese anónimo a Génova con tantos datos? ¿Alguien relacionado con la Consejería de Sanidad que tuvo conocimiento del contrato?, ¿alguien vinculado al hermano de Ayuso? ¿O Génova simplemente recibió un soplo con todo el relato y fabricó un anónimo? Curiosamente, la misma información fue enviada a través de un SMS de un número prepago a un medio de comunicación. Tras contrastar algunos de los datos, *eldiario.es* publicó el 17 de noviembre de 2021 la siguiente noticia: «La Comunidad de Madrid adjudicó a dedo 1.5 millones de euros en mascarillas a un empresario amigo de Ayuso»[2]. El texto dejaba claro que el Gobierno regional aceptó la oferta de la empresa de Daniel Alcázar pese a que esta sociedad no tenía ninguna vinculación hasta entonces con el sector de la sanidad ni había relación previa como proveedor de la Comunidad. La adjudicación se hizo por la vía de emergencia (sin concurso ni publicidad), cuando el desabastecimiento de material para los hospitales era acuciante.

El registro mercantil refleja que Priviet Sportive SL tenía entonces como objeto social la «confección, fabricación y venta al por mayor y al por menor de artículos para el vestido y el tocado de caballero y señora». *Eldiario.es* insinuaba que

[2] Fátima Caballero, «La Comunidad de Madrid adjudicó a dedo 1,5 millones de euros en mascarillas a un empresario amigo de Ayuso», 17 de noviembre de 2021.

la empresa de Daniel Alcázar podría ser una tapadera, un testaferro, ya que no tenía nada que ver con el negocio de comprar mascarillas. Como decía el anónimo, todo apuntaba a que quien estaba detrás era el hermano de Ayuso, que no podía licitar directamente por el contrato por ser quien era.

Pero las pruebas definitivas eran difíciles de conseguir. «Para comprobar la vinculación económica entre el empresario Daniel Alcázar (a través de su empresa Priviet Sportive), que obtuvo el contrato a dedo de la Comunidad por 1.5 millones, y Tomás Díaz Ayuso, verdadero artífice del contrato e intermediario, y por tanto siendo el primero un testaferro de este, solo es necesario acudir al documento de Hacienda modelo 347 en el ejercicio 2020, que muestra la relación directa entre clientes y proveedores. Así se podrán comprobar los pagos efectuados por Daniel Alcázar a Tomás Díaz Ayuso», concluía el anónimo. Pero conseguir el modelo 347 de una empresa (que refleja todas sus operaciones con terceros que superen los 3000 euros) era imposible, porque es documentación confidencial que solo maneja la Agencia Tributaria.

Casado citó a Ayuso tras el verano, a mediados de septiembre. En esas fechas, Ayuso había vuelto a reiterar ante los medios que presentaría su candidatura a la presidencia del PP de Madrid «cuando se convoque», pero esperando que fuera «pronto». En Génova esperaba poder hablar con su amigo Pablo de la fecha del congreso regional, pero, en su lugar, se encontró a un Casado serio y preocupado. «Yo le pido a Isabel Díaz Ayuso que venga al despacho, no para hablar del congreso de Madrid, sino para hablar. Y al final le digo con absoluto respeto, y además con pesar: "Oye, Isabel, me ha llegado esto, por favor dime si es cierto y a ver qué se puede hacer", pero esa respuesta no viene», explicaría meses después Casado en una entrevista con Carlos Herrera. En esos momentos, el presidente nacional del PP solo quería recibir una explicación de ese contrato.

«Las águilas vuelan solas y los cuervos en manada», diría una enigmática Ayuso días después de esta reunión con Casado en la convención de Valencia. Ella, que siempre había identificado a los cuervos con los socialistas y los comunistas, ahora los encontraba dentro de su propio partido. Y en esta ocasión empezaban a revolotear sobre su cabeza con turbios asuntos que volvían a salpicar a su familia.

Pero ¿cuál era la verdadera razón de la batalla que acababa de comenzar?, ¿simplemente una disputa por el calendario del congreso madrileño?, ¿o este era el pretexto que tapaba la realidad? «El congreso era una excusa, lo que pasó simplemente fue una cuestión de celos y poder», señala una fuente de Génova que vivió aquellos días. Para entenderlo todo hay que irse al origen. «En 2019, cuando Casado eligió a Ayuso candidata a la Comunidad, ambos firmaron una especie de acuerdo tácito por el que pactaron que era mejor que la futura presidencia del PP de Madrid, entonces controlada por una gestora, quedase en manos de una tercera persona, para compensar poderes y evitar errores del pasado», relata un importante dirigente del PP. Ayuso y Casado, como hijos políticos de Esperanza Aguirre, habían vivido cómo la expresidenta aunó todo el poder en Madrid y había hecho la vida imposible a Mariano Rajoy. Casado no quería que esto se repitiese. Ese acuerdo tácito se pactó en 2019, con una Ayuso muy agradecida por ser la ungida de Casado. Pero con el paso del tiempo la popularidad de Ayuso fue creciendo. Y sus necesidades y ambiciones políticas cambiaron.

«Así que antes de que estallara la coalición en Madrid entre PP y Ciudadanos en 2021, Ayuso le pidió a Casado modificar ese acuerdo. Ayuso argumentó que su socio de gobierno, Ciudadanos, no era de fiar, y se quejó también de los ataques constantes del Ejecutivo central de Pedro Sánchez. Ayuso, única a la hora de presentarse como víctima, necesitaba tener más poder y sentirse respaldada por su partido. Y ella decía, a quien quisiera escucharla, que Casado había aceptado su petición y que tenía el visto bueno para ser presidenta del PP de Madrid. Luego cuando llegó su gran victoria electoral de 2021 se sintió legitimada para recordarle a Casado lo que habían hablado, es decir, volver a aunar tanto poder como tuvo Esperanza Aguirre en su día», explica la misma fuente. Precisamente, lo que temía Pablo Casado.

En este contexto aparecieron los «cuervos», susurrando como suelen a los oídos de cada líder para envenenar sus pensamientos. A Casado le recalcaban una y otra vez que Ayuso, asesorada por el ambicioso MAR, quería tener demasiado poder. Incluso que una vez elegida presidenta del PP de Madrid podría estar pensando pelearle la dirección en el congreso nacional que tocaba en 2022. Los «cuervos» le recordaron a Casado que Ayuso se lo debía todo, que estaba donde estaba, que había llegado donde había llegado porque Pablo apostó por ella. Isabel debía ser leal y mostrar gratitud, le dijeron a Pablo. Desde el otro bando, Ayuso se sentía traicionada y decepcionada por su amigo y presidente nacional. Estaba convencida de que las maniobras de la dirección para alejarla del liderazgo regional eran una afrenta con respecto a otros presidentes autonómicos (que sí presidían el partido en sus comunidades) y una zancadilla a su proyección por miedo a que hiciera demasiada sombra a Casado. Los dos amigos, celosos, habían empezado a sospechar el uno del otro.

¿Tenía razón Ayuso al margen de acuerdos tácitos y promesas incumplidas? ¿Debía ella presidir el PP de Madrid como presidenta autonómica? Hasta entonces, la estructura predominante en el PP madrileño había sido el modelo de bicefalia frente al de «baronía». De los 32 años entre 1989 y 2021 en que los populares gobernaron en la Comunidad, en 22 la presidencia del PP de Madrid no la ostentó la misma persona que ocupaba la presidencia del Gobierno regional. Es decir, hubo bicefalia. Además, en los estatutos del partido regional no figuraba que el presidente del partido tuviera que ser el mismo que el candidato a presidir la comunidad autónoma, aunque tampoco existía una norma que dijera lo contrario.

Con estos argumentos, Casado se sintió legitimado para dilatar su decisión y dar largas de momento a las pretensiones de Ayuso (que empezaba a ser apoyada en su demanda por determinados medios de comunicación que recibían publicidad de la Comunidad de Madrid). Casado, por entonces, veía con buenos ojos que la presidencia del PP de Madrid la ocupara otra buena amiga suya, Ana Camins, quien ya ostentaba la secretaría general de la gestora del PP madrileño. Para fastidiar más a Ayuso, algunos medios de comunicación deslizaron incluso una tercera vía: el alcalde de Madrid, José Luis Martínez-Almeida, quien llevaba además más de un año ejerciendo las funciones de portavoz nacional.

Las conspiraciones fueron alimentándose hasta que todo estalló. El 20 de octubre de 2021, Teo García Egea citó a Ayuso en el lujoso Hotel Orfila, justo al lado de Génova. Esta llegó acompañada por su fiel escudero MAR, que no pudo entrar a la reunión y debió esperar fuera. Otra afrenta. A puerta cerrada, las versiones difieren. Teo García Egea defendió que solo quería informar personalmente a Ayuso de la apertura de un procedimiento de buenas prácticas para esclarecer la información recibida sobre la comisión de su hermano, un protocolo habitual en estos casos, que no asume la existencia de delito. Ayuso fue emplazada a aportar más información en cuanto pudiera. La versión del entorno de Ayuso, sin embargo, era bien distinta. Aquella reunión se interpretó como un chantaje en toda regla, al más estilo mafioso: o renunciaba a la presidencia de Madrid o filtrarían las acusaciones contra su hermano. ¿Tenía en esos momentos Génova ya contrastada la información que había recibido en el anónimo? No.

Ayuso salió furiosa de la reunión, pero se comprometió a aclarar todo lo relacionado con el contrato que implicaba a su hermano. Cuando se lo contó a su equipo más próximo, intuyó que iban a por ella. Que le estaban preparando «unas cremas», una metáfora por el vídeo de Cristina Cifuentes robando unos cosméticos que fue filtrado para acabar con su carrera política. Ayuso estaba convencida de que el dosier contra su hermano lo había preparado el propio Egea. Casado, en cambio, creía que en esta última reunión con Teo, Ayuso ya debería haber aclarado el asunto porque él se lo había pedido semanas antes. «Pero ahí tampoco se contesta a esas acusaciones y la única respuesta es pedir que se anticipe un congreso [el del PP de Madrid], justo cuando se ha pedido una información sobre un contrato (...). Lo normal es que, en base a mis principios, cuando tengo algún indicio, se me conteste y se me dé información», explicaría Casado muy ofendido.

A finales de octubre de 2021 la noticia de la incipiente guerra civil se empezó a propagar como un vertido de fuel de un petrolero que zozobra poco a poco. El 25 de octubre *El Confidencial* publicó una información con un titular tajante: «El equipo de Ayuso denuncia una maniobra de Génova para apartarla como candidata»[3]. MAR ya estaba moviendo sus fichas. Aunque la noticia no daba detalles de la supuesta treta de Génova, en el último párrafo aparecía una última línea que decía mucho: «Ayuso tiene bloqueado a Egea en su teléfono móvil».

La incipiente guerra civil tuvo capítulos pueriles como aquel. Ayuso bloqueó a Egea en el móvil tras su tensa reunión del día 20, tal y como había hecho en el pasado con otros compañeros del PP con los que tenía desavenencias: Ángel Carromero y la presidenta de NNGG en Madrid, Ana Pérez, compartían ese *honor*. «No puedo estar a cuestiones de patio de colegio, es un tema demasiado infantil como para que yo lo pueda atender», señalaría Ayuso cuando esta polémica se hizo pública y se magnificó.

En los mentideros del partido y periodísticos solo se hablaba ya de un enfrentamiento soterrado entre Casado y Ayuso que no hizo sino empeorar. El 17 de noviembre la batalla subió de nivel. *Eldiario.es* publicó la información del contrato que se había llevado a dedo el amigo de los Ayuso. La presidenta creía que lo había filtrado Génova. Y a río revuelto, ganancia de pescadores. Cayetana Álvarez de Toledo publicó casualmente en esos momentos un libro que muchos vieron como una venganza contra Pablo Casado, que había cesado a Cayetana como portavoz del PP en el Congreso. Titulado *Políticamente indeseable*, en sus 519 páginas Cayetana destilaba todo tipo de odios contra Casado y Egea y alguna alabanza a favor de Ayuso, a la que calificaba de «líder nacional».

«Había algo de Casado que no acababa de convencerme. Me parecía un hombre de empatías variables. Un camaleón

[3] Pilar Gómez, «El equipo de Ayuso denuncia una "maniobra" de Génova para apartarla como candidata», *El Confidencial*, 25 de octubre de 2021.

sentimental. Lo que se llama un bienqueda o un veleta. Son tales sus ganas de caer bien que acaba adaptando su posición a la de cada uno de sus interlocutores, aunque sean incompatibles entre sí», diría sobre el presidente nacional. También disparaba contra el secretario general: «Cuando era portavoz me preguntaba cómo era posible tener que dedicar tanto tiempo y energía a este hombre. Es un arquetipo y perfiles como el suyo proliferan en los partidos. Son políticos de los que no se recuerda ninguna idea original ni realmente valiosa. Pero acaban imponiéndose por la pura fuerza de su ambición. Buscan el poder y lo ejercen de manera despótica, teocrática. Teodocrática». Como era de esperar, el libro sentó muy mal en Génova.

Ana Beltrán, vicesecretaria de Organización, respondió a la autora asegurando que «el personaje se ha tragado a la persona» y que el texto «desprende odio (...). Su interés es solo vender sus libros, algo tan vulgar como eso». Ironías de la política, en 2019 Casado había apostado fuertemente por dos mujeres: Isabel Díaz Ayuso y Cayetana Álvarez de Toledo. Dos años después, en 2021, las dos se estaban revolviendo contra él. Y es que, por encima de la ideología, muchas veces son las relaciones personales, las filias y fobias, la vanidad, las ambiciones y las inseguridades los condicionantes que rigen la vida de un partido político. Así de simple.

En Génova, dirigentes, cargos medios y militantes encontraron refugio en una entrevista del periodista José María García en el programa *Cuestión de prioridades* de la televisión pública de Castilla y León. Un vídeo en el que se denostaba a Ayuso para deleite de uno de los bandos. «Tú hablas 15 minutos con Ayuso y dices: pero coño, si no hay una cosa mejor en este país vamos a cerrar la tienda», soltaba entonces el otrora líder de la radio deportiva española. García tenía para todos.

«¿Hoy cómo vas a respetar a estos chiquilicuatres? Si se pegan como verduleras en el Congreso, si se insultan como gente absolutamente tirada».

Entretanto, Génova decidió no esperar a las explicaciones que pudiera aportar Ayuso sobre la comisión de su hermano e indagó por su cuenta. Solo tenía la información del anónimo, le faltaban las pruebas para sostener la información del escrito. ¿Cómo conseguirlas? Para ello utilizaron a un alto cargo del Ayuntamiento de Madrid quien se puso en contacto con un periodista del departamento de investigación de *El Confidencial* para contarle la *exclusiva* del hermano de Ayuso. Su objetivo era que el medio hiciera el trabajo, obtuviera las pruebas y publicara la *bomba.* ¿Por orden de quién actuaba este alto cargo municipal? Los datos que dio al periodista eran precisos, por lo que había tenido que acceder al anónimo que llegó a Génova. Este alto cargo no actuaba por su cuenta y riesgo. Por su parte, *eldiario.es* también estaba trabajando en esos momentos en obtener más información para publicar un segundo reportaje, pero de momento no podía demostrar que el hermano de la presidenta madrileña se llevara una comisión. Para eso necesitaba el modelo 347 de Hacienda, muy difícil de conseguir.

También en esos días de noviembre de 2021, el periodista Javier Bañuelos, de la Cadena Ser, estaba trabajando en la misma información. Llamó directamente al empresario amigo de la familia Ayuso que se había llevado el contrato de las mascarillas, Daniel Alcázar. «¿Por qué Tomás Díaz Ayuso cobró una comisión vuestra por aquella operación?», le preguntó abiertamente. Bañuelos sabía toda la historia porque le había llegado también el anónimo, que para entonces circulaba ya por muchos foros. El grupo parlamentario de Más Madrid también lo recibió el 7 de noviembre a través de un SMS. Alcázar respondió a Bañuelos que veía «muchas series de espionaje». Después, el empresario bloqueó al periodista en su teléfono móvil. Otro medio de comunicación, *El Plural*, publicó también en noviembre una información titulada «Crece el miedo en el PP a que salga a la luz un escándalo contra Ayuso: "No son cremas, son aviones"»[4]. No iban desencaminados.

Hay una fecha clave en este relato de intrigas, conspiraciones y traiciones: el 24 de noviembre. Ese día, el detective Julio Gutiez, director de la agencia Mira, se reunió con unos clientes en la cafetería del Hotel Wellington de Madrid. Gutiez es un veterano de la profesión. Su nombre ya había aparecido en los seguimientos que se hicieron al presidente de la Comunidad de Madrid, Ignacio González, en un viaje a Colombia en 2008. Reunido en el hotel capitalino, Gutiez recibió una llamada de su secretaria avisándole de que una persona estaba interesada en verlo y que era muy urgente. «Dile que estoy en el Wellington, que si quiere que se pase y hablo con él», le contestó.

Al rato, apareció un joven alto, moreno, de entre 30 y 35 años, que se hacía llamar Javier Muñoz. Obviamente este no era su nombre, pero el detective le siguió el juego. El tal Muñoz le preguntó sobre la posibilidad de conseguir el modelo 347 de un contribuyente o un documento bancario de una transferencia de unos 300 000 euros. Muñoz le dijo incluso el nombre de la entidad: Bankia. Gutiez, que es perro viejo, sabía cómo conseguir lo que le pedía su interlocutor, pero, por precaución (desconoce la verdadera identidad es ese joven

[4] José María Garrido y Javier Pardo, «Crece el miedo en el PP a que salga a la luz un escándalo contra Ayuso: "No son cremas, son aviones"», *El Plural*, 15 de noviembre de 2021.

sentado frente a él) le responde que eso es ilegal: se trata de documentación personal del contribuyente cuya privacidad está protegida por la ley. Gutiez, intrigado, le ofrece una alternativa: realizar una investigación amplia sobre el sujeto en cuestión y ver qué se puede rascar. Javier Chicote, periodista del diario *ABC*, reprodujo en el diario esa conversación[5]:

—¿Quién sería el investigado? —pregunta Gutiez.

—No sé si decirlo.

—Pero si aceptara el encargo tendría que saberlo.

—Ya entiendo, es el hermano de Isabel Díaz Ayuso —desvela Muñoz.

—¿Para quién trabajas? ¿De dónde viene el encargo? —inquiere el detective.

—De Génova.

—No. Si vinieras de Génova yo lo sabría… —le corta Gutiez.

El hombre que se hace llamar Muñoz desliza, nada inocentemente, con toda la intención del mundo, que realmente trabaja en la Empresa Municipal de la Vivienda y Suelo (EMVS), empresa pública dependiente del Ayuntamiento de Madrid. Muñoz lo recalca varias veces para que este dato cale en la memoria de Gutiez.

El detective asegura que rechazó el encargo y que se despidió amablemente del supuesto Javier Muñoz. Cuando llegó a su despacho, Gutiez le pidió a su secretaria que le pasase el número de teléfono desde el que el tal Muñoz había llamado para concertar la cita. El número correspondía al departamento de un hospital madrileño. Todo muy extraño. Entonces,

[5] Javier Chicota, «ABC reconstruye la crisis que acabó con el 'casadismo'», *ABC*, 20 de marzo de 2022.

¿quién era realmente Javier Muñoz?, ¿de verdad trabajaba en la EMVS? En esa empresa no había ningún empleado con ese nombre.

Ajena a esta cita que se ha producido en el Hotel Wellington de Madrid, Ayuso ya había recabado la información que le había pedido Génova. Confirmó que el contrato se lo había llevado Daniel Alcázar, un amigo de la familia, sobre todo de su hermano. Se trata de un empresario textil que tuvo su momento de fama al ser pareja de la presentadora Anne Igartiburu. Los Ayuso y los Alcázar se conocieron en Sotillo de la Adrada, un pequeño pueblo abulense. De allí era Leonardo, el padre de Ayuso. Y allí se compraron un terreno los padres de Daniel para construir un imponente chalé con piscina. Daniel y su hermano Miguel hicieron amistad cuando eran jóvenes con Tomás Díaz Ayuso. Y de esa amistad surgió años después la posibilidad de negocio que trajo para muchos la pandemia del coronavirus.

«Aquí el que sabe de mascarillas y proveedores y todo eso es Tomás. Y ya está. Y yo soy el que pone el dinero y la logística. El avión salió de China en un vuelo directo a Madrid y fue la agencia de transporte que me hace a mí habitualmente la importación de textil la que me buscó un avión privado para traerlas [las mascarillas]. Yo de lo que me aseguro es de que haya un tío que recibe el dinero cuando la carga está dentro del avión», señalaría después Daniel Alcázar a *El País* para explicar los roles de ambos amigos en el contrato de adjudicación de la Comunidad de Madrid.

Es decir, que el que conocía a los proveedores de mascarillas en China era Tomás. Y el que adelantaba el dinero (hasta que pagara la Comunidad) y ponía el avión para traerlas era Daniel. Obviamente, quien consiguió el contrato fue Tomás, que conocía a las personas adecuadas en el Gobierno madrileño.

El expediente de compra a Privier Sportive SL, iniciado el 1 de abril, contenía la firma digital de Manuel de la Puente, director de compras de la pandemia nombrado directamente por Isabel Díaz Ayuso. Una compra directa, a dedo, justificada por la situación de emergencia que se vivía.

Ayuso empezó a encajar ciertas piezas del puzle cuando su hermano le confirmó que solo había cobrado 55 850 euros (67 578 euros con el IVA) por sus gestiones a la hora de conseguir el material sanitario de China. Solo 67 000 euros. Entonces, ¿por qué primero Pablo Casado y luego Teo García le habían dicho que su hermano cobró 300 000 euros? Porque Tomás Díaz Ayuso y Daniel Alcázar habían mantenido otros tres negocios paralelos al margen del contrato de la Comunidad, que en total sumaban comisiones por valor de 283 000 euros, que es la cantidad que aparece en el modelo 347 de la empresa Priviet Sportive SL. ¿Y cómo sabían en Génova ese dato?

Ayuso empezó a creer en todo tipo de conspiraciones contra ella y su familia. En *El topo* de John Le Carré, George Smiley, el espía ficticio que mejor comprendía el misterio de la conducta humana, definía la traición como una «cuestión de hábito». Ayuso ya veía fantasmas y traiciones por todos lados. Ella creció en el PP de Esperanza Aguirre, donde se vivieron famosos y encarnizados conflictos entre compañeros de partido. Ayuso pensaba que nada era casualidad. Ese mismo mes de noviembre, una diputada socialista acusaba en la Asamblea al hermano de Ayuso de ir por los hospitales madrileños «a sugerir a las unidades de contratación a qué empresa hay que contratar». En efecto, Tomás Díaz Ayuso estuvo ofreciendo[6]

[6] Fernando Peinado, «El hermano de Ayuso conocía estrechamente a dos personas clave en las compras de la Consejería de Sanidad de Madrid», *El País*, 4 de marzo de 2022.

durante la pandemia equipos de protección individual con otro socio, Miguel Alcázar, el hermano de Daniel Alcázar.

En su sospecha perpetua, Ayuso llegó a decirle al propio Pablo Casado que fuentes de la Moncloa le habían filtrado que fue Génova quien había preparado un dosier contra ella para luego pasárselo al PSOE. «Me lo dice la presidenta de la Comunidad por mensaje y llamamos a Moncloa y nos dicen que es absolutamente falso. ¡Que me diga una presidenta autonómica que le dicen en Moncloa que nosotros le hemos pasado el dosier y que yo tenga que llamar a Presidencia del Gobierno para descartar una información falsa que me está dando la presidenta…!», se lamentaría Casado en su famosa entrevista con Carlos Herrera.

La bola de nieve se fue haciendo cada vez mayor. En diciembre, Casado le contó a Alberto Núñez Feijóo todo lo que tenía sobre el caso Ayuso, y el barón gallego, incrédulo ante lo que oía, le respondió que sin pruebas realmente no tenía nada. Ambos volvieron a hablar del asunto en enero de 2022, y aunque Casado no había conseguido esas pruebas y solo tenía un anónimo, también confesó una desconfianza cada vez mayor hacia la que había sido su amiga y pupila. Feijóo supo entonces que el rumbo que estaba tomando el partido, con aquellos dirigentes demasiado jóvenes e inexpertos, era peligroso. Y Casado, que se extrañó del poco apoyo recibido por el gallego, supo que su liderazgo era mucho más débil de lo que él pensaba.

Casado también habló con un viejo amigo. Este le recomendó prudencia. «Olvídate de la comisión del hermano de Ayuso, eso es una puta bomba y podría ser tu tumba. Los vientos soplan a su favor y si ella ahora atropella a un niño en la Gran Vía, la culpa sería del niño». Casado también habló sobre el *asunto Ayuso* con Juanma Moreno, el presidente andaluz, quien le aconsejó ser prudente, porque veía a Ayuso capaz de montar su propio partido y hacer un roto al PP. Ayuso ya gobernaba la comunidad de Madrid, como bien le recordaron algunos colaboradores a Casado, lo que conllevaba manejar mucho dinero en publicidad y poder influir, por tanto, en medios de comunicación.

Días después de que el detective atendiera en el Hotel Wellington a un enigmático Javier Muñoz, Julio Gutiez almorzó con un buen amigo suyo, el exministro de Justicia Rafael Catalá. En la conversación salió a relucir la guerra interna entre los antiguos cachorros del PP. En un momento dado, Gutiez le cuenta al exministro el extraño encargo que ha recibido y rechazado para investigar al hermano de Ayuso. Le da también algunos de los detalles de su conversación con el supuesto Javier Muñoz. «En este rollo hay metida mucha gente», señala Gutiez. Catalá registra todo y se marcha con aquella historia a ver a Ayuso, a quien aprecia por haber colocado a su hijo Ignacio como diputado autonómico con tan solo 33 años. El exministro habla con MAR y con Ayuso, y les narra su comida con Gutiez. «Al parecer querían espiar a tu hermano a través de una empresa municipal de vivienda». Ayuso confirma sus sospechas sobre Génova. Cree que van a por ella desde la secretaría general que dirige Teo García utilizando el Ayuntamiento de Almeida.

Casualidades de las agendas políticas, Almeida y Ayuso coinciden el 16 de diciembre en un acto en la Casa de Campo. La presidenta, inquieta, aprovecha un aparte para hablar con él por primera vez cara a cara de este asunto. Almeida le asegura no saber nada del presunto espionaje desde una de sus empresas municipales y le promete investigarlo hasta el final. Pero el alcalde no mueve ficha inmediatamente. ¿Por qué?,

¿Tuvo que poner sobre aviso antes a alguien? Pasan los días y Almeida no llama a Ayuso. La presidenta madrileña entiende que el alcalde está en el ajo, así que piensa que lo mejor será enviar un intermediario. El elegido es el exalcalde y exministro Alberto Ruiz-Gallardón[7].

Gallardón le cuenta a Almeida lo sucedido y le transmite la preocupación y tristeza de Ayuso por la deriva que está tomando la guerra civil iniciada meses antes. Almeida, por su parte, le despacha con la misma respuesta que días antes daba a Ayuso, que ya lo investigaría. ¿Sabía Almeida, en diciembre de 2021, que Génova había recibido un anónimo a finales de agosto de ese año con los datos de la comisión del hermano de Ayuso?, ¿quién había enviado al supuesto Javier Muñoz a hablar con el detective?, ¿qué alto cargo del Ayuntamiento había llamado al periodista de *El Confidencial* para que también investigara este asunto? Como dijo Julio Gutiez, «en este rollo hay metida mucha gente». De hecho, varios medios de comunicación publicarían después que emisarios de Génova intentaron pedir ayuda, no solo a una, sino a tres agencias de detectives. Un periodista de un importante medio reconoce al autor de este libro que Almeida les dijo en una reunión privada que «teníamos que mirar los contratos del hermano de Ayuso. Tal cual».

En un escenario como aquel, en que las cartas aún no están descubiertas, el relato es más importante que los hechos. Y cuando se trata de ganar esa batalla, el equipo de Ayuso, encabezado por MAR, es el mejor en el *arte de la guerra*. Si Génova cree que tiene una bomba con el anónimo que recibió, MAR sabe que puede torpedear esa bomba con las declaraciones

[7] Pilar Gómez, «Gallardón avisó a Almeida de que desde el Ayuntamiento se investigaba a la familia de Ayuso», 17 de febrero de 2022.

de Rafael Catalá: la presidenta madrileña había sido espiada por sus propios compañeros simplemente por celos. Este es el relato que debe prevalecer, debe ser más importante que la posible comisión que hubiera cobrado el hermano de Ayuso.

La guerra interna se traslada incluso a las cenas de Navidad que organiza el partido por todo Madrid. Génova quiere evitar que Ayuso se dé un baño de masas con los afiliados, para evitar que sea aclamada, reciba regalos o incluso le dediquen canciones. Ayuso ya había ido a las cenas de Parla, Getafe, San Sebastián de los Reyes… pero la gota que colmó el vaso se produjo en la de San Agustín de Guadalix, municipio del norte de Madrid. Allí Ayuso da un discurso; mientras que a Carlos Izquierdo, enviado de Génova, se le impide hablar ante los militantes y simpatizantes.

Génova se toma aquello como una afrenta, y el 10 de diciembre suspende todas las cenas de Navidad excusándose en la subida de contagios por coronavirus. Esa misma noche, sin embargo, Ayuso acude a las cenas de Rivas y Arganda. A esta última llega triste y confiesa a un par de comensales que está siendo espiada. La de Arganda será la última cena de Navidad de ese año porque Ayuso acata la orden de suspensión de las veladas navideñas, no sin antes lanzar una pulla: «No hay motivos», dice a la prensa, señalando que prohibiciones de ordeno y mando como aquella de Génova trasladan un mensaje equivocado a la opinión pública y perjudican a bares y restaurantes en su campaña navideña. Su equipo desliza con sorna que el próximo lema debería ser «libertad o Casado» en lugar de «comunismo o libertad».

Las cenas del PP se suspenden, pero no las comidas en las que participan dirigentes populares. Días después, el 16 de diciembre, los periodistas Raúl del Pozo, Juanma Lamet y Manuel Jabois almuerzan en el Café Varela —convertido en un local literario y político de moda de la capital con comidas lentas y tertulias largas— con Teo García Egea y charlan sobre la crisis que sufre su partido. Juanma Lamet propone llamar a MAR para que se una a la *fiesta*: «No lo hizo para salvar España, ni para unir a la derecha, sino para lograr una exclusiva», escribiría Del Pozo. MAR acepta el reto y aparece en el restaurante. «En tres minutos y medio lo solucionamos tú y yo», le dice Rodríguez al secretario general del PP.

Almeida, por su parte, aseguraría después que en esos tensos momentos solo contó lo del presunto espionaje a dos personas, sus dos concejales de más confianza: Borja Carabante (uno de sus Dalton) e Inmaculada Sanz, la portavoz del Ayuntamiento. Durante casi un mes, el secreto se guardó entre ellos tres. «Ahí no les di ninguna instrucción», reconocería Almeida. Pero lo cierto es que también avisó a Teo García. Curiosamente tanto Almeida como el secretario general anunciaron el mismo día, el 21 de diciembre, que habían dado positivo por coronavirus. El alcalde lo pasó peor, con una fuerte recaída en enero. Así que dejó las averiguaciones que había prometido a Gallardón (y, por ende, a Ayuso) en barbecho.

Mientras, Ayuso intentó tender puentes a la desesperada con Pablo Casado. El 29 de diciembre de 2021, según publicó *El Mundo*, la presidenta madrileña le envió este mensaje: «2022 va a ser un año especialmente difícil y es complicadísimo afrontarlo con brechas así abiertas. Entiendo tu malestar, aunque has de comprender que han pasado muchas cosas que a ambos nos han agraviado. [...] Va a ser un infierno si no nos elevamos por encima de los partidos que nos rodean. [...] No tengo otra misión que ayudarte a ti a llegar a Moncloa, no sé cuántas veces lo diré. Pero tenemos cada vez menos oportunidades, Sánchez está fuerte pero nosotros podemos estarlo aún más. [...] Imagino que lo habrás pasado regular estos meses. Yo también. Lo que no se ve pero está ahí. Pero eso a nadie le importa. Importa que te hagas con los mandos de España o vamos a la destrucción. No aguantamos cuatro años más a esa banda»[8].

Pero ya era tarde para recomponer los puentes. El rumor del espionaje se había extendido por todo Madrid. La roca que era el partido, según señaló Casado, se estaba agrietando cada vez más. El alcalde se vio en la necesidad de mover ficha.

Por un lado, el alcalde le pidió a su vicealcaldesa, Begoña Villacís, un extraño favor: que intentara criticar en público todo lo que pudiera su papel de portavoz nacional, que repitiera hasta la saciedad cada vez que tuviera una comparecencia pública que aquel cargo de partido era incompatible con ser regidor de una ciudad tan importante como Madrid, algo que necesitaba dedicación plena. Almeida no quería seguir siendo el portavoz del partido y no sabía cómo decírselo a Casado. Quería alejarse de una guerra interna que lo había salpicado de lleno. Pero no coló. Aunque Villacís siempre había criticado este doble rol de Almeida, no aceptó hacerle el trabajo sucio, según explican fuentes próximas a la vicealcaldesa.

Por otra parte, Almeida ordenó a Borja Carabante que iniciara una especie de investigación interna para esclarecer si desde la EMVS se había intentado contactar con detectives. Esa «investigación» se tradujo en dos hechos: una reunión y una llamada telefónica.

La primera se produjo el 12 de enero de 2022 en el Área de Vivienda con el propio Carabante; el concejal Álvaro González (presidente de la EMVS); el consejero delegado de la EMVS, Diego Lozano; y el autor de este libro, que entonces

[8] Esteban Urreiztieta, «Los mensajes privados de Ayuso a Casado durante la guerra interna del PP: "Con brechas así abiertas 2022 va a ser un infierno"», *El Mundo*, 9 de abril de 2022.

asumía las funciones de responsable de prensa de la EMVS: tras 20 años ejerciendo el periodismo en prensa escrita, había empezado a trabajar a finales de 2019, en el Ayuntamiento de Madrid. El salario era muy bueno y pensé que merecía la pena, al menos durante una legislatura, ampliar conocimientos y experiencias.

Carabante inició la conversación trasladando la preocupación de Almeida por una información que le había llegado y preguntó abiertamente si desde la EMVS se había contactado con detectives para espiar al hermano de Ayuso. La respuesta fue tajante: no. «Lo que le han contado al alcalde es que lo habría hecho alguien del departamento de comunicación de la EMVS», señaló Carabante, que incluso mencionó la agencia de detectives Mira, de Julio Gutiez. En ese momento solo había una persona en el departamento de comunicación: el que escribe estas líneas.

La respuesta dada a Carabante siguió siendo la misma: no. Nadie había contactado con esa agencia. Era un disparate. Carabante pidió entonces echar un vistazo a todos los contratos de la EMVS para despejar dudas. «Pero ¿cómo se va a contratar un detective desde la EMVS para espiar a alguien? Eso es imposible y surrealista», señaló Lozano. «La EMVS no se dedica a eso, y si alguien lo hubiera intentado el departamento jurídico y de contratación lo hubiera impedido. No es el objeto social de la EMVS». Carabante, no obstante, insistió en poder ver una relación de los contratos. Se le facilitó. Obviamente no había ningún contrato de la EMVS con ninguna agencia de detectives. El encuentro terminó. La reunión fue extraña. Carabante no parecía muy preocupado, teniendo en cuenta la gravedad del asunto. Yo le dije que creía que le habían contado una película con los protagonistas equivocados. Se alegró de que no hubiera nada y así quedó en trasladárselo a Almeida. Yo, por mi parte, no pude quitarme de encima la inquietud que me producía que alguien hubiera señalado a la EMVS como corazón de la confusísima y oscura trama. Más tarde sabría que Carabante solo estaba actuando, ejecutando un papel escrito por otros guionistas.

Lo que no se contó en esa reunión es que el concejal Álvaro González ya había hablado con el detective en cuestión, Julio Gutiez para intentar sonsacarle información. Pero un veterano como Gutiez no le iba a decir al primero que llamara con quién se reunía o se dejaba de reunir. La conversación fue filtrada después por el detective, que lo grababa todo, a un periodista del diario *El Mundo*[9]: «No se me ha dirigido nadie y si se me hubiera dirigido no voy a comentar con nadie quién se dirige a mí profesionalmente», le respondió el detective al edil González.

Carabante no quería airear más todo este embrollo así que, tras la reunión en el Área de Vivienda y la llamada al detective, cerró el asunto. El alcalde fue informado de que no había nada, que todo eran rumores sin confirmar y que lo mejor «es enterrar y olvidar este tema y no hablar más de él». Pero alguien no pensaba igual. Miguel Ángel Rodríguez, MAR, vio en aquel momento una posible oportunidad para atacar. Antes de que alguien publicara una noticia sobre la sospechosa comisión que se había llevado el hermano de la presidenta, podía ser más conveniente detonar otra bomba, su torpedo: Ayuso había sido víctima de un intento de espionaje por sus crueles y mediocres compañeros de partido. Aprieta el botón y la información llega a *El Mundo*.

[9] Esteban Urreiztieta, «El alto cargo municipal al detective: "Me ha llegado que alguien de la EMV le ha hecho un encargo; me alarma y estoy inquieto"», *El Mundo*, 21 de febrero de 2022.

La bomba de MAR empezó a estallar el 16 de febrero de 2022: Génova se enteró aquel día de que el diario *El Mundo* podría publicar una noticia al día siguiente que beneficiaría, y mucho, a uno de los dos bandos de esta guerra. La información era clara: desde una empresa pública del Ayuntamiento se contactó con un detective para intentar espiar al hermano de Ayuso. Saltaron todas las alarmas. MAR había movido ficha y se quiso adelantar. ¿Por qué en ese momento?

Porque Teodoro García Egea había cometido una torpeza. Días antes había compartido una comida en el Hotel AC Palacio Retiro con periodistas del Foro Arekuna, un club privado de veteranos plumillas y tertulianos que solían compartir mesa y mantel con políticos de diverso signo ideológico. Según algunos de los presentes, el secretario general del PP, ante el asombro de muchos, se fue de la lengua cuando uno de los periodistas presentes le preguntó: «¿Cómo están las cosas con Isabel?». La respuesta fue imprudente: «A Isabel nos la vamos a cargar por corrupta. No se puede ser presidenta de la Comunidad y tener a un hermano forrándose con el negocio de las mascarillas. No hay derecho. La hemos pillado y por eso ella quiere celebrar el Congreso de Madrid cuanto antes, porque ella ya sabe que esto va a salir a la luz y que lo mismo hasta la imputan». Según fue pronunciando Teo sus acusaciones, algún periodista se las mandó a un asesor de Ayuso, quien escribiría a otros periodistas presentes en la cita para confirmar si Teo García de verdad estaba contando todo eso. Lo ocurrido no tardó en llegar a los oídos de MAR, que temía que Génova pudiera tener ya los papeles de la comisión que se había llevado el hermano de la presidenta. Había que adelantarse, y por eso *El Mundo* saldría al día siguiente con la historia del supuesto espionaje.

Génova convocó a toda prisa un gabinete de crisis en la sede nacional del partido. Allí estaban el alcalde de Madrid, José

Luis Martínez-Almeida; el jefe de gabinete de Casado, Diego Sanjuanbenito; su jefa de prensa, María Pelayo; el vicesecretario de comunicación, Pablo Montesinos, y el secretario general, Teodoro García Egea. Durante la reunión se intentó por todos los medios que *El Mundo* retrasara la publicación de la noticia. «O conseguimos las pruebas que demuestren lo dicho en el anónimo o estamos muertos», dijo uno de los presentes. Teodoro García Egea llamó incluso al director general de Unidad Editorial, Nicola Speroni, para pedirle frenar la publicación con el argumento de que Ciudadanos podría romper su pacto de gobierno con el PP en la capital. Incluso un periodista de *El Mundo* acudió a Génova para hablar con Casado y Teo y pedir pruebas documentales de la comisión que se había llevado el hermano de Ayuso. Pero no las había.

Enfangados en tratar de parar la publicación en *El Mundo*, no repararon en que otro medio también tenía la información y una prueba muy sólida de lo que realmente había pasado. *El Confidencial* golpeó primero, y el 16 de febrero a las 21:28 horas publicó en exclusiva la siguiente noticia: «Fontaneros de Génova contactaron con detectives para investigar al hermano de Ayuso»[10]. Según este digital, «uno de los principales implicados en esta operación para derribar a la dirigente popular es Ángel Carromero, que tiene hilo directo con Pablo Casado y Teodoro García Egea y ocupa en la actualidad el cargo de director general de Coordinación del alcalde de Madrid, José Luis Martínez-Almeida». Hay que recordar que meses antes, en noviembre, un alto cargo del Ayuntamiento se había puesto en contacto con un periodista de *El Confidencial* para pedirle que les ayudara en sus investigaciones contra el hermano de

[10] José María Olmo, «Fontaneros de Génova contactaron con detectives para investigar al hermano de Ayuso», *El Confidencial*, 16 de febrero de 2022.

Ayuso. No solo es que se adelantaran, es que en *El Confidencial* sabían toda la historia desde hacía tiempo. Como reacción a esta exclusiva, *El Mundo* adelantó lo que tenía previsto publicar al día siguiente: «Un detective avisó a Díaz Ayuso de que le pidieron espiar a su familia desde una empresa municipal»[11].

Lo que vino a continuación fue un tsunami político y mediático, digno de estudiarse en las universidades y de protagonizar dramas políticos con aire de opereta. La autopsia de un partido que se abre en canal en vivo y en directo.

Almeida fue el primero en dar la cara a las 9:15 horas, y lo negó todo. «Hicimos un análisis interno para saber si el detective ha tenido algún trabajo o contrato con la Empresa Municipal de la Vivienda y Suelo, pero no hay ningún contrato. Una vez hechas estas averiguaciones concluimos que el detective niega la reunión, que el trabajador niega la reunión y que no hay ningún contrato». Almeida solo contó parte de la historia.

Después llegó el turno de Ayuso, que en una rueda de prensa sin preguntas aprovechó para soltar toda la bilis que llevaba meses acumulando contra Casado. «Aunque la vida política está llena de sinsabores, nunca pude imaginar que la dirección nacional de mi partido iba a actuar de un modo tan cruel e injusto contra mí. No puede haber nada más grave que acusar a alguien de la propia casa con responsabilidades de gobierno de corrupción; hacerlo sin pruebas metiendo por medio a mi familia, que nada tiene que ver con la política…», lamentó. Ayuso seguía las indicaciones de MAR, que sabía que se había iniciado una batalla final a vida o muerte en la que solo podía haber un vencedor. «Todo el mundo sabe desde hace

[11] Esteban Urreiztieta, «Un detective avisó a Díaz Ayuso de que le pidieron espiar a su familia desde una empresa municipal», *El Mundo*, 17 de febrero de 2022.

meses que esa dirección nacional estaba preparando un dosier contra mí». «Ahora que todo se sabe públicamente, exijo que se depuren responsabilidades en el partido tanto a nivel nacional como regional», sentenció. Sus consejeros, algunos más *casadistas* que *ayusistas*, tragaron saliva. Más de uno sabía lo que pasaría: o Ayuso mataba políticamente a Casado, o Casado la mataba a ella. No había vuelta atrás.

Pero en ningún momento de su intervención Ayuso negó el negocio de su hermano con la Comunidad. «La factura a Priviet Sportive no es una comisión por obtener el contrato de la Administración, sino el cobro de las gestiones realizadas para conseguir el material en China y su traslado a Madrid, que es distinto. Es una contraprestación por su trabajo, no una comisión por intermediación». Ayuso reconocía sin querer que lo que hizo su hermano fue conseguir las mascarillas y traerlas a Madrid, justo el objeto del contrato. Si el hermano lo hizo todo, ¿por qué no se presentó él directamente a la adjudicación y lo gestionó a través de un amigo? Porque sabía las implicaciones éticas de aquel movimiento. «Su hermano ha conseguido un beneficio colosal por unos días de gestiones para vender mascarillas a precio de oro en el peor momento de la pandemia y ella le da la vuelta a la tortilla y se presenta como víctima», sintetiza un excolaborador de Casado.

Tras Ayuso, salió al ruedo Teo García Egea. El secretario general esperó hasta las 15 horas para coincidir con el comienzo de muchos de los telediarios nacionales. Y fue a tumba abierta. En su intervención anunció que Génova abriría un expediente contra la presidenta madrileña por sus «acusaciones gravísimas, casi delictivas» contra el líder del PP y la cúpula del partido, y también para culminar la investigación sobre si había habido algún tipo de irregularidad en el contrato que se llevó el hermano de Ayuso. García Egea enfatizó además que «todavía estaban a la espera» de recibir unas explicaciones razonables de Ayuso sobre el contrato. «Muchos se preguntan si este asunto guarda relación con dicho congreso (del PP de Madrid). La respuesta es que sí. Desde que a la vuelta del verano se le solicita información a Ayuso, lo único que recibe esta dirección es una campaña masiva de ataques, de infundios y de calumnias (…). Esta dirección nacional no puede aceptar que nadie utilice las siglas para blindarse ante problemas en los que pueda verse envuelto». «Nunca pude imaginar que atacara de una forma tan cruel e injusta a la dirección de un partido que le ha dado todo», concluyó García Egea parafraseando a Ayuso. En *Terminator*, «todas las máquinas tienen un interruptor de apagado». Teo confiaba con sus palabras haber *desconectado* definitivamente a la Skynet Ayuso.

Como diría ese mismo día el presidente de Castilla-La Mancha, el socialista Emiliano García-Page, todo estaba sucediendo tan rápido que Netflix «estaba tardando en hacer una serie». Cayetana Álvarez de Toledo disparó contra Casado y Teo García Egea, señalando que, de sospechar irregularidades en el contrato, la dirección nacional de su partido tendría que haber llevado a la Justicia indicios para demostrar su ilegalidad, en vez de «utilizar métodos verdaderamente sucios, propios de un vertedero». También habló Aznar: «Ucrania está un poco menos mal que el PP, porque en este país no hay armamento nuclear». El vodevil ya no cesaría.

Almeida se sintió acorralado, y ese mismo día forzó la dimisión de Ángel Carromero. El alcalde le diría que era una exigencia de Begoña Villacís para no romper el pacto de gobierno en la alcaldía. «Otra mentira más del alcalde», aseguran desde Ciudadanos. ¿Por qué se iba Carromero? El regidor sabía que *El Confidencial* podría tener pruebas contra él. «Me voy para no poner en riesgo el Ayuntamiento, sabiendo que ninguna de las acciones que dicen que he hecho las he hecho. Yo no tengo que demostrar qué he hecho. Que lo muestren», se justificaría Carromero en *El País*.

La secuencia de los siete días entre el 17 y el 23 de febrero fue frenética, como si un científico demente estuviera mezclando en un laboratorio un cóctel letal con ingredientes diversos: imprudencia política por parte de Casado, activismo de los medios de la derecha (que tomó partido por la lideresa madrileña) y movilización en redes sociales. El experimento explotaría a favor de Ayuso.

La impericia de Casado se manifestó en la entrevista que concedió a Carlos Herrera en la COPE el 18 de febrero, un día después de la vorágine. Allí demostró que su relación con Ayuso estaba totalmente rota y se sinceró hasta romper definitivamente en mil pedazos la dura roca que creía que era su partido. Casado, sin saberlo, empezó a cavar su propia tumba.

«Lo importante es si después de ese contrato ha habido una transferencia a un familiar, y la cuestión es si es entendible que el 1 de abril, cuando morían 700 personas en España por la pandemia, se puede contratar con tu hermana y recibir 300 000 euros de beneficio con la venta de mascarillas. La información es que la comisión es de 286 000 euros, un importe que te hace pensar que ha habido un tráfico de influencias. Basta con decir si [el hermano de Ayuso] lo ha recibido o no, porque la ley impide contratar con familiares o personas interpuestas. Yo no estoy acusando, estoy preguntado. Lo más fácil sería decir que su hermano no ha recibido comisiones por el contrato (...) es fácil demostrar cuál es el contrato y cuál ha sido el beneficio, y esto se tenía que haber arreglado hace muchos meses. El problema es si después de ese contrato ha habido una transferencia de comisiones a un familiar. Es algo que se tiene que aclarar. Yo creo que no es ejemplar. Yo no permitiría que un hermano mío cobrara 300 000 euros por un contrato adjudicado por mi Consejo de Gobierno (...). La ley de la Comunidad de Madrid impide contratar con familiares», defendió Casado en la radio.

Casado creyó ser tajante, pero realmente se estaba inmolando. Y eso que al principio recibió mensajes de apoyo de algunos de sus más estrechos colaboradores en el chat del comité de dirección[12]. «Gran entrevista. Con claridad, seriedad y verdad», señaló Cuca Gamarra (portavoz en el Congreso); «Pablo, siempre ganas cuando además de con la razón hablas con el corazón. Hoy lo has hecho. Enhorabuena», le dijo Javier Maroto (portavoz en el Senado); «Sincero y honesto. Enhorabuena», escribió Belén Hoyo (presidenta del comité electoral). El vicesecretario de Participación, Jaime de Olano, envió un escueto «Fantástico». La portavoz del PP en la Eurocámara, Dolors Montserrat, se mojó un poco más: «Clarificador y sereno, como siempre, buena entrevista, presidente». Andrea Levy, responsable del comité de garantías, remató en el mismo grupo: «Estupendo, sereno, cercano y claro». Elvira Rodríguez, vicesecretaria de Acción Sectorial, señaló: «El presidente ha estado estupendo y muy clarito. Y sin meterse ni dejarse meter en más jardines de los imprescindibles. Ese es el camino. Ánimo».

Pero no eran mensajes sinceros. Después de esta entrevista todo el PP empezó a cerrar filas con Ayuso. Como escribiría Ignacio Escolar en *eldiario.es*, «Casado no cae por incumplir la Constitución con su bloqueo a la renovación del Poder Judicial. Ni por sabotear la llegada de los fondos europeos a España, ni por su máster regalado. Al presidente del PP lo

[12] Javier Casqueiro, «Mensajes de los fieles a Casado antes de la traición: "Enhorabuena, seriedad y verdad. Ese el camino"», *El País*, 19 de febrero de 2023.

echan por haber roto la *omertà*»[13]. Es decir, que el gran pecado de Casado fue atreverse a denunciar abiertamente un presunto caso de corrupción, en lugar de tratar de limpiar los trapos sucios dentro de casa. Con discreción y en silencio. El partido no perdonaría que un problema interno saliera de un círculo íntimo y se extendiera por todos los mentideros políticos de Madrid. En definitiva, que un trapo sucio se convirtiera en una película cutre de conspiraciones y espías de medio pelo.

La tarde del viernes 18, después del cruce de acusaciones entre ambos bandos, Casado citó de nuevo en su despacho a Ayuso. La presidenta madrileña recibió la llamada del presidente nacional mientras se encontraba con un grupo de periodistas en una terraza de la plaza de Santa Ana intentando afianzar el apoyo de ciertos medios a su causa. Antes de llegar (Ayuso viajaba en un coche con los cristales tintados), la presidenta madrileña vio andando por una calle aledaña a Génova a un alto cargo del Ayuntamiento que, según le dijeron, tenía muchas de las repuestas sobre el presunto espionaje. ¿Qué hacía saliendo de la sede del PP?, se preguntó Ayuso. Pablo e Isabel se reunieron. El primero se sabía perdedor de la batalla mediática y por eso propuso cerrar el expediente abierto el día anterior si Ayuso reconducía la situación negando públicamente el presunto espionaje en un comunicado pactado entre ambos bandos. No coló.

«Ayuso ve tan desesperado a Casado que ya sabe que ha ganado. Se niega. Lo ve como otro chantaje y no acepta», explica una fuente a la que Ayuso contó lo sucedido esa tarde. Al parecer, Casado también propuso hacer un trueque para intentar atajar la crisis: la cabeza de García Egea por la de

[13] Ignacio Escolar, «El PP humilla a Casado por romper la omertá», *edliario.es*, 22 de febrero de 2022.

MAR. Los dos a la calle. Ayuso tampoco aceptó. El día 19, *El Mundo* echó más leña al fuego con una noticia titulada[14]: «Implicados en el espionaje a Ayuso señalan que el encargo inicial partió de la "sala de guerra" de García Egea». Uno de esos implicados había decidido tirar de la manta hablando con el diario a cambio de no aparecer en la información. La noticia señalaba que «el secretario general del partido, Teodoro García Egea, y su jefe de gabinete, Pablo Cano, que conformaban lo que denominaban internamente como "la sala de guerra", hicieron llegar el pasado mes de agosto al entonces coordinador de la Alcaldía de Madrid, Ángel Carromero, la información fiscal del hermano de la presidenta, Tomás Díaz Ayuso. El objetivo era que Carromero intentara conseguir por todos los medios pruebas documentales que la confirmaran». El diario acusaba directamente a tres personas: Egea, Cano y Carromero. Y dejaba fuera a otros actores.

El resultado de esa guerra no se puede entender sin la superioridad táctica ayusista en el frente mediático. Como ya hemos dicho varias veces, quien controla la pasta de la publicidad controla a los medios e impone el discurso que quiere que prevalezca. La mayoría de los medios conservadores apoyaron a Ayuso en esta batalla interna. *El Mundo*, sin ir más lejos, lanzó un editorial titulado «El PP no puede seguir en estas manos». ¿Y los barones regionales? ¿Y el resto del aparato institucional del PP? ¿Por qué apoyaron en masa a Ayuso? La prensa marca el camino a seguir para los actores políticos, que no quieren que la marea les arrastre. Muchos olieron que Casado sería el gran perdedor y que Ayuso saldría airosa y victoriosa.

[14] Esteban Urreiztieta, «Implicados en el espionaje a Ayuso señalan que el encargo inicial partió de la "sala de guerra" de García Egea», *El Mundo*, 20 de febrero de 2022.

Como relató el escritor y periodista Guillem Martínez en el digital *Contexto*[15], la batalla también se desarrolló «en los medios acólitos», pero no a partir de la información, «sino a través de su sentimentalización, de su orientación y de su manipulación... La política como percepción, como trumpismo, se desarrolla en los medios».

En aquel contexto, Ayuso tenía todas las de ganar. Según Martínez, «desde el *Ayusato*, la Comunidad de Madrid ha aumentado su gasto en medios en un 200 %. Los pagos —a campañas directas, al menos— no se realizan bajo el criterio de la difusión —esto es, cobra más el diario que más vende—, sino desde el criterio de la proximidad —cobra más el más acólito—. El resultado son medios que prolongan el poder». El mejor ejemplo era el de Federico Jiménez Losantos: en 2020 y 2021 sus medios de comunicación recibieron 665 000 euros en publicidad institucional de la Comunidad de Madrid, aunque no figuraban entre los 25 más leídos. Esa cifra ascendió a 1 023 000 euros los dos siguientes años (2022 y 2023)[16]. Su ristra de improperios contra Casado, Teo García Egea y Almeida fue antológica: «traidores», «garrulos», «tontos», «lelos», «bobos», «idiotas», «Judas», «matones», «mafia repleta de basura», «miserables», «besugos que huelen mal»...

La catástrofe de la dirección nacional se fue magnificando conforme pasaban los días. Durante el fin de semana, Casado perdió el apoyo de los barones regionales. Núñez Feijóo (Galicia), Moreno Bonilla (Andalucía), Fernández Mañueco (Castilla y León) y López Miras (Murcia) ya estaban maniobrando para que García Egea dejara la secretaría general. Todos sabían

[15] Guillem Martínez, «Su lucha», *Ctxt.es*, 22 de febrero de 2022.
[16] Yago Álvarez Barba, «Ayuso y Jiménez Losantos: 1,7 millones de euros en publicidad institucional en cuatro años», *El Salto*, 2 de agosto de 2024.

que aquella pelea a navajazos televisada minuto a minuto solo beneficiaba a Pedro Sánchez y a Santiago Abascal (que se llevaría votos del PP). «Estoy viendo cómo hay una discrepancia profunda entre la dirección del partido y la presidenta de la Comunidad de Madrid que no tenemos por qué soportar. Yo, lamentablemente, tampoco entiendo el espectáculo», señalaba Núñez Feijóo, que pidió a Casado que «cuando uno mete la pata, y la mete profundamente, lo tiene que solucionar». Era la voz autorizada por la que hablaban el resto de barones.

El PP, azuzado por los poderes fácticos de los medios de la derecha y el anonimato de las redes sociales, se destrozaba por dentro como en una película gore. Lo definió a la perfección la periodista Pilar Gómez en *El Confidencial*[17]: «En las redes sociales se había creado un clima de opinión. En el partido, los que intentan echar a Casado lo hacen con el argumento de "la calle no lo quiere". En la sociedad de hoy "la calle" es Twitter y a nadie le preocupa si es real lo que pasa allí. El escalón siguiente del ejército virtual de Vox era proporcionar a Ayuso el puñal con el que matar a Casado. El pueblo dará su veredicto a golpe de tuit. Basta con dirigir a la masa hacia donde uno quiere: #YoconAyuso y #Casadodimisión. Más de 10 000 cuentas operando y el todavía presidente acabó devorado por los leones». El 20 de febrero unas 3000 personas, según la Delegación de Gobierno, se citaron «espontáneamente» en Génova para protestar contra Casado y Egea y dar su apoyo a Ayuso. Hubo pocos calificativos que se ahorrasen en esa concentración de *isabelinos*: cobardes, traidores, bandidos, peleles, mafiosos, niñatos, cómplices de Sánchez, Egea a prisión… incluso «fra-Casado», sin duda el más original.

[17] Pilar Gómez, «La calle o las 10.000 cuentas de Twitter por las que el PP ejecutó a Casado», *El Confidencial*, 1 de marzo de 2022.

Génova recibió incluso un centro funerario con el lema «Pablo Casado, siempre te recordaremos». El youtuber Víctor Domínguez, más conocido como «Wall Street Wolverine», reconoció ser el autor de esta macabra broma.

En contraste, gritos de «¡Oa, oa, oa, Ayuso a la Moncloa!» y carteles con el lema «Ayuso Moncloa 2023» relucieron entre las mareas de insultos. Los militantes ya habían tomado partido. El círculo de Casado menospreció la manifestación defendiendo que en la protesta había infiltrados de Vox. Casado había trasladado ese fin de semana a su mujer y a sus hijos a la casa que tenía en la sierra de Gredos para intentar aislarlos y protegerlos de la tormenta mediática que se estaba generando.

Finalmente, el comité de dirección (un grupo de once elegidos) se reunió con el presidente nacional el lunes 21 para pedirle cambios. El viento había virado en contra de Casado y Teo García Egea. El encuentro se alargó durante horas de tensos reproches (solo interrumpidos para comer). Algunos de los miembros ese comité, como Andrea Levy, dimitirían para presionar a Teo García y Casado. Levy, presidenta del Comité de Garantías, se enteró en esa reunión de que había dos expedientes abiertos sin su consentimiento contra Ayuso: uno por el contrato del hermano y otro por las declaraciones incendiarias de la presidenta madrileña durante su rueda de prensa contra Casado. Es decir, Teo García decidía por su cuenta. La reunión de la directiva fue descarrilando paso a paso. Belén Hoyo, presidenta del Comité Electoral, señaló a García Egea y le espetó a Casado: «Si este señor sigue, yo me voy». La mayoría del comité quería que Casado cesara a su secretario general. «Teodoro es lo peor que te ha pasado», le dirían a Casado algunos miembros de ese comité directivo. Muchos de ellos amenazaron con irse si no caía el secretario general. El otro reproche que sufrió la dirección nacional fue este: «Habéis basado todas las acusaciones contra Ayuso en un anónimo». A nadie parecía importarle si el anónimo decía la verdad.

Si se producían esas dimisiones, se forzaría una Junta Directiva Nacional en la que, si el 50 % de los miembros así lo pedían, se podría votar la convocatoria de un congreso extraordinario. Casado consiguió frenar la rebelión y el reguero de dimisiones a cambio de convocar al día siguiente, martes, esa Junta Directiva Nacional para anunciar el congreso extraordinario.

El 22 de febrero Almeida presentó su dimisión como portavoz nacional del partido. No acudió el día antes al comité de dirección. Prefería alejarse del aquelarre que se venía encima. El alcalde aprovechó la coyuntura para apartarse de un cargo que nunca quiso, aunque lo vendiera como un movimiento que reclamaba su equipo para «dedicarse en exclusiva» a sus responsabilidades como alcalde. Almeida decidió saltar de aquel barco condenado a hundirse, al que sin embargo Casado se aferraba como timonel. Casado y García Egea no sabían que estaban muertos políticamente. En Génova, el líder todavía se permitía bromear macabramente ante la gravedad de la situación: «No tengo la espalda tan grande para tanto cuchillo».

El germen de la rebelión se extendió rápidamente al grupo parlamentario en el Congreso. Allí la encabezó un diputado por Huesca, Mario Garcés, que se unió a otros seis compañeros, unidos por su odio a Teo García Egea, alias «el aceituno», para firmar un manuscrito exigiendo la «destitución inmediata del secretario general» y la convocatoria de un congreso extraordinario. Entre los firmantes también estaban Pablo Hispán (quien fuera jefe de gabinete de Casado) y Adolfo Suárez Illana (a la sazón amigo personal del presidente popular). Casado y Egea estaban solos. No les apoyaba la militancia, ni el comité de dirección, ni el grupo parlamentario en el Congreso, ni la mayoría de los barones territoriales.

Con este escenario todo se precipitó. Teodoro García Egea dimitió el 22 de febrero por la tarde tras discutir con un Pablo Casado que se sentía engañado. García le había asegurado que su dimisión podría ayudarle a controlar la situación y recabar apoyos suficientes en el grupo parlamentario y en los presidentes provinciales para hacer frente a los barones. Pero era mentira. Pero, por encima de todo, a Casado le decepcionó el modo en que su mano derecha había gestionado todo aquel asunto. ¿Informó Teo a Casado de que estaban investigando al hermano de Ayuso? O, dicho de otro modo, ¿informó Teo de cómo lo estaban investigando?

La noche de aquel 22 de febrero, Egea da una entrevista a La Sexta donde confirmó su dimisión. «Ser secretario general de un partido político es ser el malo de la película, lo más difícil que existe (…). No he hecho nada malo, me he ido voluntariamente (…). A Pablo Casado le seré leal siempre: es una de las mejores personas que yo he conocido: es una persona honesta y de principios (…). Me voy para facilitar que haya un congreso», señaló.

En su realidad alternativa, Casado pensaba que sacrificando a su escudero se podría salvar de la quema. El presidente gallego, Alberto Núñez Feijóo, le dijo que con una sola cabeza no bastaría. «Tienes que renunciar ya», le ordenó. El barón gallego ya había convencido al resto de que Casado había tomado decisiones que no convenían al partido, que el PP estaba por encima de personalismos y que debía actuar en «legítima defensa». Más aún a tres meses de las elecciones andaluzas.

El miércoles 23 por la tarde, Casado y Núñez Feijóo se reunieron dos horas antes de hacerlo con el resto de barones territoriales. Tras este encuentro, los barones y el líder popular pactaron el desenlace. Casado dejaría de ser presidente del PP, pero no inmediatamente, sino que seguiría hasta el congreso extraordinario fechado para los días 2 y 3 de abril. El todavía presidente prometió no ejercer, ser un simple «jarrón chino» y facilitar la transición. Como diría el periodista Raúl del Pozo, Casado era en esos momentos «un gato acorralado, solo apoyado por los enemigos de su partido». Se va sin entender lo ocurrido: «Podré haber hecho algo mal, pero no he hecho nada malo», repetirá hasta la saciedad. A la una y media de la madrugada, el PP difundió un comunicado en el que firmaba su rendición y se comprometía a no presentarse al próximo congreso extraordinario de abril. Su vía crucis terminó la misma noche en que estalló la invasión rusa de Ucrania. Hay quien todavía se pregunta en el PP qué habría ocurrido si la invasión de Putin hubiera comenzado días antes.

Muerto ya Casado, la Comunidad de Madrid informaría, casualmente, de que Tomás Díaz Ayuso facturó a la empresa Priviet Sportive un montante total de 283 000 euros en 2020 (Casado cifró la cantidad en 286 000 euros y Anticorrupción en 234 203 euros en una investigación posterior que acabó archivando), explicando que la cifra «se sustancia en cuatro facturas, correspondientes a cuatro trabajos diferentes». De estas cuatro facturas, argumentaron, «solo una de ellas tiene que ver con un contrato de la Comunidad de Madrid». Teo García Egea siempre pensó que las otras tres facturas eran una simulación que acabaría estallándole al hermano de Ayuso y, por ende, a la presidenta madrileña.

El *casadismo* murió así en unas pocas jornadas frenéticas que terminaron con la llegada al poder de Alberto Núñez Feijóo entre finales de febrero, marzo y abril, y la entronización de

Ayuso en mayo como presidenta del PP de Madrid. Casado se convirtió de esta manera en el primer líder nacional del PP votado por los militantes y derrocado por sus dirigentes. Con Skynet llegó el holocausto político del PP, su particular día del juicio final. «Ayuso ganó con su sistema. Chunga cuando toca, dulce cuando interesa. Víctima siempre», señala un dirigente popular.

Ayuso *enterró* definitivamente a su exhermano Casado en una entrevista en *ABC*[18].

—Pregunta: «Fue él quien confió en usted para que fuera candidata. ¿No le da pena que se haya acabado así su amistad?».

—Respuesta: «Ya no me planteo estas preguntas. Hace cuatro meses, sí, pero ahora ya ni siquiera lo pienso. Mi madre me ha enseñado que no debo dejarme llevar ni por las grandes pasiones ni por las grandes decepciones, sino por la responsabilidad. Todos los días tengo Consejo de Gobierno, gestión, dificultades, problemas... e intento tener el corazón y la cabeza tranquilos para tomar buenas decisiones sin dejarme llevar ni por la relajación ni por el conformismo ni por los triunfos ni por las tristezas ni por las decepciones. Procuro ser la de siempre, creo que en eso no he cambiado nada, pero, en su lugar, intento tener el corazón de piedra».

Ya se sabe que en política todos los amigos son falsos, y todos los enemigos, verdaderos. Ayuso le contaría luego a un importante dirigente popular que también apareció en las quinielas para ser candidato a la Comunidad de Madrid «que Pablo solo me eligió a mí en 2019 porque me tenía menos miedo que a ti».

[18] Paloma Cervilla y Sara Medialdea, «Isabel Díaz Ayuso: "No quiero lastres a mi alrededor, se acabó hacer un club de amigos en el PP"», *ABC*, 2 de mayo de 2022.

Está claro que Casado se equivocó. El corazón de piedra de la joven de Chamberí había logrado lo impensable. El *ayusismo* ya era un movimiento imparable. Si en 2019 la gente se reía de sus ayusadas, la nueva Lady Madrid había sido capaz desde entonces de destruir a Ciudadanos, frenar el crecimiento de Vox, echar de la política a Pablo Iglesias, reducir al PSOE madrileño a su mínima esencia, frenar la creciente trayectoria de Almeida y matar *políticamente* a Pablo Casado, la persona que la ayudó como nadie en su carrera política. El supuesto espionaje quedó diluido con el paso del tiempo. Hubo una comisión de investigación en el Ayuntamiento de Madrid que quedó en nada. Una vez que Ayuso consiguió lo que quería, la prensa no removió más el asunto. Ya no interesaba. No convenía que salieran más mierdas ocultas del partido, no fuera que tanto cotilleo dañara las expectativas electorales de los populares. La polémica se diluyó como un azucarillo. Desde la crisis del PP Ayuso ya vuela libre, y puede decir lo que quiera y cuando quiera camino de la Moncloa. Sí, camino de la Moncloa. Su objetivo es, y lo ha logrado, estar todos los días en televisiones, radios y digitales. Habla de cualquier tema, ya sea de alcance madrileño, nacional o internacional. Da igual que lo que diga se ajuste o no a la realidad. Eso sí, no ha vuelto a cruzar ni una sola palabra con su «hermano» y mentor Pablo Casado.

Skynet.

Nunca una caña fresquita bien tirada dio tanto de sí.

POSDATA 1: Pablo Casado abandonó la política y desapareció de la escena pública. Trabaja para el fondo de capital riesgo Hyperion Fund FCR, enfocado en los ámbitos aeroespacial, de ciberseguridad e inteligencia artificial, y de defensa de doble uso (excluyendo armas y equipamiento letal). Tiene como socio al sobrino de Ana Botín, Ricardo Goméz-Acebo Botín. Tras ocupar cargos públicos ligados al PP desde 2004 hasta 2022, tuvo que reinventarse. Recientemente ha sumado una nueva actividad empresarial a su repertorio. Es el nuevo administrador único de la compañía Atlantic Basin, dedicada a todo tipo de iniciativas de impulso empresarial, creación intelectual y emprendimiento. Su última aventura profesional ha sido poner en marcha un proyecto de inteligencia artificial (IA) junto a la empresa japonesa Data Section.

POSDATA 2: Teodoro García Egea también ha vivido su personal proceso de desintoxicación de la política. De momento ha escrito un libro titulado *Criptoeconomía; Más allá de bitcoin: oportunidades del nuevo sistema financiero* y ha aprovechado sus estudios de ingeniería de telecomunicaciones para adentrarse profesionalmente en el complicado mundo de criptomonedas, inversiones y conferencias. Su vida ha cambiado totalmente. Mantiene una relación con Casado menos fluida de lo que le gustaría y sigue la política con distancia. Vive entre Londres y Madrid y sigue pensando en su fuero interno que Ayuso tiene los días contados. Políticamente hablando.

POSDATA 3: los hermanos Ayuso intentaron averiguar quién les había traicionado, quién había enviado ese anónimo a Génova, a varios medios de comunicación e incluso a un partido de la oposición como Más Madrid. Tras hacer varias pesquisas, apareció un candidato: Juan Díaz Alonso, amigo de Pablo Casado desde hacía años y alcalde del PP en el municipio abulense de Higuera de las Dueñas, localidad vecina de Sotillo de la Adrada, el pueblo de los Ayuso y de los Alcázar.

Juan Díaz trabajaba además en banca y, según deslizó el entorno de Ayuso, «su trabajo le permite tener acceso a la declaración de Hacienda de Daniel Alcázar». Además, estaba casado con Gema Ruiz, exmujer del exministro Francisco Álvarez Cascos. Precisamente, entre los invitados a esta boda estuvo Daniel Alcázar, según publicó *El Español*[19]. Al verse señalado, Juan Díaz emitió un comunicado negándolo todo. Aunque era empleado de Bankia (luego Caixabank), aseguró que «nunca ha sido gestor de las cuentas de la empresa Priviet Sportive», ya que en la oficina en la que trabajó «no se gestiona ni esa cuenta ni esa empresa». Afirmó además que «no existe ningún acceso o consulta míos a la cuenta de esa empresa. Así lo acredita el control de acceso telemático». Por último, señaló que «no es cierto que yo haya informado a la cúpula del partido de nada relacionado con el hermano de la presidenta».

[19] Marcos Ondarra, «El PP investiga al alcalde de Higuera de las Dueñas como posible autor de las filtraciones contra Ayuso», *El Español*, 3 de marzo de 2022.

9. JUDAS Y «LA EMPERATRIZ»

José Luis Martínez-Almeida apareció con media melena peinada con raya a un lado (al estilo Aznar) cuando en diciembre de 2022 se armó de valor y decidió sentarse en los estudios de Esradio ante los micrófonos de Federico Jiménez Losantos. Llevaba dos años sin pasar por la emisora del periodista que más lo había vilipendiado durante la batalla fratricida entre Isabel Díaz Ayuso y Pablo Casado. La lengua afilada y viperina del gurú mediático de la derecha más estentórea seguía chapoteando en la furia. Nadie se salvaba de su verborrea: Pedro Sánchez era *Falconeti*; Pablo Iglesias, el *marqués de Galapagar*; Mariano Rajoy, *maricomplejines*; el matrimonio formado por Iván Espinosa y Rocío Monasterio, *el monasterio espinoso*; Íñigo Errejón, el *bebé probeta*, Greta Thunberg, *la niña de la Curva Ecológica*; Ángel Carromero, *carroñero*...

Para Jiménez Losantos, Almeida había sido simplemente un «judas» y un «traidor» por alinearse a favor de Casado y en contra de Ayuso. Así que, una vez finalizada la guerra civil, el alcalde, con traje azul y corbata verde, confirmó ante un micrófono su condición de vencido y derrotado. El periodista, cuya emisora recibía importantes campañas de publicidad de la Comunidad de Madrid (1.7 millones en los años 2020, 2021, 2022 y 2023), se había posicionado claramente del lado de la presidenta y siempre criticó al regidor capitalino. Lo llamó «cobarde, tonto y lerdo» por seguir el juego a Teodoro

García Egea y apostar por una tercera vía para presidir el PP de Madrid en detrimento de los intereses de la lideresa madrileña.

A pesar de los insultos recibidos, Almeida plegó velas y utilizó la entrevista para entonar el «mea culpa»: «No tenía nada contra Isabel, pero defendía otro modelo. Me equivoqué. Hay que reconocerlo». «Yo soy a veces un cabeza cuadrada —sentenció—. Pero el modelo de tercera vía lo defendía yo un año antes de que empezara el enfrentamiento, y así se lo dije a Isabel en una comida. Debí dejar de defender ese modelo, pero esto no quiere decir que yo soy un Judas Iscariote, término que se ha utilizado en este programa». Losantos, sin medias tintas, le contestó de inmediato: «No, simplemente un judas».

El alcalde estaba obligado a hacer público su arrepentimiento. La refriega barriobajera a *puñaladas* que vivió el PP en la primavera de 2022 le había dejado irremediablemente señalado. Él había apoyado al bando de los vencidos. De momento, se había salvado de la quema. Las cabezas de Casado y Teo García ya colgaban de una pica y, con las elecciones municipales de mayo a la vuelta de la esquina, Almeida quería dar buena imagen y convencer a Génova para que le eligieran de nuevo como candidato a la alcaldía de Madrid. Quería seguir en el juego de tronos. Cuando acudió a los micrófonos de Losantos estaba casi confirmado para el puesto, pero hacía tiempo que le había llegado una información que, en cierta manera, lo seguía inquietando: Ayuso, quien supuestamente lo había perdonado, había encargado una encuesta interna para valorar a otros dos candidatos a la alcaldía. Aviso para navegantes. Sin embargo, Feijóo quería que Almeida siguiera, así que los colaboradores más próximos del gallego habían trasladado a Lady Madrid que lo mejor era que pasara página de una vez y cerrara las heridas que había dejado aquella batalla por el poder.

Una de las consecuencias más claras de la victoria de Ayuso, ya como presidenta y líder indiscutible del PP de Madrid, fue su papel en la confección de la lista que acompañaría a Almeida en los comicios de mayo. El nerviosismo cundió en Cibeles, más de un edil se veía fuera. Varios concejales se lamentaban de que en algunos actos de partido ya no tenían ni sillas disponibles para poder sentarse. Se sentían señalados. Almeida acudió al programa de Jiménez Losantos como una especie de penitencia para obtener el perdón del principal valedor mediático de la presidenta. «Usted era una pieza clave dentro de la obsesión de Casado y García Egea para cargarse a Ayuso», le dijo el locutor. «Yo tengo una personalidad propia», contestó Almeida. «Por mucho que la gente haya dicho, la relación que ha habido entre Isabel y yo...», intentó defenderse el alcalde.

Losantos, que manejaba información de primera mano, le cortó en seco: «Ojo, ojo, ojo». «Porque es Navidad y viene usted con cara de bueno, pero no crea que me engaña», le dijo Losantos mirándolo fijamente a la cara. Almeida sonreía forzado. El trato entre el periodista radiofónico y el regidor se recompuso tras la entrevista. El dinero siempre ayuda. No hay más que echar un vistazo a la publicidad institucional del Ayuntamiento para comprobar que en 2023 el Consistorio dirigido por Almeida inyectó 132 000 euros a los medios de Jiménez Losantos, cifra que subiría a 226 000 euros en 2024.

Almeida salió vivo de aquella entrevista. Pero el problema no se acabó una vez apagado el micrófono: el PP de Madrid siguió siendo un ecosistema nutrido constantemente de la desconfianza. Ayuso sabía muy bien que Almeida nunca quiso que ella presidiera el PP de Madrid, pero además le había llegado el soplo de que existían unos mensajes de WhatsApp escritos durante la batalla interna que se libró en el PP. «Una persona cercana a Almeida habría roto su confianza al hacer llegar a la presidenta comentarios y mensajes de móvil en los que el alcalde era crítico con Ayuso», llegó a publicar *El Confidencial*[1]. Esos supuestos mensajes no dejarían en buen lugar a la lideresa madrileña, reflejando lo que Almeida siempre había pensado de Ayuso. «Con respecto al chivato/a atentos al trasvase de Cibeles a Sol la próxima primavera [tras las elecciones]», sentenciaba el artículo.

La desconfianza popular se sembraba a base de numerosos rumores. «Existen unos vídeos que comprometen al alcalde». Mucha gente decía haberlos visto, pero nadie los tenía. ¿Qué vídeos? Todos coincidían en lo mollar, pero variaban en los pequeños detalles: «El alcalde, con una copita de más, en uno de los locales que le gusta frecuentar, bromeando con el físico de un concejal que va en silla de ruedas, y este respondiendo, metiéndose con la altura del Almeida. Bromas de mal gusto entre buenos amigos, nada más», explica una fuente que los describe. Rumores y más rumores.

Echando la vista atrás, Almeida reconoció a sus íntimos que 2022 no fue un buen año para él. No solo se hizo público el caso Medina y Luceño que salpicaba a su primo y que revelaba que el Ayuntamiento se había dejado timar, sospechosamente, con mucha facilidad, sino que el conflicto desatado entre Casado y Ayuso casi había acabado con su carrera. Para salvarse, el alcalde tuvo que sacrificar a uno de sus más fieles colaboradores: Ángel Carromero, un tipo que solo había conocido una vida dentro de las filas populares y que se llevaba con él demasiados secretos.

[1] Pilar Gómez, «Almeida y el "chivatazo" a Ayuso que complica el futuro del alcalde», *El Confidencial*, 6 de julio de 2022.

Almeida sobrevivió al juicio final provocado por la Skynet de Chamberí, pero quedó muy tocado anímicamente. Por más que el alcalde inaugurara obras (pocas), hiciera entrevistas en medios afines, acudiera a eventos o anunciara algunos proyectos, no lograba marcar la agenda como antes. «El desgaste fue evidente en 2022, y al alcalde se le agrió un poco el carácter», admite un alto cargo del Ayuntamiento. «Incluso perdió peso». Una amiga personal asegura que el regidor aprovechó aquel mal momento para reinventarse un poco. Contrató a la pareja del concejal de Centro, José Fernández, para que fuera su entrenador personal, y empezó a hacer ayuno intermitente. Nada mejor que una crisis política para cambiar un poco el estilo de vida.

Ayuso se hizo con la presidencia del PP de Madrid y diseñó una dirección a su medida, de su absoluta confianza y a prueba de discrepancias. Para ello dejó un reguero de cadáveres por el camino, por mucho que Génova le pidiera contención. Así lo reconoció la propia Ayuso en mayo de 2022 en el discurso en el que presentó su candidatura: «No creo en las cuotas» y «nadie es insustituible». La presidenta arrasó con el 99.12 % de los votos. Y empezó a mandar sin complejos. Como prueba de su absolutismo, la presidenta incluyó en la dirección autonómica al alto cargo de la Consejería de Sanidad que firmó de su puño y letra el famoso contrato de mascarillas durante la pandemia. Contrato que, posteriormente, le supondría al hermano de la propia Ayuso una jugosa comisión.

A Almeida, que como alcalde y según mandaban los estatutos del partido también fue incluido en el comité de dirección del PP de Madrid, solo le quedaba agachar la cabeza y tragar con lo que viniese. No quedaba otra. El mismo Almeida que hacía meses le hacía el juego a Casado apostando por una tercera vía para presidir el PP madrileño, que jugó con postularse para el cargo, que iba diciendo a periodistas que Ayuso no debía presidir el partido y que iba insinuando que se deberían mirar ciertos contratos sospechosos, se entregaba en cuerpo y espíritu a la nueva lideresa. Aquí está tu «partner» y tu «soldado», expresó el primer edil en su breve discurso en el congreso regional. Almeida se convertía de la noche a la mañana en el Terminator más fiel.

Ayuso, por su parte, tenía tantas ganas de ser presidenta del PP de Madrid que al congreso regional del partido que la coronó en mayo de 2022 lo llamó: «Ganas». Obviamente, Casado no fue invitado ni salió en el vídeo que se preparó para conmemorar tan magno acto. Almeida se tragó con silencio disciplinado la purga que hizo Ayuso. Uno de los nombres más ilustres que desapareció del organigrama fue la secretaria general saliente, Ana Camins, fiel apoyo de Casado durante la guerra civil. Durante su rendición de cuentas ante el plenario del congreso, Camins tuvo que interrumpir varias veces su discurso y pedir amparo al presidente ante el ruido de las conversaciones que mantenían maleducadamente sus compañeros de partido sentados en el salón de actos. Nadie quería oír ya a un cadáver político. Camins, sin embargo, tuvo la dignidad de nombrar a Pablo Casado. Fue la única mención al antiguo líder, de quien solo quedaba, en aquel congreso, la versión rockera «a lo Bruce Springsteen» del himno del PP que Casado había encargado tiempo atrás a Manuel Pacho.

Todo aquel que tenía mala relación con Ayuso o era del entorno de Casado desapareció de la dirección regional. Los dos consejeros que eran vicesecretarios, Carlos Izquierdo y David Pérez, ambos *casadistas*, dejaron sus funciones en el nuevo organigrama. Almeida también pagó su particular peaje. El vicesecretario Electoral, Borja Carabante, mano derecha del alcalde y alguien que sabía demasiado de lo que se coció durante el presunto espionaje, fue reubicado como un simple vocal del comité ejecutivo. Tampoco repitieron el anterior secretario de Programas, el diputado regional Diego Sanjuanbenito (el último jefe de gabinete de Pablo Casado). La edil de Obras de Almeida y anterior presidenta del Comité Jurídico del PP de Madrid, Paloma García Romero, también desapareció del organigrama.

Ayuso, cuando purga, purga de verdad. Renovó al 80 % de la cúpula del PP de Madrid. En un corrillo con periodistas, la presidenta aseguró que no iba a dejar pasar a quien había puesto «en tela de juicio la honorabilidad» de su gobierno en el asunto de la comisión de su hermano. Si en el anterior comité de dirección Almeida contaba con hasta diez personas de su confianza, ahora solo tenía a tres. Y uno de ellos era él mismo, que estaba por obligación estatuaria. «Quiero jóvenes del Partido Popular. No viejos de Nuevas Generaciones», señaló también la presidenta, que hizo otra limpia para borrar a todo lo que oliese a Carromero en la organización juvenil del partido, nombrando presidente a un chaval de 21 años que fue colocado después como concejal en el municipio de Las Rozas cobrando 1200 euros de dietas por asistencia a cada Pleno.

Ejecutados los pertinentes y aceptados los castigos, Almeida intentó recomponer su relación con Ayuso, que seguía midiendo al milímetro su aparición conjunta con el alcalde y que seguía desconfiando profundamente de él. Uno de los asesores de máxima confianza de la presidenta se reunió en 2023, en una cafetería cercana a la Puerta del Sol, con una de las personas que más sabía sobre el presunto intento de espionaje.

—Lo que quiere saber la presidenta es que si se puede fiar de Almeida —preguntó el enviado de Ayuso.

—Que se lo pregunte directamente a él. Ambos ya han vuelto a decir públicamente que de nuevo son muy amigos y *partners* —fue la respuesta que obtuvo.

—El problema es que Almeida es un mentiroso compulsivo —respondió de nuevo el asesor.

—Yo lo que sé es que gente que estuvo metida de llena en el espionaje sigue trabajando en el Ayuntamiento de Madrid —sentenció su interlocutor. De hecho, uno de ellos, tras un breve periplo en el sector privado, exigió volver al equipo municipal tras llamar personalmente al regidor y recordarle todo lo que sabía y lo que hicieron por él durante la tragicomedia que supuso la guerra civil entre Ayuso y Casado. Su salario ascendió hasta los 95 000 euros anuales. El precio del silencio.

Almeida, por su parte, intentó reorganizar su equipo. En mayo de 2022 fichó como jefe de gabinete a Óscar Romera, doctor en Ciencias Económicas, profesor universitario y con una amplia experiencia como *fontanero* del partido en Ayuntamientos, la Comunidad de Madrid y el Gobierno central. El fichaje de Romera no sirvió para mejorar el *annus horribilis* en el que se estaba convirtiendo 2022. Almeida fue objeto de una broma que reflejó «lo mal que ha elegido siempre el alcalde a su equipo. Esto no le hubiera pasado a Ayuso», asegura un dirigente popular.

En junio, dos humoristas rusos consiguieron hacerse pasar por Vitali Klitschko, el alcalde de Kiev, la capital de Ucrania, y mantuvieron una surrealista entrevista de 17 minutos que fue subiendo de tono sin que el político español se diera cuenta de la broma hasta el final. La entrevista, en inglés, fue difundida dos meses después en redes sociales y dejaba en muy mal lugar a Almeida. En un momento dado, por ejemplo, el alcalde impostor le pidió al regidor madrileño colaborar en la deportación de emigrantes ucranianos a su país para que pudieran sumarse al Ejército y combatir contra Rusia, emigrantes que tenían que «dejar de relajarse en las playas españolas». Almeida no solo se mostró partidario de esas deportaciones, sino que añadió que tenían capacidad de transporte para hacerlo.

El falso Klitschko también explicó a Almeida que activistas ucranianos habían organizado una *performance* durante la cumbre de la OTAN que se iba a celebrar en Madrid para denunciar la situación de su país: irían todos sin ropa para reflejar «la desnudez» a la que se enfrenta hoy día el país exsoviético. Almeida los llamó valientes y el humorista aprovechó para preguntarse si se sumaría desnudo a la protesta. «No estoy seguro de mi figura», contestó el alcalde madrileño, que todavía no se había dado cuenta de que dos humoristas se estaban descojonando de él a 4100 kilómetros de distancia. Cuando el equipo de Almeida se percató de la farsa, ya era tarde. El alcalde montó un pollo a sus colaboradores por haberse dejado engañar de esa forma, y el Ayuntamiento puso una denuncia a la Policía por un delito de suplantación de identidad. Romera no duró mucho como mano derecha del alcalde, y en junio de 2023 fue sustituido por el periodista Jorge Moreta, hombre de confianza de Alfonso Fernández Mañueco, presidente de Castilla y León.

Pero, a pesar de todo lo ocurrido, nada de todo aquello pasó factura seria a Almeida. Es un tipo con suerte. Sobrevivió y tuvo una nueva oportunidad. Como dice Esperanza Aguirre, «este abogado del Estado es capaz de convencerte de que es bueno para ti aquello que te perjudica». Finalmente, en diciembre de 2022 el propio Almeida confirmó que sería de nuevo el candidato a la alcaldía para las elecciones de mayo de 2023 y consiguió que gran parte de su equipo (incluidos los famosos Dalton) repitiera en la lista electoral, también algunos «sospechosos» a ojos de Ayuso. La presidenta fue «magnánima» en una reunión que se mantuvo en abril de 2023 en un despacho de la Casa de Correos.

Ayuso solo pidió la cabeza de una concejala muy amiga de Carromero y endosó al alcalde dos exconsejeros que habían apoyado a Casado. Ayuso no los quería en su lista, pero tampoco prohibió que fueran en otras candidaturas: al fin y al cabo, tenían sus contactos y el partido cuida de los suyos.

En su nueva relación con Ayuso, ella mandaba y él acataba órdenes. Pero el regidor pudo respirar. Finalmente, en mayo de 2023 consiguió la mayoría absoluta.

Ciudadanos no supo aprovechar la crisis del PP para acercarse al gobierno de la ciudad. Begoña Villacís tiró por la borda las pocas esperanzas electorales cuando en enero de 2023 trasladó a algunos compañeros las dudas que le despertaba el futuro del partido naranja. Según publicó *El País*[2], la entonces vicealcaldesa valoraba integrarse en el PP «para ser una corriente» dentro de los populares. Tras la tormenta consiguiente, ella aseguró que se malinterpretaron sus palabras y que solo estaba recogiendo las múltiples opiniones que le trasladaban militantes y dirigentes de Ciudadanos.

Una persona de la máxima confianza de Villacís asegura que «nunca pensó en irse al PP y que algunos compañeros filtraron mentiras interesadas». Villacís sabía que el PP había intentado romper internamente su grupo seduciendo a varios de sus concejales para que se pasasen al bando popular con la promesa de ir en sus listas, como finalmente así pasó.

[2] Manuel Viejo, «Begoña Villacís: "Valoro ser una corriente interna dentro del PP"», *El País*, 27 de enero de 2023.

La propia Villacís tuvo algún ofrecimiento. O se dejó querer, según la versión que se escuche. «Villacís no quería integrarse en ninguna candidatura en la que estuviese Almeida. Begoña siempre ha pensado que el alcalde es un hombre lleno de complejos, mentiroso y desleal», explican desde su entorno. «Tampoco quería aceptar un puesto en la política nacional como diputada del PP, como se llegó a rumorear. Ayuso no la quería. Si no obtenía representación en las municipales, se iba a su casa».

En el PP piensan lo contrario. «Villacís quería seguir en política como fuera, y además siendo protagonista, por eso vivió un momento de dudas internas y jugó mal sus cartas. Sabía que con Ciudadanos no tenía futuro y tonteó con nosotros», explica un dirigente popular bien informado. «Como compañera de gobierno fue torpemente leal. Nos podría haber hecho más daño con el tema del espionaje y las comisiones de Luceño y Medina, pero no hizo nada. Ladraba, pero no mordía. Eso fue su tumba. Si hubiera jugado bien esas cartas podría haber sido alcaldesa y se quedó sin nada».

En mayo de 2023 Villacís se presentó finalmente, «como siempre he dicho», como candidata de Ciudadanos a la alcaldía de Madrid. Solo necesitaba el 5 % de los votos para obtener representación, pero pocas encuestas le auguraban llegar ese porcentaje. No lo alcanzó. Su madre ya le había recomendado que «saliera de toda esta mierda», de la política. Además, los resultados mandaban. Así que, tras el fracaso de mayo de 2023, Villacís dejó la política, volvió al sector privado y actualmente es tertuliana en programas de televisión. Almeida, que ya no la aguantaba más, la despidió con un «sincero» abrazo.

La fortuna siempre ha acompañado a Ayuso. Por mucho que repita que nunca «tuve un familiar o conocido que me enchufara en ningún sitio», su biografía está llena de favores. Su ya entonces buen amigo Pablo Casado la ayudó en 2006 para entrar como asesora en el Ejecutivo regional. Luego Esperanza Aguirre la hizo diputada autonómica en 2011. Cristina Cifuentes le concedió en 2017 sus primeras responsabilidades de gobierno. En 2019, de nuevo su «hermano» Casado se acordó de ella para su mayor aventura política. Lo que vino después fue el apocalipsis que desembocó en una guerra intestina por el poder, conspiraciones, amistades rotas, venganzas y la consolidación de Ayuso como todo un referente político. Todos los astros se alinearon a favor de ella. «Parece impensable, ¿no?», se pregunta un veterano exparlamentario autonómico del PP que pide el anonimato. Como muchos que han querido hablar para este libro. Valientes entre las sombras.

Impensable. ¿Por qué? «Joder, que a aquella joven que era un desastre la llamábamos "la Mónguer". Los más viejos del lugar recuerdan que Enrique Ossorio, cuando era su jefe en el grupo parlamentario, pidió a Cifuentes que se la quitara de encima porque no se enteraba de nada. Y ahora, nadie discute su poder y todos aplauden como bufones cualquier diatriba suya, aunque no tenga ni pies ni cabeza ni sepa hilar un argumento», afirma este exdiputado. Otro ex alto cargo popular, que tampoco tiene ya responsabilidades, insiste en que para él «Ayuso siempre fue un cascarón vacío. Pero ha tenido grandes dosis de fortuna y, eso sí, se ha sabido rodear muy bien. La clave ha sido Miguel Ángel Rodríguez», señala. El mismo MAR que según un reciente informe del Consejo de Europa se ha convertido en una seria amenaza para la libertad de información y el Estado de derecho en España[3].

[3] María R. Sahuquillo, «La plataforma para la libertad de prensa ligada al Consejo de Europa lanza una alerta sobre las amenazas de Rodríguez a periodistas», *El País*, 17 de abril de 2024.

Un exconsejero de Esperanza Aguirre, que también pide no ser citado, tiene, en cambio, una buena opinión de Ayuso y reconoce que la estrategia que ha utilizado para llegar hasta donde ha llegado ha sido la correcta. «La clave ha sido rodearse muy bien con Miguel Ángel Rodríguez y afinar su discurso. Ayuso es una catedrática en el dogma del PP, y en el debate ideológico pega hostias como panes. De otros temas más técnicos, tiene unos conocimientos muy limitados y prefiere delegar». Cuando no lo hace «se ve que cojea». El mejor ejemplo, recuerda este último interlocutor, fue la entrevista que concedió a Carlos Alsina para intentar explicar la delectación del tramo autonómico del IRPF. Una explicación impropia de toda una presidenta regional.

> —Es que me cuesta muchísimo —confesó.
>
> —¿Cómo se calcula? —le preguntó el periodista.
>
> —Estamos viendo si lo hacemos a través de la inflación o del IPC —respondió Ayuso. Silencio de Alsina. Hasta que intenta entender lo que ha escuchado.
>
> —Pero ¿cuál es la diferencia? —insiste el entrevistador.
>
> —Pues, dependiendo de los ingresos y de… lo que estamos viendo es si lo hacemos a través del ingreso medio o de los precios como tal. No lo tenemos todavía… —se defiende la presidenta.
>
> —Tener, ¿qué?
>
> —Tenemos que decidir si lo hacemos ehhhhhhhh, bueno, pues el indicador si lo cogemos por el alza de los salarios o de eso, o de la inflación.

Ya lo definió a la perfección un compañero de partido: «Le quitas el papel que tiene que leer y su verbo es de bachiller».

Pero Ayuso hace tiempo que está por encima de estas críticas, que proceden, además, de gente que ya no está en la primera línea del partido. Los que forman parte de su equipo y dependen orgánica y salarialmente de ella la defienden como pretorianos. Y eso que entre las filas de su Gobierno y grupo parlamentario hay envidias, fobias y guerrillas internas. Un grupo de jóvenes que ha crecido en las filas del PP apoda «los pocholos» a otro grupo de jóvenes sin experiencia que han sido colocados en el Ejecutivo regional y la Asamblea gracias a la influencia de un gurú al que apodan «Rasputín» por la barba que se deja. Y, «los pocholos», que operan como una secta y no se han criado en el partido, apodan «los pancetas» al primer grupo de cachorros populares. Los orígenes de estos dos apodos son bastante previsibles: «pocholos», por pijos; y los «pancetas» por su afición a las grandes comidas y por el grueso aspecto físico de su líder. Otra cosa es lo que digan algunos versos sueltos a sus espaldas, en *petit comité*. En el PP de Madrid ya la llaman desde hace tiempo «la Emperatriz». O «Isabel III».

Ayuso sabe que tiene más poder mediático que Feijóo, que no puede repartir publicidad institucional a los medios de comunicación. Según un estudio que hizo el digital *Contexto*[4], la Comunidad de Madrid invirtió 41.5 millones de euros en 2022 y 2023 en *regar* con campañas a digitales, radios y televisiones. De hecho, según los estudios de la consulta GECA, Ayuso siempre está entre los cuatro primeros puestos de los políticos que más minutos suman en televisión. Solo así se explica que un digital como *Okdiario* no se sonroje cuando titule de la siguiente manera la presencia de Ayuso en una cena de gala. «Ayuso, una espectacular diosa griega en la cena de gala en

[4] Mónica Andrade y Miguel Mora, «Ayuso gastó 41,5 millones de euros en publicidad institucional entre 2022 y 2023», *Ctxt.es*, 30 de marzo de 2024.

honor a los jeques de Catar»[5]. Feijóo, sabedor de que lo que había pasado con Casado, inició con buen criterio, ya como presidente nacional, una inteligente relación de no agresión.

Ayuso confirmó que su estrategia (y la de MAR) era la correcta cuando llegaron las elecciones autonómicas y municipales de mayo de 2023. Tras dos comicios dependiendo primero de Ciudadanos y después de Vox, la lideresa de Chamberí alcanzó la mayoría absoluta obteniendo 69 diputados. Esta vez no hubo problemas para festejarlo en el balcón de Génova. Ayuso, generosa, no tuvo ningún inconveniente en compartir su momento de gloria con José Luis Martínez-Almeida (que también había obtenido su mayoría absoluta en el Ayuntamiento). Tomaron la palabra ante centenares de militantes el propio Almeida, Ayuso y Núñez Feijóo, como líder del partido. La buena sintonía era total. Ayuso se permitió decirle incluso a Feijóo esa misma noche que su triunfo incontestable en Madrid era el trampolín que necesitaba para las elecciones generales que días después convocó por sorpresa Pedro Sánchez para el 23 de julio de ese mismo verano.

Lo primero que hizo Ayuso fue conformar un nuevo Gobierno regional sin injerencias de Génova. Se cargó a todos los consejeros que habían compartido con ella los dos últimos años. A todos, sin excepción. Ninguno le valía ya. Quería tabla rasa. Algunos de ellos habían sido impuestos por Pablo Casado. Otros estaban marcados por problemas personales. Uno de esos consejeros, por ejemplo, había sido denunciado internamente por una importante diputada de Vox, que había acudido a Ayuso para contarle cómo su consejero había intentado propasarse con ella en un despacho. La parlamentaria no puso

[5] Diana Torres, «Isabel Díaz Ayuso, una espectacular diosa griega en la cena de gala en honor a los jeques de Catar», *Okdiario*, 18 de mayo de 2022.

denuncia y la presidenta madrileña tomó nota. No lo destituyó inmediatamente, pero aprovechó las elecciones de mayo de 2023 para comunicarle que no repetiría. De hecho, Ayuso sorprendió con el nuevo equipo que eligió. Muchos consejeros no tenían perfil político. Eran tecnócratas, llegados del sector privado, que aceptaban su primera responsabilidad en la vida pública.

«No cambio el Ejecutivo por falta de confianza, nada más lejos [de la realidad], o porque piense que las cosas no se han hecho bien», defendió Ayuso para justificar la limpia. «Pienso que el trabajo que han realizado todos los consejeros nos ha traído a esta mayoría absoluta y esto es digno de reconocimiento. Pero es imprescindible renovar. Sé que la renovación nos da la fuerza y el vértigo necesario para no vivir acomodados. Y cuando nos imponemos retos, avivamos la imaginación». Ayuso tampoco nombró a ningún vicepresidente. No quería delfines ni nadie que le hiciera sombra. «Lo que sí hizo fue pagar ciertos favores», coinciden desde el PSOE y Más Madrid.

¿Por qué? Porque curiosamente Rocío Albert fue elegida como titular de Economía y Hacienda. Integrante del ala más conservadora del PP de Madrid, suya fue la idea de que los niños sin recursos comiesen pizza durante el confinamiento. Albert era además patrona de Avalmadrid cuando esta entidad perdonó el crédito público de 400 000 euros a la empresa participada por el padre de la presidenta. Luego estaba Ana Dávila, colocada al frente de la consejería de Familia, Juventud y Asuntos Sociales. Su nombre aparecía en los contratos de emergencia que la Comunidad de Madrid firmaba durante la trágica crisis del covid, dando luz verde a las propuestas de compra que le llegaban. Entre otros, su firma figura en el expediente en el que participó el hermano de la presidenta, Tomás Díaz Ayuso. Un equipo diseñado para que solo brillara ella y que fue confeccionado pensando en que Feijóo iba a ganar claramente las elecciones a Sánchez en julio de 2023 y que el PP volvería a gobernar España.

«Confieso que cuando hice este Gobierno yo me esperaba otro escenario», señaló Ayuso en una entrevista. Ella reconoce ahora a sus estrechos colaboradores que algunos de sus inexpertos consejeros no estaban preparados para ir a la *guerra* dialéctica con Sánchez. Basta con salir a la calle y hacer un pequeño estudio demoscópico para preguntar a 100 ciudadanos cómo se llama el consejero de Digitalización o el de Cultura, Turismo o Deportes. «Eso pasa por elegir a gente con un perfil insignificante», señala todo un expresidente autonómico. «Ella pensaba que Feijóo iba a llegar a la Moncloa en julio de 2023 y que este solo estaría cuatro años. Cultivó la idea de formar un equipo de gestores que le llevaran su Ejecutivo asentado sobre una mayoría absoluta y en la que a la hora de hacer política solo destacara ella. Pensando en su futuro a corto plazo, que es la presidencia del Gobierno central».

Pero Ayuso se encontró de nuevo frente a Sánchez en el poder. Le faltaban escuderos fajados en el choque político para la confrontación diaria con la Moncloa. Una fuente solvente destaca que incluso a Ayuso se le pasó por la cabeza provocar una crisis de gobierno en las Navidades de 2023 y hacer algunos cambios en la composición de su equipo, algo que finalmente no ejecutó porque a esos consejeros los había nombrado hace pocos meses y, si los quitaba tan pronto, aunque solo fuera a unos pocos, parecía que se había equivocado al elegirlos.

Pero no pasa nada. Para eso está ella, que puede con todo y con todos. «Ahora Ayuso dice las barbaridades que dice para tapar las salvajadas que hace. Y da igual. Ayuso no pide idea, exige lealtad, decibelios y beligerancia», señala una persona con una larga trayectoria en el PP que se considera «examigo».

De momento, Skynet es imbatible. La saga de *Terminator* ha tenido seis entregas y en todas ellas el malvado e inteligente sistema operativo que controla las máquinas asesinas ha sobrevivido. Sin Skynet no hay argumento viable para continuar con la filmografía. Ayuso también quiere seguir en el Hollywood de la política. Y eso que en enero de 2022 aseguró ante los micrófonos de la Cadena Ser que solo estaría ocho años como presidenta de la Comunidad de Madrid, compromiso que caduca en 2027. «Cuando uno se eterniza y piensa en un sillón antepone sus intereses a los de los demás», señaló entonces. En mayo de 2025 cambió de opinión y dijo que volverá a presentarse en las elecciones autonómicas de 2027.

Ayuso aspira a ser la sucesora natural de Feijóo, secundada por una figura que la supera en ambición: Miguel Ángel Rodríguez. Desde que la Skynet de Chamberí se cargó a Casado, fue elegida presidenta del PP de Madrid y gobierna la Comunidad de Madrid como Luis XIV en Versalles, su futuro tiene muchos capítulos por escribir. Todo dependerá de las dosis de paciencia que tenga. «A ella no solo le gusta el poder, sino los privilegios que este conlleva», afirma una persona que también se considera ya examiga de Ayuso.

Hay que tener en cuenta que la valoración de Feijóo entre los votantes del PP ha pasado de un apoyo inicial sólido (2022) a una situación de debilidad en 2025. Según el CIS de enero de 2025 solo el 39.5 % de los votantes populares preferían a Feijóo como presidente del Gobierno (cifra inferior al 43.8 % que apoyaba a Pablo Casado a principios de 2022). Según SocioMétrica (*El Español*), en abril 2025 Feijóo era el líder menos valorado por sus propios votantes. Y en diciembre de 2025, una encuesta encargada por *El País* y la Cadena Ser decía que los votantes del PP valoraban más a Ayuso que Feijóo como posible candidato nacional[6]. La erosión de Feijóo entre los suyos se atribuye a la falta de coherencia en su discurso, la polarización política (ideológica y territorial) y su incapacidad para capitalizar las debilidades del Gobierno de Pedro Sánchez. No se ha adaptado ni en su estilo ni en su discurso a la política nacional.

Xosé Manuel Núñez Seixas, el historiador y sociólogo gallego que lleva años analizando su trayectoria, explicaba este 2025 en un artículo de *El País* que Feijóo «no cuaja porque su línea es errática, su oratoria mejorable y no acaba de encontrar su papel. Rodeado de *bulldogs* como Miguel Tellado y otros para hacerle el trabajo sucio, creo que dárselas de estadista responsable que se erige en voz de la mesura y la alternativa no le funciona»[7]. El problema es que «en Madrid hay más focos, está menos protegido mediáticamente, tiene a Isabel Díaz Ayuso como alternativa dura descarada y a Vox ya marcándole agenda por la derecha».

La pregunta a la que se ha intentado encontrar respuesta en Génova es qué debe hacer Feijóo ante el contexto actual: Sánchez gobernando, él esperando su oportunidad y Ayuso siendo un verso suelto. Algunos en el PP creen que el gallego debe evitar el enfrentamiento directo con ella y seguir su propio camino ignorando la agenda interesada de la presidenta madrileña y de los apodados los «muy cafeteros», aquellos que, tanto dentro del PP como fuera del partido (los medios de comunicación afines), se han dejado arrastrar por el discurso duro y siempre amplificado de la baronesa. Lo que ya se conoce como el *trumpismo* de Ayuso: la falta de un programa

[6] Natalia Junquera y Yolanda Clemente, «Ayuso supera a Feijóo en la valoración de los votantes del PP y Abascal saca mejor nota que él entre la población general», *El País*, 9 de diciembre de 2025.

[7] Javier Casqueiro, «Feijóo empeora como presidenciable la nota que tenía Casado entre los votantes del PP cuando le echaron», *El País*, 20 de enero de 2025.

político, una carencia que se esconde bajo eslóganes rimbombantes y de eficacia arrolladora (a quién no le gusta la libertad); la demonización de los rivales; la apropiación de los símbolos de un país; y la destrucción de las inversiones públicas en beneficio del fomento de la iniciativa privada. Porque Ayuso habla (y manda) sin complejos. Cada vez más.

En la campaña de las generales Feijóo tuvo que aguantar los consejos de MAR en algunos momentos puntuales, después de que Ayuso le pidiese a su cicerone que echara una mano al gallego para que no fuera «tan previsible». El presidente nacional aceptó la ayuda. No le quedaba otra. Feijóo ya conoce la historia de Skynet. Terminó viviendo en sus propias carnes un fragmento de la película la noche electoral del 23 de julio de 2023, cuando el PP ganó las elecciones, pero sabía que no le daba con la suma con Vox para gobernar. Mientras se dirigía a los militantes y simpatizantes congregados en Génova, el gallego tuvo que interrumpir su discurso desde el famoso balcón de la sede nacional y soltar una media sonrisa cuando el *populacho* popular empezó a gritar y corear el nombre de «Ayuso, Ayuso».

Su equipo siempre dice públicamente que la relación entre Feijóo y la lideresa madrileña es muy buena. «Me han dicho que se va de cañas con Isabel Díaz Ayuso. El anterior presidente del PP [Pablo Casado] hacía lo mismo, ¿se fía?», le preguntó la revista *Vanity Fair* en una entrevista en septiembre de 2024[8]. «Hay una leyenda urbana que a mí me hace gracia. Quizá por vivir los dos en Madrid yo me mensajeo más con Ayuso que con otros presidentes y a veces nos reímos un poco de las leyendas que circulan por ahí. Pero de momento está dando resultado: ella tiene mayoría absoluta y a mí es lo que más me interesa»,

[8] Marta Suárez, «Alberto Núñez Feijóo: "Quizá por vivir los dos en Madrid, me mensajeo más con Ayuso que con otros presidentes y a veces nos reímos un poco de las leyendas que circulan por ahí"», *Vanity Fair*, 25 de septiembre de 2024.

contestó Feijóo. La respuesta, leída entre líneas, no tiene desperdicio. «De momento» todo va bien entre ellos. «Es lo que a mí más me interesa». Por ahora. Tanto a él como a ella.

Tres meses después, en la cena navideña del PP de Madrid, Feijóo diría que «normalmente empezaría haciendo una broma de lo bien que nos llevamos Isabel y yo, pero estoy preocupado porque ya nadie habla de esto». *Excusatio non petita, accusatio manifesta.* «Quiero que España se parezca a Madrid», terminó diciendo, para agrado de su anfitriona y «jefa», como dijeron algunos de los invitados con fina ironía. Cuando le tocó a hablar a Ayuso auguró un gran 2025. «Se van a llevar a todos p'alante», parafraseando la frase favorita de su mentor, MAR. Seguro que no solo pensaba en los cargos socialistas salpicados por los casos de corrupción.

El problema para Feijóo, como lo tenía Casado, es su limitada capacidad de influir en los medios conservadores. Sin este poderío económico a favor, no es de extrañar que, de vez en cuando, los altavoces mediáticos de la lideresa madrileña suelten perlas como las que publicó el columnista y politólogo Jorge Vilches[9] (que fue asesor de Ayuso cobrando 70 600 euros brutos anuales). Con los casos Koldo y Begoña Gómez erosionando al Ejecutivo de coalición, Vilches señaló que en el PP de Feijóo «fallan los tiempos, el contenido y, por tanto, es muy posible que no estén al mando las personas adecuadas. Si fuera una empresa privada habría cambios en la dirección ante la ausencia de resultados positivos».

La maquinaria mediática de Sol funciona a pleno rendimiento a favor de Ayuso, que es la que paga. Aquí van algunos ejemplos. Salvador Sostres, en *ABC*: «La primera vez que se ha sentido de verdad acorralado [Pedro Sánchez] ha sido por

[9] Jorge Vilches, «El PP no da miedo», *The Objective*, 22 de octubre de 2024.

Isabel Ayuso, porque tanto lo de su esposa como lo del fiscal general está tensado en el origen muy concreto de los ataques a los familiares de la presidenta. Ella y Miguel Ángel han sabido entender cuál es el veneno para la rata». Isabel San Sebastián, también en *ABC*: «Esa actitud gallarda ha convertido a Isabel [Díaz Ayuso] en la pesadilla de Sánchez, o quién sabe si su sueño húmedo, a la vez que agiganta su figura entre la mayoría de los españoles, hartos de sanchismo y ávidos de alternativa». Federico Jiménez Losantos, en su programa de Esradio: «Si (...) el PP preguntara a sus votantes (...) ¿qué saldría? Que una aplastante mayoría apoya a Ayuso, y se siente otra vez traicionada por este PP, el mismo de Casado que ya se la quiso cargar. Los zotes de Génova, 13 pretenden arañar un 1 % de voto socialista, en vez de ir a por el 10 % de Vox, que estaba muerto y lo han resucitado. Ni saben sumar ni saben ilusionar».

Pedro de Tena en *Libertad Digital*: «El análisis político del sanchismo, certero como pocos, ha comprendido que, en el caso de que Isabel Díaz Ayuso accediera a dirigir la política nacional del PP, sus resultados de Madrid podrían extrapolarse al resto de España. Esta mujer, otro rasgo que molesta, podría unificar en torno a sí los discursos de PP, Vox y los restos de partidos como UPyD, Ciudadanos y muchos apoyos en las redes sociales (...) están logrando lo contrario de lo que persiguen: que Isabel Díaz Ayuso sea considerada, cada vez más, la figura galdosiana que el centroderecha necesita para que la España de la Transición y la Constitución no sea destruida por sus enemigos».

No hay que olvidar que cuando Ayuso se hizo con todo el poder en la primavera de 2022 tras cortar la cabeza a Casado mandó el siguiente mensaje a su sucesor: «El PP de Madrid es un equipo que tiene poca paciencia para las tonterías, poco aguante para las imposiciones». «Ayuso tiene una estrategia clara: seguir elevando y extendiendo su perfil por toda España y, cuando puede, en el extranjero, algo que le funciona de maravilla», asegura un dirigente de la dirección nacional. Ayuso no quiere ideas y proyecto, solo necesita decibelios y beligerancia. Cambia la política de la propuesta por la política del tono, que es la manera perezosa de ocupar el espacio público cuando escasea el contenido. Esta estrategia, obviamente no es suya. Se la dicta MAR. Uno de los últimos tuits (diciembre de 2025) del jefe de gabinete de Ayuso despotricando contra Pedro Sánchez queda claro cuál es el camino: «Estás hundido. Eres un dictador. Hoy tendría que caer tu gobierno. Solo hay que ver tu cara: Ayuso te gana de largo. Tú no puedes salir a la calle: a ella la admiran. Tú y tu familia y tus adjuntos vais Pá'lante». Ayuso, como reitera a su equipo, no quiere «tibios» a su alrededor. Ayuso y su equipo le han declarado la guerra a los comedidos, los sobrios y los prudentes.

El PP de Madrid es un poder independiente dentro de la estructura nacional, con agenda e intereses propios. Su incuestionable éxito en las urnas y un gigantesco presupuesto autonómico que le permite engrasar voluntades para blindar a su presidenta, hacen del PP madrileño una maquinaria implacable sin contrapesos internos. Desde su fortín autonómico, Ayuso fija sin disimulo a Feijóo el rumbo en debates de política nacional.

«En todo esto influye su ambición política. Es de necios pensar que ella no quiere ser presidenta del Gobierno. Lo quiere ser. La pregunta es cuándo. De momento le va fenomenal confrontar siempre que puede con Pedro Sánchez desde un territorio, Madrid, que es perfecto para ello. Además, eso le permite que si habla de Sánchez no se hable de su gestión. Es una estrategia de marketing muy buena. Y al PSOE al principio también le interesaba, porque se va minando poco a poco el liderazgo de Feijóo. Ahora ya no estoy tan seguro. No sé si desde el equipo de Sánchez prefieren más a un Feijóo débil que a una Ayuso fuerte», señala un veterano dirigente popular que las ha vivido de todos los colores.

«No sé si desde el equipo de Sánchez prefieren más a un Feijóo débil que a una Ayuso fuerte». Buena reflexión. La respuesta es sencilla: en la Moncloa temen mucho más a la rock star, como llaman a la presidenta regional. Pedro Sánchez no la soporta.

16 de octubre de 2023. *El Confidencial* publica la siguiente noticia: «Isabel Díaz Ayuso y su novio, Alberto González: nueva casa en Chamberí»[10]. La información comenzaba explicando que «la presidenta de la Comunidad de Madrid cumple 45 años esta semana y lo *celebra* mudándose a un piso con más habitaciones y más zonas verdes. Siempre ha vivido en esa zona neurálgica de la capital». La información no pasa desapercibida.

Meses después, una persona muy bien relacionada e informada ha quedado con un periodista amigo en un bar discreto y un poco cutre porque quiere comentarle un asunto. Enigmático, le dice que es mejor no hablarlo por teléfono.

—El presidente Sánchez está hasta los cojones de Ayuso —dispara nada más saludarse.

—No me extraña —responde el plumilla—. Pero ¿por qué me lo dices? Menuda novedad.

—Porque puede que haya algo. Apúntate este nombre: Alberto González Amador —continúa el promotor de la cita—. Es el novio de Ayuso. Y es un comisionista, como el hermano.

[10] C. Villar, «Isabel Díaz Ayuso y su novio, Alberto González: nueva casa en Chamberí», *El Confidencial*, 16 de octubre de 2023.

La Agencia Tributaria le ha pillado defraudando, emitiendo facturas falsas para pagar menos al fisco. Va a haber sorpresas. Pero sería interesante saber dónde vive.

El anzuelo ya está echado. El enigmático personaje, inteligente, deja que las palabras que acaba de soltar hagan mella en la mente de su interlocutor.

—Ya habrás leído que Ayuso se ha mudado a una nueva vivienda con su chico.

—Algo leí hace tiempo. ¿Y? —vuelve a preguntar el periodista.

—Pues piensa. Si Alberto González ha defraudado a Hacienda y se ha comprado un piso, por ende la presidenta de la Comunidad de Madrid puede estar viviendo en una casa pagada con dinero defraudado. Ya tienes una buena historia. El segundo apellido de él es clave para que mires en el registro, porque «Albertos González» hay muchos, pero Albero González Amador no debe haber tantos. Suerte. Ya me dirás.

—Joder, y ¿cómo sabes todo esto?

—Ja, ja, ja. Ya lo dice el programa electoral del PP, para ellos, la «familia es lo primero» —responde con ironía la fuente.

Como suele pasar en muchos casos, el punto flaco de un político es la familia. Y si nos centramos en Ayuso, este axioma empieza a ser recurrente.

La familia.

10. ALBERTO, «EL TÉCNICO SANITARIO»

Mercedes es una profesional competente. Una veterana en la Agencia Tributaria. Doctora en Derecho Financiero, ha ocupado cargos de responsabilidad en la delegación de Burgos del Tribunal Económico Administrativo de Castilla y León. En mayo de 2022 está destinada en la capital, en la oficina central de la calle Guzmán el Bueno, donde miles de madrileños desfilan cada año para cumplir con el fisco. En esos momentos es la jefa de los inspectores del equipo de delito fiscal de la delegación de Madrid.

A su mesa ha llegado uno de los 39 366 expedientes (actuaciones de control) que Hacienda revisará con especial mimo ese año 2022 porque hay datos que no cuadran en lo presentado por algunos contribuyentes. La Agencia tiene unos programas informáticos diseñados para detectar patrones extraños. Y han saltado las alarmas en la declaración del impuesto de sociedades de una empresa.

Se llama Maxwell Cremona, constituida en junio de 2016 y con sede en una vivienda ubicada muy cerca del estadio Santiago Bernabéu. El objeto social de esta firma es la consultoría de calidad sanitaria, capaz de comprobar si el cliente que la contrata cumple con determinadas normas de calidad. Maxwell, no obstante, es una consultora con poderes limitados porque no está acreditada por el ente estatal que supervisa el sector, la Entidad Nacional de Acreditación (ENAC).

A la Agencia Tributaria le ha llamado la atención la declaración que esta sociedad presentó el 14 de julio de 2021 relativa al ejercicio 2020. Con unos ingresos de 2.33 millones de euros ha tributado por una base imponible (cantidad sobre la que se calcula el impuesto de sociedades) de solo 11 233 euros. Muy poco. Por ejemplo, en la declaración del ejercicio anterior (2019) facturó 357 773 euros (seis veces menos) y comunicó una base imponible mucho más elevada: 27 496 euros.

No es habitual que, con unos ingresos tan importantes, haya tributado por una cantidad tan baja, ya que eso sólo podría ocurrir si existieran unos gastos muy elevados. Todo es bastante raro. El administrador único es un tal Alberto González Amador. La empresa no tiene trabajadores en nómina, sino que abona retribuciones a autónomos que contrata puntualmente para hacer las certificaciones de calidad (uno de ellos, el hermano de Alberto). Mercedes toma el expediente que le ha enviado la unidad de selección de la Agencia y, como acostumbra, inicia un trabajo minucioso, metódico, sentada en su anodina mesa de madera con patas metálicas y separada del resto de sus compañeros por unos paneles negros. Es el 12 de mayo de 2022. No sabe dónde se está metiendo. En esos momentos desconoce que Alberto González Amador es la pareja de la poderosa presidenta de la Comunidad de Madrid, Isabel Díaz Ayuso, que ese mismo día, jueves 12 de mayo de 2022, tiene un Pleno muy bronco (otro más) en el Parlamento madrileño, donde busca titulares fáciles espetando a la oposición que «a la política se viene llorado de casa».

La verdad es que casi nada se conocía entonces de Alberto González. Su identidad y su imagen (con media melena al viento) habían saltado a los medios de comunicación un año antes, en mayo de 2021, cuando la revista *Lecturas* cazó a la pareja en Ibiza. La prensa rosa habló entonces de un «romántico fin de semana» y de que el «amor había vuelto a la vida» de Ayuso. A Federico Jiménez Losantos se le escapó en antena que ambos ya llevaban meses de relación, es decir, que habían cruzado sus caminos a finales de 2020. El locutor de los grandes insultos se puso tierno y dijo que ese desconocido había logrado que la «presidenta madrileña vuelva a sonreír». Un mes después, en junio de 2021, el diario *La Razón* publicó que el hermano de Ayuso fue quien le presentó a Alberto.

MAR, fiel pretoriano de su pupila, enseguida salió a sofocar el pequeño incendio que supuso la filtración de la nueva relación y dio algunos detalles a los periodistas para calmar la sed de los más cotillas. Se trataba de un hombre discreto y celoso de su vida privada, separado, con tres hijos, y de profesión técnico sanitario. Un término tan vago que dejaba volar la imaginación: ¿técnico sanitario?, ¿un conductor de ambulancias?, ¿un radiólogo? De forma deliberada o no, se omitió el segundo apellido, lo cual dificultaba, cuando no imposibilitaba, la búsqueda de datos incómodos en los registros mercantiles o de la propiedad, y que era auditor de prevención laboral y certificación de calidad sanitaria. Tampoco se mencionó que era profesor en un Máster de Industrias Químicas. Había un silencio absoluto en torno al chico de Ayuso, nacido en Ceuta (aunque algunos medios publicaron que era andaluz).

Solo los más cercanos a la presidenta (ella llevaba esa relación de una manera muy discreta) sabían que trabajaba para uno de los principales acreedores de la Comunidad de Madrid, el Grupo Quirón, y que había estado casado con una oftalmóloga empleada en sus hospitales. De hecho, el propio MAR lo tiene en la agenda telefónica de su móvil como «Alberto Quirón». La consigna desde Sol era dar la menor información posible sobre su vida personal y su trayectoria laboral.

¿Por qué? ¿Había algo que ocultar? ¿O se debía a un excesivo respeto por la vida personal de este ciudadano?

Alberto González Amador, el técnico sanitario, tiene o había tenido varias empresas a su nombre. Una especie de cajón de sastre mercantil. En febrero de 2009 constituyó la primera, de nombre Massias & Kuhne, dedicada a la asesoría «de organizaciones públicas y privadas» y extinguida en octubre de 2016. Ese mismo año, en junio de 2016, había creado la compañía Maxwell Cremona.

Cuatro años después, en diciembre de 2020, había adquirido una firma leonesa llamada Círculo de Belleza SL. Esta era propiedad de María Gloria Carrasco, una farmacéutica que estaba casada con Fernando Camino Maculet (quédense con este nombre, es importante). González Amador pagó 499 836.92 euros por Círculo de Belleza SL, a pesar de que su capital social era de solo 3300 euros. Un precio desorbitado teniendo en cuenta que esta empresa, creada en 2008, ni siquiera tenía un local propio. Compartía sede con la farmacia de la que era titular Carrasco, una pequeña botica en el pueblo de La Pola de Gordón, de 2842 habitantes. Entre sus activos solo contaba con un simple ordenador y muy pocas máquinas antiguas sin valor de mercado y relacionadas con tratamientos corporales y depilación láser. Tras comprarla, González Amador le cambió el nombre por otro más internacional y mucho más *cool*: Masterman & Whitaker Medical Supplies and Health Process Engineering SL, cuyo objeto social era la compraventa, importación y exportación de productos de droguería, perfumería, cosmética, plantas medicinales y aparatos ortopédicos.

En marzo de 2022, González Amador había puesto en marcha una nueva compañía con otros dos socios dedicada al hospedaje turístico llamada October Twelve Accomodation SL.

Esta empresa ha comprado dos locales comerciales en el obrero barrio madrileño de San Fermín (distrito de Usera) y los ha convertido en una casa de huéspedes que alquila cuatro habitaciones. Por último, en octubre de 2022, cuando Hacienda ya llevaba cuatro meses investigándolo, constituyó junto a un amigo una sociedad en Florida (Estados Unidos) llamada Burnet & Brown Investments, con sede en Boca Ratón, una ciudad costera muy cerca de Miami, con alto nivel de vida, donde predominan los campos de golf, las tiendas de lujo y las playas. González Amador eligió para domiciliar esta empresa (que no hace constar a qué se dedica) una oficina de paredes blancas y puertas azules. Lo único que se sabe es que el representante de Burnet (lo que en Estados Unidos se denomina «agente residente») es un abogado especializado en inversiones inmobiliarias. Las cuentas de Burnet & Brown Investments no son públicas. Burnet (pero con dos t) es el alias que usaba Sonny Crockett, el policía que protagonizaba Don Johnson en la famosa serie de *Corrupción en Miami*.

Es decir, cinco empresas que han sido o son propiedad de González Amador: Massias & Kuhne; Maxwell Cremona; Masterman (antes Círculo de Belleza); October Twelve Accommodation, y Burnet & Brown Investments.

El nombre de Alberto González Amador también ha estado vinculado en el registro mercantil con otras sociedades: aparece como apoderado desde octubre de 2015 de FraterPrevención SL, una firma creada en septiembre de 2005 y que en el año 2016 fue fusionada en Quirón Prevención, del Grupo Quirón. En esta sociedad González Amador supervisaba que los hospitales de este gigante de la sanidad privada cumplieran con los estándares de las certificaciones que la Administración exige a los centros sanitarios. González Amador también tuvo responsabilidades empresariales al otro lado del Atlántico; fue apoderado de Insumos Médicos del Pacífico SA, constituida en marzo de 2013 en Panamá y disuelta en 2022; y secretario entre 2017 y 2018 de la sucursal que la firma Aerofalcon tenía también en Panamá, dedicada al suministro de piezas y motores de aviones en varios países suramericanos.

Todo este resumen empresarial revela que González Amador llevaba años moviéndose como pez en el agua en el sector sanitario y *picaba* en el inmobiliario. Muy pocos saben, por ejemplo, que a finales de 2020 estuvo presente en una reunión en la Consejería de Sanidad acompañando a una delegación de las mutuas de accidentes de trabajo, que estaban ofreciendo gratis al Gobierno regional unos 90 puntos de muestreo para realizar pruebas de detección rápida del covid. González Amador apenas habló y no se presentó como el novio de la presidenta, pero un alto cargo de la consejería ya sabía quién era.

Las jugosas comisiones de Maxwell Cremona

La inspectora Mercedes enseguida se da cuenta de que tiene caso con Maxwell Cremona, porque en la declaración de 2021 (del ejercicio 2020) ha presentado unos «datos que sorprenden significativamente». Hay que tener en cuenta que por el impuesto de sociedades las empresas pagan un 25 % de la diferencia de restar sus ingresos de sus gastos deducibles, por lo tanto, cuantos más gastos te puedes deducir, menos abonas a Hacienda. Es pura matemática. Al contabilizar fiscalmente muchos gastos, una empresa reduce su beneficio contable. Lo primero que hace la Agencia Tributaria es analizar los ingresos que, como ya hemos dicho, son extremadamente altos en el ejercicio 2020. Ese año Alberto González Amador había tenido mucha suerte en los negocios.

Una fortuna que comienza el 5 de mayo de 2020. Alberto e Isabel todavía no se han conocido. Ayuso apenas lleva un año como presidenta regional. El 5 de mayo ella sigue viviendo y trabajando, aunque oficialmente ya ha pasado el covid, en la suite de lujo que reservó a mediados de marzo en el hotel de Kike Sarasola. El virus ya ha dejado por entonces más de 220 000 contagiados y casi 26 000 fallecidos en todo el país. En Madrid, los sanitarios de los centros de salud y de los hospitales siguen reclamando más medios humanos y materiales. No les vale con los aplausos que damos todos los días desde el balcón de nuestras casas para agradecer su esfuerzo. Muchos siguen jugándose su salud utilizando bolsas de basura a modo de trajes de protección y carpetas de plástico como pantallas para cubrirse la cara.

Ese mismo día, Ayuso se ha comprometido a renovar hasta diciembre los contratos de los 8600 sanitarios que la Comunidad ha empleado temporalmente para hacer frente al coronavirus. La situación está lejos de mejorar. El día siguiente, 6 de mayo, el Congreso aprobará la cuarta prórroga del estado de alarma. La pandemia cambió nuestras vidas y, como se verá con el paso del tiempo, sirvió para engordar los bolsillos de unos pocos.

Ese 5 de mayo de 2020, Maxwell Cremona emite una factura por valor de 834 320 euros a la compañía FCS Select Products SL, con sede en Barcelona y muchos contactos en el lejano Oriente. Con la llegada del virus, FCS ha empezado a importar mascarillas y guantes pese a que su negocio es la distribución de envases de bebidas energéticas. De hecho, esta compañía se convertiría con el paso del tiempo en el mayor proveedor del Ministerio de Sanidad. La dirige un tal Felipe

Recio, que se vanagloria de tener una sociedad en China que opera en tres plantas de producción con una superficie equivalente a 20 campos de fútbol. González Amador le envía la factura bajo el concepto de «comercialización de clientes» tras haber firmado un contrato por el que FCS le pagará un 4.5 % de comisión de las ventas que consiga.

FCS tenía tantos productos sanitarios que colocar, gracias a que controlaba muy bien el mercado chino, que necesitaba comerciales en España que le buscaran empresas a las que vender esos materiales. Y ahí entra en juego nuestro «técnico sanitario». González Amador consiguió un único cliente, la empresa gallega MAPE Asesores SA, una farmacéutica que realizó pedidos a FCS por valor de 45.4 millones. De esos pedidos derivarán dos comisiones que dispararán en 2020 la facturación de Maxwell Cremona: la primera que ya hemos mencionado de 834 320 euros, y una segunda (otra factura emitida el 5 de agosto de 2020) por valor de 1 138 360 euros. Es decir, 1.9 millones de euros en dos simples movimientos comerciales. En realidad, Maxwell ingresó en 2020 unos 2.33 millones de euros, más que todo lo que facturó si juntamos 2016 (año de creación de Maxwell Cremona), 2017, 2018 y 2019. O, dicho de otro modo: alguien que percibe el salario mínimo tardaría 125 años en ganar dos millones de euros. Alberto González Amador lo consiguió por poner en contacto a dos partes.

Al igual que hizo el hermano de Ayuso, González Amador también vio una gran oportunidad durante lo más crudo de la pandemia. Las Administraciones y muchas empresas privadas estaban como locas por conseguir mascarillas, EPIs, guantes… y tiraban de cualquiera que ofreciera sus servicios. A veces, pagando precios desorbitados. Y en este mercado persa proliferaban los comisionistas como Tomás Díaz Ayuso y Alberto

González Amador. Que este último le dijera a FCS que tenía un buen cliente para sus mascarillas no fue casualidad. Conocía muy bien a uno de los directivos de MAPE Asesores. Se trababa de su viejo amigo Fernando Camino.

¿Quién es Fernando Camino? Actualmente es director general de Quirón Prevención, una filial del Grupo Quirón que ofrece servicios médicos relacionados con la prevención de riesgos laborales a unas 179 000 empresas. Pero en 2020 era, además, consejero externo de MAPE Asesores. Esta farmacéutica gallega compró las mascarillas a FCS para revendérselas a otros clientes. ¿A quiénes? Gran parte fueron adquiridas por la Xunta de Galicia que entonces gobernaba Alberto Núñez Feijóo[1]. Lo llamativo es que en toda esta operación (FCS vendiendo y MAPE comprando) apareciera como comisionista para llevarse su tajada un simple técnico sanitario como Alberto González Amador. Este señaló que la operación para sellar la venta de mascarillas entre una empresa catalana y una gallega precisó, además, de un extraño viaje a Nueva York para que se incluyese en la transacción a una firma de Florida llamada Inteccon y administrada por un tal Wilson Rodríguez. ¿Un viaje a EE. UU. para poner de acuerdo a una sociedad catalana con otra gallega? Todo bastante surrealista.

Lo que está claro es que Maxwell Cremona multiplicó por seis las ventas mientras el mundo luchaba contra el coronavirus. Pasó de ingresar 357 773 euros en 2019 a registrar 2.33 millones en 2020. La mayor parte de este montante, 1.97 millones, procedía de esas dos comisiones de intermediación con FCS y MAPE. La cultura del esfuerzo, que diría la presidenta madrileña.

[1] Antonio M. Vélez «La Xunta de Feijóo compró parte de las mascarillas por las que la pareja de Ayuso cobró 2 millones en comisiones», *eldiario.es*, 23 de septiembre de 2024.

La compra de Círculo de Belleza

Hay otra operación comercial que llama bastante la atención. Y que es importante. Clave. Después de que González Amador facturara esos 1.97 millones como comisionista entre FCS y MAPE, en diciembre de 2020 compra por medio millón de euros Círculo de Belleza, la empresa de estética que había fundado muchos años antes la esposa de Fernando Camino, el consejero de MAPE. Una transacción sin mucha lógica empresarial. Círculo de Belleza no tenía empleados. Sus activos se limitaban a un ordenador portátil sin valor (amortizado en 2013) y tres aparatos de depilación y remodelación corporal.

¿Por qué la compró González Amador?, ¿fue un pago encubierto a Camino?, ¿actuaba el novio de Ayuso como testaferro de Camino? Es decir, ¿la adquisición de Círculo de Belleza por parte de González Amador era simplemente un modo de traspasar a Camino parte de los 1.97 millones de euros que se llevó por intermediar con FCS y MAPE? Como explican expertos fiscales, cuando alguien necesita opacar su relación con un comisionista suele recurrir a una empresa pantalla. La razón suele ser oscura. Quizás de verdad González Amador pensó que podría ser una buena inversión, pero quizás podría ser una forma encubierta de pagar a Camino su parte.

La Agencia Tributaria llegó a preguntar a González Amador por esta compra, por qué había pagado 499 836 euros por una compañía con un capital social de 3300 euros. Este respondió que se trataba de «una apuesta de Maxwell Cremona», ya que Círculo de Belleza «nos hacía de enlace con las farmacias para implantar el "Covid Seguro" [una especie de certificado de calidad para las boticas]. Se pagó este importe por los acuerdos que tenía Círculo de Belleza, dado que en ese momento resultaban muy atractivos». ¿Qué acuerdos? González

Amador argumentó que «la responsable de la empresa [la mujer de Camino] es una farmacéutica que conoce muy bien el sector de la farmacia hospitalaria, receta electrónica privada y distribución». La realidad es que Círculo de Belleza no parecía tener mucho potencial empresarial: solo contaba en esos momentos con nueve *corners* (puestos) en otras tantas farmacias para comercializar productos.

Gloria Carrasco, de familia de boticarios y que llegó a ser presidenta del Colegio de Farmacéuticos de León, también añadió otra ecuación a la extraña compra de su sociedad Círculo de Belleza SL. Esta ya había firmado un contrato de asesoramiento con MAPE (donde su marido se sentaba en el consejo) para asesorar a la firma gallega en sus negocios de expansión a Latinoamérica. Ella no estaba interesada en viajar tanto. Prefería seguir centrada en su farmacia de León y vendió, por tanto, Círculo de Belleza. Y qué mejor comprador que Alberto González Amador, socio de su marido y un emprendedor con muchas ganas de poner en marcha nuevos proyectos y conocer nuevos mercados. González Amador reconoció que pagó los casi 500 000 euros sin contar con un documento que le asegurara la supuesta expansión por Latinoamérica.

Al final González Amador no puso en marcha el Covid Seguro ni comenzó ningún asesoramiento a MAPE por su expansión al otro lado del Atlántico. No tuvo tiempo, a pesar de que pagó medio millón de euros por estos futuros negocios tan rentables. Para lo que sí tuvo tiempo es para cambiar el nombre de Círculo de Belleza por otro de su invención, Masterman & Whitaker, una nueva compañía sin medios ni empleados que sirvió para supuestamente engañar a Hacienda (algo que veremos más adelante).

No hay duda de que a González Amador y a Fernando Camino les gusta hacer negocios juntos, por mucho que la pareja de Ayuso se defina a sí mismo como un *implant*, un profesional externo que trabaja físicamente dentro de la oficina de una compañía anfitriona, en este caso Quirón Prevención. González Amador tuvo incluso un despacho en la sede principal de la compañía, en la calle Agustín de Betancourt 25. Un despacho situado junto al de Camino. González Amador utilizó su empresa Maxwell para facturar a Quirón Prevención por los trabajos de auditoría que les hizo: 275 274 euros en 2020 y 722 180 euros en 2021.

A González Amador tampoco le fue nada mal en el año 2021. Ya no se llevó ninguna jugosa comisión por intermediar en compraventas, pero daba igual. Su socio Camino le había abierto las puertas de Quirón hace mucho tiempo y la pandemia multiplicó las necesidades en el mundo de la sanidad. Su empresa Maxwell Cremona realizó bastantes trabajos de consultoría. Facturó ese año 1.37 millones de euros, de los que 722 000 euros los cobró del gigante sanitario. Ya hemos hablado de Quirón en los capítulos de Cristina Cifuentes. Este transatlántico de la sanidad (que hoy pertenece a la multinacional alemana Fresenius) gestiona cuatro hospitales de la red pública de Madrid y es uno de los principales acreedores de la Comunidad porque atiende a muchos pacientes (un buen porcentaje derivados de centros públicos) y cobra por el tratamiento que ofrece a cada uno de ellos.

Cifuentes siempre ha contado a su entorno que parte de sus problemas en política (que acabaron con ella) empezaron cuando ordenó controles más exhaustivos para comprobar los pagos que se debían a Quirón, retrasando los abonos que reclamaba este grupo empresarial. Como hemos dicho, la revista *Lecturas* publicó la buena nueva de la relación entre Ayuso y González Amador en mayo de 2021. Dos meses después, la Comunidad de Madrid renovaba el contrato para los reconocimientos médicos de sus empleados públicos con Quirón Prevención, filial del grupo para el que facturaba, y muy bien, la pareja de la presidenta. Casualidad. El Gobierno de Ayuso ha prorrogado este contrato de reconocimientos médicos hasta el 31 de julio de 2026, y ha licitado un nuevo contrato para seguir con esos chequeos a partir de 2026. El ganador ha sido, otra vez, Quirón Prevención.

Quizás para festejar la buena marcha de González Amador en sus negocios, la pareja decidió ese verano de 2021 irse de vacaciones. En agosto hicieron dos escapadas a Croacia y Creta. Para moverse por estos destinos turísticos Alberto e Isabel alquilaron sendos coches que les costaron 1036 euros, gastos que luego González Amador quiso desgravarse como actividades vinculadas a su empresa Maxwell Cremona. Lo que en teoría no podía. La web de transparencia de la Comunidad de Madrid también revela que la presidenta reservó para ir a Croacia y volver de Creta la Sala de Autoridades del aeropuerto de Madrid-Barajas, un privilegio por el que las arcas públicas (es decir, los impuestos que salen de los madrileños) abonaron 290 euros.

La primera factura falsa en México

En definitiva, 2020 y 2021 fueron años de esplendor y rosas para González Amador, que tuvo que justificar sus cuantiosas ganancias ante Hacienda en el impuesto de sociedades. Sin embargo, decidió presentar unas cuentas algo peculiares. Porque a pesar de unos ingresos tan importantes, apenas pagó al fisco. Por el ejercicio 2020, la Agencia Tributaria devolvió a su sociedad Maxwell Cremona 1353 euros. Y por el ejercicio de 2021 solo abonó 7029 euros. ¿Cómo es posible? La respuesta en sencilla. «Ante el incremento del volumen de negocios que había experimentado en esos ejercicios, llevó a cabo determinadas conductas, con la única finalidad de reducir dicha tributación, deduciéndose indebidamente gastos en virtud de facturas que no se corresponden con servicios realmente prestados», señala la inspectora a cargo de su expediente.

Cinco meses después de iniciar su investigación, Mercedes, apoyada por una compañera llamada Ana, se dio cuenta de que tenía que ampliar sus pesquisas también al ejercicio fiscal 2021 (cuya declaración fue presentada el 22 de julio de 2022), cuando Alberto e Isabel ya tenían una relación muy consolidada. ¿Informó él a la presidenta regional de que Hacienda lo estaba mirando con lupa? Pues sí. A MAR, escudero y protector de su pareja, se lo dijo en mayo de 2022 cuando ambos estaban en París viendo la final de la Champions que jugaban el Real Madrid y el Liverpool. MAR le restó importancia diciendo que eso «le cae a todo el mundo», y González Amador respondió desconfiado: «No será por ella [por Ayuso], ¿no?»[2]. El empresario pensaba que le investigaban no por defraudar, sino por ser quien era su pareja.

Tras comprobar sus ingresos, Hacienda se fijó en los gastos. Lo que aparentemente hizo Maxwell Cremona es de manual si quieres pagar menos al fisco: giró varias facturas falsas[3] por gastos ficticios que sumaban 1.7 millones de euros para reducir su beneficio contable. En la Agencia Tributaria saben que las empresas usan sus triquiñuelas. «Es muy sencillo verificar una facturación falsa. Cuando alguien se inventa gastos, hay unos proveedores que tienen que ingresar los impuestos y el IVA de esas operaciones. Si no los ingresan, es fácil ir tirando de

[2] Declaración judicial de Alberto González Amador.

[3] Son facturas falsas según los técnicos de Hacienda y la Fiscalía, a la espera de que lo confirme el Juzgado que enjuicie los hechos.

la madeja», nos explica Carlos Cruzado, secretario general del sindicato de técnicos de Hacienda Gestha. «La verdad es que en este caso concreto el presunto fraude parece que no fue muy sofisticado, todo parece muy burdo», sentencia Cruzado.

Burdo. Para disponer de facturas falsas hay que tener empresas dispuestas a emitirlas, es decir, que quieran colaborar en el presunto fraude. Alberto González Amador tuvo la ayuda de ocho sociedades, según Hacienda. Seis compañías estaban radicadas en Sevilla con los objetos sociales más variopintos: Púrpura Star; Baluarte Desarrollo; Desarrollo el Manantial; Bianconera de Servicios Profesionales SL; Bianconera Spa SL, y Ginmosur SL. Y luego había dos empresas extranjeras: Gayani Ltd, con sede en Costa de Marfil; y MKE Manufacturing SA, radicada en México.

Estas últimas dos sociedades están relacionadas con Maximiliano Eduardo Niederer González, un supuesto empresario mexicano del que no se conoce mucho. De hecho, nunca ha pagado impuestos en España y declaró que vivía de préstamos familiares, en concreto de la ayuda de su madre. Un tipo peculiar que residió durante una temporada en una urbanización con piscina en Villaviciosa de Odón y también en un apartahotel del caro barrio de Salamanca de la capital mientras compatibilizaba negocios en sectores tan variopintos como los pantalones vaqueros y las luces LED.

La operativa para defraudar a Hacienda comenzó en noviembre de 2020, cuando Alberto González Amador ya había cobrado sus dos comisiones de 1.97 millones. Como había ganado mucho, necesitaba deducirse gastos para que la declaración del impuesto de sociedades que hiciese el año siguiente le fuera beneficiosa. Así que en noviembre de 2020 el «técnico sanitario» decidió deducirse una factura, supuestamente falsa, por importe de 620 000 euros que le emitió la sociedad mexicana Mke Manufacturing SA. Se supone que Maxwell Cremona pagó todo este dinero para que Mke le abriera las puertas del mercado en México y vendiese «los proyectos de excelencia sanitaria» que podría ofrecer la sociedad de González Amador, es decir, para que Mke le buscase clientes en México. Algo que nunca ocurrió. Llama la atención que Mke tuviera capacidad de hacer esas funciones cuando realmente se dedica a exportar leche, hortalizas, aceite de soja, azúcar y harinas a los Estados Unidos.

El contrato firmado entre González Amador y la firma mexicana revela que esta solo cobraría si se concretaba algún proyecto. ¿Se concretó? «No se identifica la prestación de servicios», aclara Hacienda, que se preguntó con buen tino: «¿Por qué se emite esa factura sin un proyecto concreto?». Al principio, cuando lo pillaron, González Amador aportó pruebas como fotos con políticos en México y billetes de avión y estancias de Airbnb que evidenciaban que había estado al otro lado del Atlántico. También señaló que esa factura había sido un anticipo y que finalmente la anuló contablemente en 2022 cuando Mke no consiguió encontrarle ningún trabajo en México (aunque ya había declarado esa factura al fisco en 2021 para reducir su tributación). Las inspectoras solo recibieron respuestas de primer curso de mal defraudador, ya que realmente González Amador no anuló esa factura hasta que la Agencia Tributaria le abrió la investigación.

Maximiliano Niederer, por su parte, llegó a declarar que no conocía de nada a la empresa Mke Manufacturing, a pesar de que Hacienda ya tenía un contrato con su supuesta firma. Después recobró la memoria y dio una explicación más surrealista. Aseguró que uno de los socios de Mke, un amigo, le había pedido un favor: que firmara ese contrato en nombre de la empresa ya que vivía en España. Pero que nunca lo firmó y por error dejaron su nombre cuando en realidad lo había firmado otra persona. «Una historia bastante rocambolesca», señala la inspectora Mercedes, ya que González Amador había asegurado que el contrato se había oficializado en México, nunca en Madrid. Es decir, que nunca hizo falta firmarlo en España. En definitiva, «no hay duda de que nos encontramos ante una factura falsa utilizada por Maxwell Cremona para reducir la carga fiscal del ejercicio 2020», concluye Hacienda.

Más facturas falsas en el pueblo de las aceitunas

Lo de la factura mexicana fue un ensayo. González Amador le cogió el gusto y empezó a girar facturas por servicios en teoría no prestados durante todo 2021, cuando ya había comenzado una relación sentimental con la presidenta de la Comunidad de Madrid. Para ello usó varias empresas domiciliadas en un pequeño pueblo sevillano de 19 400 habitantes llamado Arahal, que es el mayor productor a nivel mundial de aceituna de mesa. En esta localidad vive David Herrera Lobato, graduado social por la universidad de Sevilla, un tipo rubio, bajito y de complexión gruesa, hijo de un expolicía local del pueblo y al que apodan «el Chupa Chups». Tiene problemas de salud y está esperando a que le reconozcan la invalidez por disfunciones en su visión. En el registro mercantil aparece con cargos en muchas empresas.

Una de ellas, Púrpura Star, se dedica a la construcción, jardinería, limpieza y cobro de deudas. En febrero y julio de 2021, Púrpura Star cobró cuatro facturas presuntamente falsas por valor de 51 200 euros a González Amador. Herrera también tiene otra empresa, Bianconera de Servicios Profesionales SL, que se dedica a «actividades de limpieza», «comercio al por menor» y «asesoría fiscal y actividades de contabilidad». Le giró a González Amador cinco facturas por valor de 66 000 euros.

Las inspectoras de Hacienda se plantaron en Arahal para hablar con el Chupa Chups. ¿Qué trabajos hizo David Herrera para González Amador? En teoría, consultoría de sistemas de seguridad. Una «prestación de servicios que requieren un personal con una cualificación profesional específica que la mercantil Púrpura Star no acredita tener», deja por escrito la Agencia Tributaria, que asegura que es «imposible» que Púrpura Star pudiera haber prestado los trabajos por los que cobró. Además, su única cuenta corriente estaba «inactiva», por lo que no pudo acreditar los pagos recibidos por Maxwell. Estamos ante «facturas falsas». Al analizar también a la empresa Bianconera de Servicios Profesionales SL, Hacienda califica de «imposibles» los supuestos trabajos (control de calidad en obra) hechos para González Amador porque esta firma no cuenta con «personal experto en esa materia».

Herrera Lobato no ha querido hablar para este libro. Sí lo hizo para la periodista Carmen González, vecina suya en Arahal y redactora del digital *El Pespunte*[4]. «David es muy conocido en el pueblo, tiene una asesoría laboral y también se ha dedicado a crear y vender empresas. La verdad es que cuando charló conmigo estaba muy nervioso y entró en muchas contradicciones», rememora Carmen. David Herrera le aseguró que no conocía de nada a Alberto González Amador. ¿Por qué entonces le cobró en total 117 200 euros? «Un vecino de Arahal que trabajaba en unas obras en el Hospital Quirón me llamó para preguntarme si seguía con el servicio de seguridad

[4] Carmen González, «El gestor de Arahal relacionado con el caso de la pareja de Ayuso asegura que sólo presentó tres facturas "y no eran falsas" de seis meses de trabajo», *El Pespunte*, 13 de marzo de 2024.

privada y le dije que sí. Necesitaban a una persona para vigilar las obras y lo metí a través de la empresa Baluarte SL. Ahí empezó mi relación. Después necesitó personal de limpieza, estuve trabajando con ellos durante seis meses y les pasé las facturas. Han trabajado allí vecinos de Arahal, por si tienen que ir a declarar. Y, además, he pedido al hospital las imágenes de las cámaras de seguridad para demostrar que hicieron el trabajo», explicó David a su vecina periodista.

Todo muy estrambótico. Ojo porque David menciona la empresa Baluarte, cuando las que facturan a González Amador son otras de sus dos sociedades: Púrpura Star y Bianconera. Tiene tantas empresas que se lía con los nombres. Pero lo más curioso de todo es que en vez de pagarle el Hospital Quirón por el supuesto trabajo realizado, lo hiciera Maxwell Cremona, la firma de González Amador. ¿Por qué? Si David Herrera aseguró no conocer de nada a la pareja de Ayuso.

Luego están los hermanos José Miguel y Agustín Carrillo Saborido. El primero es camionero aunque a veces se gana la vida de panadero. Y el segundo repara vehículos y bicicletas y trabaja de vez en cuando de camarero. En las elecciones municipales de 2019 fue en la lista del PP en la candidatura de su pueblo, Arahal. Ambos son vecinos de David Herrera. José Miguel emitió una factura en julio de 2021 desde Bianconera SPA por importe de 10 500 euros a la empresa de González Amador. Agustín, por su parte, emitió tres facturas desde las firmas Baluarte Desarrollo, Desarrollo el Manantial SL y Ginmosur SL que sumaban 52 695 euros. Todo parece indicar que los hermanos eran simples testaferros de David Herrera.

Este le contó a la periodista Carmen González que «tenía una [empresa] para limpieza, otra para vigilancia, y las puse a nombre de ellos, eso es verdad, viven junto a mi madre, son como de la familia. Han sido conscientes en todo momento y han trabajado también en las empresas». Lo que Herrera no explicó es qué tipo de trabajo hicieron estos dos hermanos a Maxwell Cremona para que facturaran a la empresa del novio de Ayuso. Pocas explicaciones y nada convincentes. Periodistas de *El País* se trasladaron a Arahal y consiguieron charlar con uno de los hermanos. Este aseguró que no recibió ni un euro por ningún trabajo. «No soy terrorista ni ningún político», se limitó a decir, como si lo primero tuviera alguna vinculación con lo segundo.

González Amador, por su parte, aportó a Hacienda supuestas pruebas de que había contratado a las empresas de estos curiosos hermanos. Baluarte, por ejemplo, había «apoyado técnicamente en una gestión ambiental y de residuos», aunque esta sociedad se dedicaba a la gestión de pensiones y la compra de caballos. La inspectora Mercedes volvió a sacar las mismas conclusiones. Esta firma sevillana no tenía los medios humanos ni materiales para prestar los servicios por lo que fue contratada.

En el caso de Desarrollo el Manantial, González Amador había requerido sus servicios para «el control de acceso y limpieza de las obras de clientes que le designe Maxwell Cremona». Algo muy difícil de hacer cuando Desarrollo el Manantial no tenía trabajadores. Al visitar la sede de esta empresa en Arahal, la inspectora se encontró a una vecina sorprendida que desconocía de qué le estaban hablando y que aseguraba que en su casa no había ninguna compañía domiciliada. Todo se repite en el resto de sociedades analizadas: documentación no aportada, domicilios fiscales que no se corresponden con la realidad, sin empleados en plantilla ni recursos cualificados para desempeñar los trabajos para los que supuestamente se las contrató. Para la inspectora, los protagonistas de toda esta historia describen de «forma muy vaga, genérica y ambigua los servicios contratados».

La Agencia Tributaria llegó a comprobar incluso que las cantidades pagadas por Maxwell Cremona mediante trasferencia bancaria a todas estas firmas del municipio de Arahal eran retiradas en su totalidad a las pocas horas en efectivo, sin precisar los motivos de tan extraño comportamiento. «Suele ser habitual en empresas emisoras de facturas falsas la retirada de los fondos en el mismo momento en que se cobran», explica el informe de Hacienda. El novio de Ayuso se dedujo todos estos gastos en su declaración del impuesto de sociedades de 2022, aunque acabó admitiendo cuando le estaban investigando que algunos de los gastos declarados no eran deducibles por no estar relacionados con su actividad. Mea culpa.

En cuanto al resto de trabajos, aseguró que se habían efectuado para Quirón Prevención. «El contribuyente cierra el asunto sin aportar documentación alguna, limitándose a dar explicaciones que resultan ser exclusivamente meras manifestaciones sin posible contraste por la Inspección, donde se mencionan a trabajadores que no están contratados». La Agencia Tributaria fue muy contundente: «Nos encontramos ante unas facturas falsas o falseadas utilizadas y buscadas por Maxwell Cremona con la finalidad concreta de reducir la carga fiscal». En definitiva, Alberto González Amador se dedicó durante meses a «dar farragosas explicaciones» sin aportar la documentación solicitada «y mucho menos pruebas objetivas». La Inspección lo tenía claro. Había descubierto un entramado de sociedades que no prestaron los servicios que facturaron a Maxwell con el objetivo de pagar menos al fisco. En el caso del novio de Ayuso, Hacienda no somos todos.

Vacunas en Costa de Marfil

La vorágine presuntamente defraudadora de González Amador no acabó con estas empresas sevillanas: finalizó el 1 de octubre de 2021, cuando su novia (la presidenta madrileña) estaba de gira por EE. UU. criticando, por ejemplo, las disculpas que había pronunciado el papa Francisco por los pecados cometidos por la Iglesia católica durante la conquista española del continente americano. Mientras Ayuso se metía en esos berenjenales internacionales que tanto le gustan, su chico se deducía otra factura de 922 585 euros como si hubiese pagado ese dinero a la empresa Gayani Ltd, donde aparece otra vez Maximiliano Eduardo Niederer González como representante.

Se supone que era una comisión por la venta de dos millones de vacunas de la marca Astra Zeneca al Gobierno de Costa de Marfil. Una operación que nunca se cerró pero por la que González Amador simuló que había desembolsado casi un millón de euros. Es decir, pagar por nada. En su empeño por demostrar que la factura de Gayani no era falsa, González Amador presentó pruebas de que había viajado a Abiyán, la capital marfilense, entre el 31 de mayo y el 3 de junio de 2021, entregando fotos con el ministro de Salud, Pierre Dimba, el visado del pasaporte y algunos gastos del viaje a Costa de Marfil. La idea era meter otro pelotazo como un año antes con la compraventa de mascarillas entre FCS y MAPE. González Amador quería vender cada vacuna a 16.90 dólares, cinco veces más caras de lo que costaban entonces en el mercado. Es decir, cerrar la operación por unos 33.8 millones de dólares. Él esperaba llevarse un 7.5 %, unos dos millones y medio de euros, a los que había que descontar los 922 585 euros que había que pagar (y pagó) para que Gayani le abriera las puertas del mercado sanitario de Costa de Marfil.

Llegados a este punto del relato, la historia se enreda. Alberto González Amador quiere ser el comisionista de la operación. Para ello se asocia con otra firma, Tec Pharma Europe, y contrata a una tercera, Gayani, para que le sirva de cicerone en el país africano. Pero quien se presenta a la licitación para el contrato de suministro de vacunas ante las autoridades de Costa de Marfil es otra mercantil. Nada de Tec, Gayani o Maxwell. En junio de 2021 el Ministerio de Salud confirmó a Tec Pharma Europe que su oferta era muy cara y que no le compraría las vacunas. Una información que también llegó por correo a Alberto González Amador.

A pesar de conocer este dato clave, González Amador registró contablemente en octubre de 2021 la factura que giró por importe de 922 585.63 euros, «relativa a una intermediación en el suministro de vacunas que no se ha producido y que sabe, nunca se producirá», argumenta Hacienda. González Amador contabilizó además la factura ante Hacienda para deducirse unos gastos inexistentes, ya que la Agencia Tributaria corroboró que solo había pagado realmente 27 000 euros (no 922 585 euros). Un dinero que se llevó su conocido Maximiliano Eduardo Niederer González.

En este caso, la inspectora Mercedes deja por escrito que González Amador usa «mucha palabrería sin aportar pruebas contundentes», y concluye que nos «encontramos ante una factura que contiene una prestación de servicio inexistente y cuya realidad no ha quedado debidamente acreditada». González Amador intentó anular esta factura en el ejercicio 2022, cuando ya estaba siendo investigado por la Agencia Tributaria. De hecho, intentó regularizar, en septiembre de 2022, el fraude cometido en 2021 mediante una declaración complementaria. Pero su asesora fiscal le explicó que eso no era posible. La Ley impide expresamente una regularización fiscal cuando el contribuyente ya conoce que le están investigando por fraude.

El fallido negocio de Costa de Marfil sirve para aclarar un mantra que repiten todos los tertulianos y periodistas a *sueldo* del PP: que González Amador pergeñó su fraude cuando no conocía a su chica Isabel. Falso. El 21 de junio de 2021, Alberto González Amador intentó vender y facturó a Gayani Limited las vacunas de Astra Zeneca. Un mes antes, su foto aparecía en la portada de la revista *Lecturas* junto a su pareja Isabel Díaz Ayuso. Basta con ir a la hemeroteca para proteger a la verdad y combatir los bulos.

Hacienda ya conoce el modus operandi del contribuyente González Amador. Siempre intenta primero acreditar la realidad del gasto mediante la aportación de diversa documentación justificativa. Cuando esta es imprecisa o no vale para sus fines, presenta entonces un escrito reconociendo la no procedencia del gasto y decide anular el mismo en el Impuesto de Sociedades del ejercicio 2022, una vez iniciado el procedimiento inspector, «como forma de ocultar su previa conducta de deducción mendaz de un gasto ficticio en el ejercicio 2021», señala Hacienda.

Masterman, la sociedad instrumental

Aquí no acaba todo. Había mucho más. Las triquiñuelas fiscales que salían de la mente de González Amador (o de quién le estaba asesorando) no tenían límites. La Agencia Tributaria detectó también otro mecanismo defraudador puesto en marcha por la pareja de Ayuso. Este utilizó su empresa Masterman & Whitaker (que antes se llamaba Círculo de Belleza y que había comprado a la mujer de su amigo Fernando

Camino) como «una mera sociedad instrumental». Ya que le había costado medio millón de euros, la utilizó para intentar pagar menos al fisco. Vamos a intentar explicar lo que ideó Alberto González Amador sin confundir al lector.

González Amador trasladó artificialmente parte de la actividad de su empresa Maxwell a la mercantil Masterman, simulando que los servicios se prestaban por esta última cuando en realidad, según las comprobaciones realizadas por la Agencia Tributaria, fueron ejecutados con medios personales de Maxwell, generando de forma indebida créditos fiscales en beneficio de Masterman. ¿Cómo lo hizo? Firmó un contrato para que Maxwell Cremona cediera a Masterman otro contrato de 726 000 euros que tenía con Quirón Prevención, supuestamente para la expansión de esta filial por Latinoamérica.

«Con esta operativa, se estaban trasladando a Masterman ingresos que debieron ser declarados y cobrados por Maxwell, verdadero prestador de los servicios a terceros [Quirón]». En paralelo, «se estarían generando en Masterman unos gastos no reales ni justificados que, además, crearían de forma artificial unas bases imponibles negativas a compensar en ejercicios futuros que pudieran ser utilizadas según el propio interés del administrador de ambas mercantiles, Alberto González Amador». Es decir, estamos ante «una simulación de los servicios prestados». Porque Masterman no contaba con los medios materiales ni personales adecuados para hacer ningún trabajo a Quirón. Todo fue una simulación para que Alberto González Amador obtuviera «una ventaja fiscal inadmisible». Una mera pantalla con la que González Amador intenta obtener beneficios fiscales a futuro para reducir artificialmente impuestos. Masterman le cobró a Quirón Prevención 327 320 euros en el año 2021 por un trabajo que hizo Maxwell.

En síntesis, «cabe concluir razonablemente que Maxwell Cremona, ante la perspectiva de ver incrementada su tributación por el impuesto de sociedades de los ejercicios 2020 y 2021 como consecuencia del incremento significativo de su volumen de ingresos, ha llevado a cabo diversos comportamientos mendaces con el objeto de reducir e incluso neutralizar íntegramente dicha tributación», concluyó la Agencia Tributaria en su informe. Lecciones aventajadas de fraude fiscal cometidas por un simple «técnico sanitario». O como explican fuentes tributarias, a González Amador le pudo «la avaricia tras ganar en poco tiempo mucho dinero».

Es decir, en 2019 su empresa Maxwell solo facturó 358 000 euros, y pagó a Hacienda 6874 euros, el 1.92 % del importe neto de su cifra de negocio. En 2020, con el pelotazo de las mascarillas, quintuplicó sus ingresos hasta los 2.33 millones de euros. Y decidió falsear sus gastos para ingresar al fisco solo 2808 euros, apenas el 0.12 % de dicho importe. «Lo dicho, le pudo la avaricia y lo pillamos». Hay otro dato revelador. De las 15 facturas falsas emitidas por González Amador y analizadas por Hacienda, 14 de ellas se tramitaron en 2021, cuando ya era pareja de la presidenta madrileña.

Un pisazo en Chamberí

Hacienda había comunicado a González Amador que le había abierto la inspección en junio de 2022, un mes después de que la inspectora Mercedes se pusiera manos a la obra con su expediente. Al empresario y técnico sanitario no le preocupó demasiado. Seguía con su vida y decidió comprarse el 27 de julio de 2022 un piso de 183 metros cuadrados en Chamberí. No fue casualidad que eligiera esta zona de Madrid. Era el distrito que vio crecer a su pareja, Ayuso, donde ella ya vivía de alquiler desde hacía muchos años, un distrito del que la presidenta siempre habla maravillas. La casa, ubicada muy cerca del Hospital Clínico San Carlos y de la Fundación Jiménez Díaz (buque insignia del Grupo Quirón), es una sexta planta que se compone de vestíbulo, comedor, un despacho, cocina, aseo y dormitorio de servicio, dos baños y cuatro dormitorios. También dispone de un acceso privado desde el garaje, señala un vecino. Además, justo enfrente tenía algo que gustó mucho a la pareja, un «pipi can», un área canina para disfrute de las mascotas. No hay que olvidar que Ayuso tiene un perro labrador llamado Bolbo. Ese mismo mes, julio de 2022, Ayuso había decidido destituir a la responsable de fiscalizar los contratos públicos de la región, la interventora general de la Comunidad de Madrid y con rango de viceconsejera: Marta García Miranda. Una decisión que levantó las sospechas de PSOE y Más Madrid.

Para adquirirla, González Amador dio una entrada de 350 000 euros y pidió una hipoteca de 500 000 euros al BBVA. Aunque el inmueble, construido en 1970 como promoción de viviendas oficiales para militares, costó 850 000 euros, el precio de mercado es superior. Según la web *Idealista* puede llegar a costar 1.2 millones de euros. Se supone que si el banco solo le prestó medio millón para esta compra, González Amador pudo pagar la entrada gracias a los suculentos ingresos que tuvo en los años 2020 y 2021. Curiosamente, un mes antes de esta operación inmobiliaria, Ayuso era entrevistada por la revista *Yo Dona* en la que aseguraba que estaba «harta de pagar alquiler» y que tenía ilusión por comprarse una casa. «Pero en Madrid se ha disparado la vivienda», decía alarmada como si ella, responsable política, no tuviese ninguna capacidad de influencia para intervenir en el mercado inmobiliario. En la misma entrevista explicaba que se iba «acabar» lo de seguir pagando alquileres, porque llevaba haciéndolo desde hacía 20 años. Sabía muy bien lo que decía. Su novio no tenía ese problema y la relación iniciada con él le permitía dejar el alquiler para pasar a ser ¿propietaria?

González Amador hizo obras en la casa nada más comprarla. El 4 de agosto de 2022 comunicó al Ayuntamiento de Madrid a través de una declaración responsable que iniciaba algunas reformas: una «demolición de tabiquería sencilla». Dos meses después, el 14 de octubre de 2022, amplió esa declaración con el detalle de la «totalidad» de las obras a realizar: instalaciones de saneamiento, fontanería, calefacción, electricidad, gas, aire acondicionado, nuevo mobiliario de cocina, nuevos falsos techos, nuevos sanitarios, solados, pintura, calentador de gas y sustitución de carpintería. Pero en diciembre los técnicos municipales de la Junta de Chamberí decidieron que la primera declaración responsable era ineficaz (no dijeron nada de la segunda declaración). El Ayuntamiento ordenó así «la paralización y/o el cese inmediato» de las obras.

Sin embargo, González Amador no obedeció. Continuó con los trabajos. ¿Cómo se sabe? Lo descubrió *El País*[5]. Los operarios contratados por González Amador causaron una inundación de aguas fecales en un restaurante situado en el bajo del edificio, abierto en 2013 y llamado inicialmente «Quinto Elemento» y que en 2021 cambió su nombre por el de «Quinta Dimensión». Lo regentaba un matrimonio formado por una española, Ana, y un egipcio, Sami. Estaban de vacaciones en El Cairo, explican para este libro, cuando les avisaron de los destrozos que las obras del sexto habían provocado en su local. Un obrero había dejado caer cascotes por la tubería bajante.

[5] Fernando Peinado, Manuel Viejo e Íñigo Domínguez, «Las obras de la casa donde vive Ayuso se hicieron sin permiso, según las tres bases de datos urbanísticas de Madrid», *El País*, 2 de abril de 2024.

Estos escombros rompieron el techo y lo inundaron, estropeando el aire acondicionado, las paredes y zócalos (que eran de madera), lámparas, el suelo de los baños, la televisión... «Calculamos los daños y eran de 8000 euros, más un lucro cesante de más de 11 000 euros por los días que estuvimos cerrados», explica Ana.

«Nuestro seguro nos pagó algo por algunos bienes que teníamos asegurados, pero lo lógico es que la obra para arreglar el local la pagase quien había provocado los daños. Pero ya sabes cómo son estos temas con los seguros, todo un lío. Al final nos abonaron unos 6900 euros. La comunidad de propietarios se lavó las manos. No querían problemas y nadie nos ayudó. Nos recomendaron incluso que fuéramos a juicio, pero eso era mucho más coste para nosotros. Llegué incluso a mandar un correo electrónico a la presidenta de la Comunidad de Madrid para que nos echara una mano y su pareja solucionase todo este desaguisado. Pero no recibimos respuesta». Lo que sí les sorprendió a Sami y a Ana es que una noche de octubre, cuando ya habían conseguido reabrir tras adecentar como pudieron el mesón, Alberto y Ayuso bajaran a cenar con unos familiares. «Ahí les volvimos a pedir ayuda, porque no nos habían pagado todos los daños. Pero nada. Encima fuimos tontos y les invitamos a cenar. En fin», se lamenta Ana.

Para más inri, durante las Navidades de 2022 el local sufrió una nueva inundación, esta vez de agua corriente, que cayó sobre algunos comensales. Los dueños de Quinta Dimensión tuvieron que recurrir de nuevo al perito de su seguro para que analizara los daños y localizara al culpable. El sospechoso volvía a ser el mismo. El vecino nuevo del sexto. Ese perito emitió su informe el 29 de diciembre de 2022, reflejando que la avería se origina en la «pérdida de agua de tuberías» en el sexto, «que está en obras». Es decir, que el piso comprado por González Amador seguía en remodelación varios meses después, aunque supuestamente no podía hacer obras por orden del Ayuntamiento.

«Ya fue la puntilla. Acumulábamos deudas. Habíamos estado un mes cerrados por la primera inundación, con lo que eso supone para un local de hostelería. Encima esas Navidades no fueron buenas para el negocio. Nos jorobaron y a la comunidad de propietarios que gestionaba el alquiler de los locales, incluido el nuestro, tampoco le importó». El restaurante tuvo que cerrar definitivamente en marzo de 2023 y se declaró en concurso de acreedores un año después, en enero de 2024. Ironías del destino, la libertad que Isabel Díaz Ayuso proclamó en la pandemia, una «libertad cervecera» que permitió a los hosteleros ampliar horarios y no quebrar por el camino debido a la crisis sanitaria, no se aplicó dos años después para este mesón. Las obras del novio de la presidenta se llevaron por delante el local. Y eso que los técnicos municipales habían exigido su paralización. Todo indica que, como nadie del Ayuntamiento visitó la casa, los trabajos continuaron. No hubo ni inspección ni sanción.

Cuando *El País* publicó en abril de 2024 la información sobre los estragos que las obras ilegales causaron en el mesón de abajo, MAR, fiel escudero de la presidenta, envió un mensaje a un grupo de periodistas afines. «Por si os vale: *El País* miente sobre el restaurante de debajo de la casa del señor González. Después de haber acosado a menores, el equipo de investigación de *El País* miente. Ese restaurante estaba cerrado con miles de euros de deuda con la comunidad de vecinos, con el Canal de Isabel II, sin pagos por consumo de luz. No cerró por una gotera. El seguro no pudo cerrar un acuerdo con el dueño porque el dueño no tenía seguro. *El País*, una vez más, miente». Luego puso un mensaje parecido en su cuenta de la red social X: «Estoy harto de las mentiras de *El País*. Como cantaba Serrat: entre esos tipos y yo hay algo personal».

«No es verdad lo que dice este sujeto. Teníamos un seguro con la compañía Caser. De hecho, sus peritos fueron los que intentaron tramitar la solución de las dos inundaciones provocadas por las obras del señor González Amador. Lo único cierto es que la que se proclamó como reina de los locales de hostelería entró como un elefante en una cacharrería en el nuestro y tuvimos que cerrar. Teníamos tres empleados y hemos tenido que pedir dos créditos personales para saldar las deudas», señala Ana, que ahora trabaja eventualmente en Correos mientras su marido ha encontrado trabajo de camarero. «Solo le puedo dar las gracias a la señora Ayuso, esa gran actriz, por abrirme los ojos y enseñarme la podredumbre y corrupción del sistema», concluye Ana con ironía.

Cuando se cumplía más de un año de la investigación fiscal, se produjo otra segunda operación inmobiliaria en el mismo edificio en el que ya vivían juntos Alberto González Amador e Isabel Díaz Ayuso. Una empresa, Babia Capital SL, constituida en mayo de 2019, adquiría el 21 de julio de 2023 justo el piso que está encima del que habitaba la pareja. Sobre el inmueble no pesa ninguna hipoteca en el registro, por lo que todo apunta a que se pagó al contado. De hecho, esta sociedad recibió un préstamo (no se sabe si de una persona física o jurídica) de 955 000 euros en 2023. El administrador único de Babia Capital SL es Javier Luis Gómez Fidalgo, un abogado fiscalista de León, el mismo que había designado Alberto González Amador como su defensor ante la Agencia Tributaria. Pero el dueño de Babia es realmente un hostelero de León, Jorge Pablos Alonso. Es decir, que en el sexto vivían Ayuso y su novio y justo en el ático superior el letrado de este último.

Esta casa tiene una superficie bruta construida de 158 metros cuadrados, distribuidos en vestíbulo, cocina, aseo y dormitorio de servicio; un comedor, despacho, aseo y cuarto de baño principal, dormitorio principal, tres dormitorios más, un pequeño vestíbulo de servicio y terraza. Lo curioso es que en octubre de 2023 *Divinity* y *La Razón* publicaron que Ayuso se había comprado un piso de un millón de euros en Chamberí. ¿Se referían al sexto o al ático? El equipo de la presidenta no desmintió estas informaciones.

Eldiario.es fue el primero en publicar que Ayuso y su chico disfrutan de los dos pisos, del sexto y del ático[6]. Al final González Amador reconoció que su fiscalista Javier Gómez Fidalgo le «hizo el favor» de comprar el ático. Buen favor. Ellos cuentan que en las Navidades de 2022 el novio de Ayuso le comentó a su asesor que estaba disgustado porque hace unos meses se había hipotecado para comprar el sexto y luego se había enterado de que habían puesto a la venta el ático, la vivienda que realmente le gustaba. Pero claro, ya estaba con un préstamo y no podía meterse en más operaciones inmobiliarias. Así que Fidalgo compró el ático en julio de 2023 y se lo alquiló a su cliente Alberto González Amador.

Desde entonces, González Amador (no sabemos si con la colaboración de Ayuso) le paga 5000 euros al mes en concepto de alquiler con derecho a compra. El fiscalista, en cambio, asegura que detrás del «favor» solo hay un negocio con una rentabilidad del 12 %, un 6 % que cobra de más por alquilarle la casa y otro 6 % de beneficio si finalmente se ejecuta la compra. Lo curioso es que González Amador recurriera a esta fórmula (alquiler con opción a compra), cuando su empresa

[6] Antonio M. Vélez, Pedro Águeda y José Precedo, «Informe sobre las dos viviendas de lujo que disfruta Ayuso: el piso que reconoce y el ático que no niega», *eldiario.es*, 15 de marzo de 2024.

principal, Maxwell Cremona, tuvo en 2023 ingresos por valor de 1.88 millones de euros.

Entre las dos casas, el sexto y el ático, Ayuso disfruta de 340 metros cuadrados en pleno distrito de Chamberí, valorados en 1.9 millones de euros. Según tres fuentes de alto nivel (una de ellas un político que ha llegado a cenar allí), la pareja ha convertido el ático en una especie de zona de ocio en la que recibe a los amigos.

Ayuso no menciona en su declaración de bienes como presidenta de la Comunidad de Madrid (presentada en septiembre de 2023) que vive en estos dos pisos. El sexto es de su chico. ¿Colabora ella en el pago de la hipoteca? El ático lo tiene alquilado su pareja. ¿Colabora ella en el abono de ese alquiler mensual?

La ley de prevención del blanqueo de capitales y financiación del terrorismo, aprobada en abril de 2010, regula que los cargos públicos y políticos son «personas con responsabilidad pública». Entre ellos, obviamente, los presidentes de gobiernos autonómicos. En el contexto internacional se conocen como «personas expuestas políticamente (PEP)». La ley también incluye en esta categoría «al cónyuge o la persona ligada de forma estable por análoga relación de afectividad», en este caso Alberto González Amador. Es decir, que ambos, Isabel y Alberto, son PEP. Básicamente, un PEP es una persona que, debido a su posición destacada o influyente, es más susceptible de caer en la telaraña de la corrupción. La ley obliga también a los «sujetos obligados», como un banco o un notario, a controlar que las actividades financieras y negocios de los PEP con los que trabajan se ajustan a derecho.

Es decir, un PEP es una persona sometida a controles financieros especiales, tanto en sus movimientos bancarios como en la compras de inmuebles. Estas operaciones deben ser controladas por los bancos, que deben tramitar una Diligencia Debida Reforzada (DDR). La entidad está obligada a indagar en el origen de los fondos. Si un movimiento es sospechoso, el banco debe avisar al Servicio de Prevención de Blanqueo de Capitales del Banco de España. González Amador tiene negocios con el Grupo Quirón, que a su vez tiene negocios con la Comunidad de Madrid, que preside Isabel Díaz Ayuso. Gracias a esos negocios seguramente González Amador se compró la vivienda de Chamberí y paga el alquiler del ático. Dos pisos que como ya hemos dicho comparte con Ayuso, pero que ella no menciona en sus declaraciones oficiales como cargo público.

En cuanto al famoso ático, llama la atención que la empresa Babia Capital, sin ningún empleado y con una actividad muy discreta (en 2023 declaró una facturación de algo más de 200 000 euros), pudiera comprar ese inmueble sin vender patrimonio, ni recurrir al dinero de sus socios o solicitar financiación bancaria. En lugar de eso, recibió 955 000 euros de un tercero, un misterioso prestamista.

Lo siguiente que sigue es un ejercicio de imaginación. Vamos a suponer que un empresario que acaba de tener un golpe de fortuna y ha ganado mucho dinero durante la pandemia vendiendo mascarillas quiere blanquear 955 000 euros comprando, por ejemplo, un ático. Le pide consejo a su fiscalista de confianza. Este le explicará que no puede pagar la casa en metálico, a tocateja, porque luego vendrá Hacienda y le pedirá explicaciones sobre el origen del dinero. El consejo que seguro le daría el fiscalista es que habría que analizar los ingresos del empresario para determinar cuánto dinero puede destinar mensualmente a la compra del ático sin que cante demasiado ante el fisco. La conclusión, una vez analizados los ingresos legales, es que 5000 euros al mes es una cantidad razonable para que Hacienda no haga preguntas.

El empresario coge entonces los 955 000 euros y se lo presta a una sociedad pantalla, esa empresa compra el ático y se lo alquila a su vez con opción a compra por 5000 euros al mes al empresario, que poco a poco se va comprando a sí mismo el ático. Para que todo esto funcione, la empresa pantalla está administrada por el fiscalista. Porque esta sociedad pantalla declarará que tiene un préstamo misterioso con alguien (seguramente un testaferro, para que el empresario no aparezca directamente) y que ha usado ese dinero para comprar la vivienda. Pero tiene que devolver el préstamo. Por ejemplo, 4500 euros al mes. Porque el fiscalista es amigo, pero no imbécil. Algo tendrá que llevarse por blanquear la pasta del empresario, pongamos un 10 %. Y por ese 10 % de comisión el empresario compra el piso, lo disfruta, blanquea 955 000 euros y luego justifica pagos mensuales de 5000 euros (el alquiler) que te van a ir devolviendo poco a poco (el préstamo que tiene que reintegrar la empresa pantalla). Brillante. En noviembre de 2025, los periodistas Lolo Viejo y Fernando Peinado descubrieron que finalmente González Amador había decidido comprar un ático tras pedir otra hipoteca de 600 000 euros a la Caja Rural de Zamora. Se supone que ya había adelantado otros 120 000 euros en alquileres los dos anteriores. No sabemos cuánto ha costado realmente el ático. En ese barrio pisos de esas dimensiones se venden por encima de los 1.3 millones de euros.

(Hagamos aquí un paréntesis. Porque como ya hemos mencionado, según recoge el programa electoral del PP «la familia es lo primero». A mediados de agosto de 2023, con media España de vacaciones, el Ayuntamiento madrileño de Villanueva de la Cañada, de 23 600 habitantes, decide publicar las bases para cubrir una «plaza de técnico medio de gestión, mediante nombramiento en comisión de servicios por motivos de urgente e inaplazable necesidad». El puesto es para contratar un técnico de educación y este Consistorio, uno de los tradicionales feudos populares —el PP gobierna allí desde 1979—, tiene una prisa tremenda por que el empleo se cubra. Las bases de la convocatoria se hacen públicas en la web del municipio, pero el plazo de presentación de solicitudes es de solo cinco días hábiles, es decir, del 17 al 23 de agosto de 2023. O dicho de otro modo, como bien publicó *ElPlural.com*[7], probablemente en la semana con más gente de vacaciones en todo el país.

El 24 de agosto la Concejalía de Recursos Humanos anuncia que la única aspirante admitida en el proceso es una tal Alejandra, actual esposa de Tomás Díaz Ayuso, hermano de la presidenta. El apartado de excluidos no puede ser más elocuente: «Ninguno». O nadie se enteró de que se ofertaba este puesto o a nadie le interesó. La pareja, Tomás y Alejandra, se habían mudado a este municipio (donde él ya había residido de joven) y está claro que ella necesitaba un trabajo. En un comunicado oficial tras descubrirse el pastel, el Ayuntamiento de Villanueva de la Cañada defendió la legalidad del nombramiento y señaló que la persona elegida es funcionaria desde 2008 y que fue la única aspirante que se presentó al cargo al «reunir, según el tribunal calificador, las condiciones necesarias para su desempeño».

La Diosa Fortuna. Los sindicatos recurrieron el proceso, ya que creyeron que ese puesto se debería haber promovido por promoción interna entre los empleados públicos del Ayuntamiento. Desde entonces, los trabajadores municipales tiran de ironía y llaman a su municipio Villanueva de la Cuñada. Las

[7] José María Garrido y Rubén Rozas, «La cuñada de Ayuso obtiene un puesto de funcionaria en un "proceso a medida" en Villanueva de la Cañada (Madrid)», *El Plural*, 21 de marzo de 2024.

quejas sindicales no sirvieron de nada. El salario de Alejandra supera los 47 000 euros brutos anuales. La pareja reside en un chalé con una pequeña piscina en la parte posterior. Lo dicho, la familia siempre es lo primero).

El capitán Bonilla

Mientras todo esto pasaba —compras de áticos y enchufes de familiares en Ayuntamientos del partido—, Hacienda continuó con su investigación. Hizo todo tipo de comprobaciones, revisó movimientos bancarios e incluso tramitó comisiones rogatorias a otros países. Todo lo que encontró lo plasmó en un informe de 187 páginas. Una radiografía completa de lo sucedido, que desnudó por completo las finanzas de González Amador y de su empresa Maxwell Cremona, que entre sus bienes tenía un portátil, una impresora, unas cortinas, participaciones en otra sociedad y un Porsche Panamera azul oscuro valorado en 34 900 euros. Como sueldo, González Amador se había puesto una retribución anual de 100 700 euros. La lupa de Hacienda detectó que la contabilidad de la sociedad «adolece de graves irregularidades». El novio de Ayuso también se había comprado un Maserati Ghibli, que con el tiempo fue acumulando varias multas de tráfico[8].

González Amador sabe que sus problemas con Hacienda pueden salpicar a su pareja. No es tonto. La Agencia Tributaria es un órgano jerarquizado y el técnico sanitario es consciente de que le están mirando con lupa y que las inspectoras ya han descubierto que tiene negocios con el Grupo Quirón.

[8] Natalia Cabó y José María Garrido, «Un cochazo de lujo: el Maserati de la empresa del novio de Ayuso debe multas e impuestos al Ayuntamiento de Madrid», *El Plural*, 13 de marzo de 2024.

Es cuestión de tiempo que su expediente escale de despachos dentro de Hacienda y que se pueda convertir en un arma política contra Ayuso. La pareja empieza a vislumbrar los negros nubarrones que se ciñen sobre ellos. Por eso, González Amador lleva meses informando al jefe de Gabinete de su chica, Miguel Ángel Rodríguez, sobre cómo avanza su expediente con el fisco. El asunto es demasiado grave para que no lo controle MAR, guardián de todos los secretos de la presidenta madrileña. «Le informaba de lo que me decía mi abogado, fue una decisión mía. Lo creía relevante, interesante, porque él, como jefe de gabinete, es un subordinado de la presidenta, y es quien coordina la comunicación, lleva diferentes cuestiones que son estratégicas para mi pareja», explicaría González Amador dos años después en sede judicial.

En plena investigación fiscal contra González Amador se produce un curioso fichaje en la Comunidad de Madrid. El 31 de octubre de 2023, la Consejería de Sanidad, principal acreedora en Madrid del Grupo Quirón, hace una incorporación que pasa desapercibida. El Servicio Madrileño de Salud contrata como Gerente de Seguridad Corporativa a Juan Vicente Bonilla García, un capitán de la Unidad Central Operativa de la Guardia Civil[9]. La famosa UCO, que tanto aparece en titulares relacionadas con casos de corrupción política y económica. Madrid, junto a La Rioja, son las dos únicas comunidades autónomas que tienen en esos momentos un departamento de Seguridad Corporativa en la cartera de Sanidad. ¿De qué se encarga? Pues de diseñar y coordinar una política de seguridad en los centros sanitarios de la región. Por ejemplo, planes antirrobo en los hospitales. No es que haya muchos delitos. Entre 2019 y 2022 este departamento

[9] https://www.comunidad.madrid/transparencia/persona/juan-vicente-bonilla-garcia.

denunció 168 robos de material sanitario. Sobre todo de endoscopios, que tienen buena salida en el mercado negro. Y tampoco se encarga de investigarlos, ya que eso es trabajo de la Policía Nacional o de la Guardia Civil, en función de la ubicación del centro sanitario.

No es un puesto con un trabajo muy emocionante si vienes de la UCO. Pero está muy bien pagado: 84 268 euros brutos al año. Una retribución más alta que la de un ministro del Gobierno de España. El equipo de Ayuso ha convencido a Bonilla, que también es licenciado en Derecho y profesor de Criminología, para que se sume a la Consejería de Sanidad. Bonilla ha sido Jefe de Fuentes de la UCO, es decir, el encargado de gestionar la información que manejan los colaboradores y confidentes. Un tipo muy bien relacionado. De hecho, Bonilla fue el agente que consiguió que un confidente, un empresario imputado en una causa de fraude del IVA en el sector de los hidrocarburos, aportara las pruebas que permitieron el inicio de la investigación contra Koldo García, hombre de confianza de José Luis Ábalos. Todo esto sucedió entre 2020 y 2021.

Bonilla, gracias a su confidente, fue el primer funcionario policial que identificó a «Koldo el del PSOE» y «los que trincan», en palabras de esa garganta profunda. «Buenos días. Muy estimulante lo que nos contaste. Ve manteniéndome informado pq sería gozoso un achuchón de este tipo, que nuestras hostias siempre se las llevan los mismos tontos y habría que cambiar de bando de vez en cuando y yo creo que es el momento idóneo *(sic)*», señaló Bonilla a su confidente cuando este le empezó a hablar de Koldo. Lo que quieren decir estas líneas es que la UCO, según Bonilla, ya estaba cansada de emprender investigaciones que salpicaban a políticos del PP (véase operaciones Púnica y Lezo) y que estaría bien «cambiar de bando» e investigar al PSOE. «Que nuestras hostias siempre se las llevan los mismos tontos». Los mensajes que intercalaron Bonilla y su confidente durante años no tienen desperdicio. Dejan entrever que el capitán de la UCO no tenía mucha simpatía por Pedro Sánchez y Pablo Iglesias, a los que mandaría desterrados a China y Ucrania y a los que calificó de «felones», «mentirosos» y «mamones».

Comentarios, más de 6000, que están aportados en una causa que se investiga en la Audiencia Nacional y que aparecen trufados con *stickers* de Santiago Abascal, Federico Jiménez Losantos o Franco, y eslóganes de «Rojo hijo de puta vas a morir». Demasiado escorados a la extrema derecha. De hecho, Bonilla los firma con el seudónimo de Roberto Alcázar, el popular personaje de cómic español que encarnó a un investigador durante el franquismo. Bonilla se defendería argumentando que todos estos mensajes están sacados de contexto y que, como agente que se encargaba de obtener información de diversas fuentes, debía teatralizar sus relaciones con ellos. El problema son los límites de esas relaciones. Para Bonilla, si una fuente es un facha, él debe parecer también una especie de Torrente para ganarse su confianza.

Mientras a la UCO de Bonilla le llega información comprometida sobre Koldo García, casualidades de la vida, el grupo parlamentario del PP en la Asamblea de Madrid (controlado por Ayuso) presenta en marzo de 2022 una detallada denuncia ante la Fiscalía Anticorrupción tras recopilar información de varios contratos adjudicados por el Gobierno de Pedro Sánchez durante la pandemia. El PP atravesaba una de sus mayores crisis tras la abrupta salida de Pablo Casado y la revelación de que el hermano de Ayuso había cobrado comisiones por intermediar en operaciones de compraventa de mascarillas. Había que hacer algo. Y la respuesta de Ayuso fue llevar a la Fiscalía una serie de contratos que el PP de Madrid (no sabemos si con la ayuda inestimable del capitán Bonilla) descubrió que podrían hacer daño al Gobierno de Sánchez.

En octubre de 2022, la Fiscalía dictaminó que algunos de esos contratos revestían indicios de delito, operaciones de más de 40 millones en compras de mascarillas a una sociedad llamada Soluciones de Gestión y Apoyo a Empresas en los primeros meses de la pandemia. Dinero salido, sobre todo, del Ministerio de Transportes que entonces dirigía Ábalos. Unos meses después, en septiembre de 2023, el fiscal Luis Pastor presentaba una querella de 26 páginas en la Audiencia Nacional contra varias personas, entre ellas Koldo García y el empresario Víctor de Aldama, que estaba siendo investigado en otra causa por defraudar 182 millones de euros en impuestos por la comercialización de hidrocarburos. Bonilla había abandonado la UCO meses antes, en abril de 2023. Y en octubre, un mes después de la querella de Anticorrupción (más casualidades de la vida), fichaba por la Comunidad de Madrid para perseguir a los ladrones de endoscopios. Ha asegurado a un alto cargo de la Consejería que dejó la UCO porque es un trabajo muy exigente que le costó su matrimonio y que Sanidad le ofrecía ahora cierta relajación laboral y un buen sueldo.

No hay que ser ilusos, destaca otro alto cargo de la Comunidad de Madrid que pide el anonimato. «A Bonilla se le ficha por sus buenas relaciones con la UCO y con la Fiscalía. Y se le busca acomodo en Sanidad. Casualmente en Sanidad, cuando la pareja de Ayuso lleva ya tiempo siendo investigada por Hacienda». No se sabe quién recomendó el fichaje de Bonilla o si pasó un proceso de selección entre varios candidatos para desembarcar en Sanidad. Un portavoz oficial de la Consejería relata que no se puede dar información al respecto porque «no es un alto cargo, pero lógicamente pasó un proceso de contratación», sin especificar en qué consistió.

Ayuso no sabía (o sí, pero le dio igual) que el capitán Bonilla arrastraba una pesada mochila. Asuntos Internos de la Guardia Civil lo investigaba desde el año 2022, en una causa que mientras se escriben estas líneas se instruye en la Audiencia Nacional contra un entramado de empresas que comercian con hidrocarburos acusadas de defraudar impuestos y blanquear capitales. Un informe de Asuntos Internos (fechado en julio de 2023) señala la posibilidad de que Bonilla advirtiera a uno de estos empresarios de que le estaban investigando. Un empresario que también era confidente de Bonilla. Ambos tenían tan buena relación que ese empresario/confidente/amigo hizo el favor al capitán de colocar a su exmujer Itziar en una de sus sociedades. Bonilla, no obstante, no ha sido imputado. Si lo está un compañero suyo de la UCO, apartado de esta unidad tras conocerse su situación judicial, pero que sigue trabajando para la Guardia Civil dando clases de Derecho a otros guardias en formación. Este agente también ha implicado a Bonilla, al que acusa de utilizar su paso por la UCO para «lavar información obtenida irregularmente» de sus confidentes y construir casos paralelos con objetivos políticos. Un asunto muy enrevesado que deja entrever una especie de guerra sucia entre agentes de la UCO y entre varios confidentes de esta unidad.

Bonilla suma problemas judiciales. En mayo de 2025 el capitán y otros dos de sus confidentes fueron denunciados por una asociación anticorrupción, llamada Alarma y que dirige un abogado, por los delitos de organización criminal, prevaricación, revelación de secretos, cohecho, tráfico de influencias y blanqueo de capitales. Según la querella presentada, agentes de la UCO (incluido Bonilla) crearon una estructura «criminal» para abrir causas de investigación contra determinados empresarios. La querella ha recaído en el juzgado de instrucción número 54 de Plaza Castilla.

Conclusión: dos delitos fiscales y otro de falsedad

Mientras Ayuso fichaba a guardias civiles muy bien relacionados, la Agencia Tributaria seguía con su investigación contra Alberto González Amador. Este había dado con una inspectora dura de roer. Meticulosa. Muy preparada. Aunque siendo realistas tampoco hacía falta ser un lince para detectar el fraude fiscal cometido: facturas falsas por servicios no prestados, negocios en el extranjero con personajes de película cutre, hombres de paja perdidos en un pueblo de Sevilla, domicilios inventados… Todo de aurora boreal.

Para más inri, Alberto González Amador también intentó colar como gastos deducibles facturas que incluían la compra de pelotas de pádel, hilo dental, pasta dentífrica, colutorio, desodorante, champú o incluso los ocho céntimos de una bolsa de plástico. También la factura de la compra de un saxofón valorado en 784 euros y un reloj Rolex adquirido en la conocida joyería Rabat que costó 8700 euros. Por deducir se dedujo (por si colaba) una factura de 754.50 euros en una treintena de botellas de vino adquiridas en una bodega de Valladolid. Gastos que, en teoría, no estaban relacionados con las actividades de sus empresas.

En enero de 2024 la Agencia Tributaria concluyó que Alberto González Amador había cometido delito fiscal, a pesar de que este había intentado —en la declaración que presentó en julio de 2023 (del ejercicio 2022)— regularizar parte de lo defraudado, algo que como ya hemos mencionado no es posible cuando un contribuyente tiene ya una investigación abierta. El empresario, pillado por emitir facturas falsas para ahorrarse impuestos en sus declaraciones de 2020 y 2021, decidió colar como ingresos en el ejercicio 2022 (que se declara en 2023) el valor de muchos de los gastos falsos que se había deducido en los dos años antes, lo que dio como resultado un pago al fisco de 629 408 euros. Pero esta triquiñuela era inviable. Solo le correspondía pagar 77 156 euros. Hacienda ordenó devolverle 552 000 euros en abril de 2024 (por eso Ayuso diría públicamente después en una defensa encarnizada de su novio que era la Agencia Tributaria quien le debía a su pareja unos 600 000 euros).

El abogado de González Amador (Carlos Neira, contratado en octubre de 2023) alegó entonces que su cliente «no era consciente de la gravedad de la situación» y que, de haberlo sido, habría devuelto antes el dinero defraudado. La pareja de Ayuso insistió en que lo que hizo (declarar gastos falsos durante dos ejercicios consecutivos por casi 1.7 millones) «no fue un fraude sino un error de contabilización ajeno a cualquier intención dolosa». El servicio jurídico de la Agencia Tributaria no estuvo de acuerdo. Para el fisco, lo que hizo González Amador fue fruto de «una conducta consciente, deliberada y claramente dolosa que amerita su reproche penal».

Hacienda terminó su investigación año y medio después y se lo comunicó a la Fiscalía Provincial de Madrid el 17 de enero de 2024. Hay que tener en cuenta, por ejemplo, que de las 39 000 inspecciones fiscales iniciadas en 2022 solo 184 acabaron derivadas en la Fiscalía. Una de ellas, la de nuestro protagonista.

El 23 de enero de 2024 la Sección de Delitos Económicos de la Fiscalía abre diligencias de investigación penal. Una semana después, el 30 de enero, González Amador se reúne con su abogado Carlos Neira. Este le da un baño de realidad. Solo hay dos alternativas: defenderse e ir a juicio o alcanzar un pacto, reconocer los delitos y pagar lo defraudado más una multa. González Amador le dice que su prioridad es causar el menor daño posible a su pareja y que busque la solución «más rápida» y con «menos ruido». Neira la aconseja la segunda vía: pactar con la Fiscalía. Son días claves (lo veremos el próximo capítulo). El 7 de febrero el fiscal especialista en delitos económicos encargado del caso, Julián Salto, acuerda la interposición de una denuncia, que se tramita finalmente el 13 de febrero. «El contribuyente [Alberto González Amador], conocedor de sus obligaciones tributarias, de forma consciente y voluntaria, ha presentado autoliquidaciones del Impuesto de Sociedades, por los periodos impositivos comprendidos en el año 2020 y 2021, no veraces, dejando de ingresar con su comportamiento fraudulento la cuantía de 155 000 euros para el impuesto de sociedades del año 2020 y de 195 951.41 euros para el impuesto de sociedades del año 2021 en el erario público», reza la denuncia.

Para que alguien sea acusado de delito fiscal por lo penal hacen falta dos cosas. La primera, que el fraude sea superior a los 120 000 euros en un solo año (lo que se cumple en este caso). Y la segunda: que sea intencionado, con ánimo manifiesto de defraudar. Y aquí hablamos de facturas falsas y empresas pantalla. La Fiscalía no solo atribuyó a González Amador dos delitos contra la Hacienda Pública, sino también otro de falsedad en documento mercantil. Mientras el fiscal oficializaba su denuncia contra González Amador, su pareja Díaz Ayuso daba una charla en el Hotel Palace rodeada de ejecutivos en la que volvió a presumir de su política fiscal, que en realidad se traduce en bajar impuestos (sobre todo a las rentas más altas) a costa de erosionar los servicios públicos.

Y es que en Madrid el 4.5 % de los contribuyentes se llevan el 73 % del ahorro fiscal[10]. En la residencia que la pareja comparte en Chamberí (sexto y ático) saben mucho de impuestos. Ese 13 de febrero Alberto le ha contado a Isabel que ya lo han denunciado por sisarle al fisco 350 000 euros.

[10] David Fernández, «Las verdaderas cuentas de la política fiscal de Ayuso: el 4,5% de los contribuyentes madrileños se lleva el 73% de las rebajas de impuestos», *Infobae*, 16 de mayo de 2024.

11. UN CORREO, UN BULO Y UN FISCAL

Carlos Neira, inspector de Hacienda en excedencia, trabaja para el bufete Garrido desde junio de 2011. Fiscalista con cierto prestigio, Alberto González Amador lo contrató para que lo ayudara a salir airoso de sus problemas con Hacienda. Un objetivo que, vista la impecable investigación que llevó la Agencia Tributaria, no tuvo mucho éxito. En enero de 2024, la Fiscalía presentó finalmente denuncia contra el novio de Ayuso por dos delitos fiscales. Neira y su cliente se reunieron el 30 de enero para analizar la situación. Acordaron intentar pactar con el ministerio público para que el asunto no saltara a la esfera mediática y pudiera perjudicar a la presidenta madrileña. Toda una utopía. González Amador estaba en contacto periódico con MAR y ya sabía que su tema era demasiado jugoso como para que no saltara a los medios.

Pero el destino es caprichoso. Y hay una fecha clave. Once días antes de que la Fiscalía tramitara oficialmente la denuncia, el 2 de febrero, el letrado Neira envía a las 12:45 horas un correo electrónico al fiscal Julián Salto. «Estudiado el asunto, y de común acuerdo con Alberto González, les comunico que es voluntad firme de esta parte alcanzar una conformidad penal, reconociendo íntegramente los hechos, ciertamente se han cometido dos delitos contra la Hacienda Pública, así como proceder a resarcir el daño causado pagando íntegramente la cuota e intereses de demora a la Agencia Tributaria».

El objetivo de la defensa es llegar a un trato con la Fiscalía para rebajar la pena de cárcel que le podría corresponder a la pareja de Ayuso (entre dos y diez años) a solo ocho meses de prisión a cambio de confesar y pagar la cuota defraudada, los intereses de demora y una sanción del 40 % de lo debido a Hacienda, lo que sumaría un total de unos 520 000 euros. «Ciertamente se han cometido dos delitos», señala el correo del letrado. Una frase muy elocuente. Neira piensa que siendo tan explícito en el correo que redacta puede agilizar el procedimiento. También hay que suponer que el abogado Neira escribió estas líneas en común acuerdo con su cliente, que le había dado el consentimiento para negociar.

Neira ha enviado el correo al buzón genérico de la Fiscalía de Delitos Económicos de Madrid; a la jefa de ese departamento, Virginia Alonso, y a un abogado del Estado, Julián Martínez Simancas, con el que tenía trato para pedirle su opinión. El correo genérico era accesible para el fiscal Salto y para otra decena de compañeros y varios funcionarios. Luego este correo de Neira pasó a otra dirección de la secretaría técnica de la Fiscalía a la que tenían acceso otras 27 personas. Días después, todo el expediente de Alberto González Amador se almacenó primero en una carpeta que podían consultar 12 fiscales y cuatro trabajadores. Después se escaneó y fue subido a otra carpeta en la nube de la web de la Fiscalía Provincial de Madrid llamada «Guardia» a la que también tuvieron acceso 499 personas. Todo esto es importante tenerlo en cuenta para entender lo que pasaría después. La confesión de González Amador ya estaba en muchas manos desde el mes de febrero. De hecho, el día 12 de ese mes el fiscal responde al abogado Neira: «Tomo nota de la voluntad de su cliente de reconocer los hechos y satisfacer las cantidades presuntamente defraudadas». En esos momentos, el fiscal Salto no sabe que ese «cliente» es la pareja de Isabel Díaz Ayuso.

«Es extraño que pidieran un acuerdo tan pronto, sin estar presentada todavía la denuncia oficial. Enviando un escrito de confesión y un pacto a un correo genérico de la Fiscalía. Parece que tenían mucha prisa. Les habían pillado con el carrito del helado y querían cerrar cuanto antes el asunto», señalan fuentes del ministerio público. ¿Por qué? «Supongo que para que no se investigara más. Así se evita un juicio donde, previsiblemente, se iba a citar a mucha más gente y a poner la lupa sobre sus tejemanejes empresariales. Y no interesaba remover el avispero. Sobre todo, teniendo en cuenta quién era el contribuyente, la pareja de Isabel Díaz Ayuso».

El 20 de febrero el ministerio público remite la denuncia a los juzgados, donde es registrada el 5 de marzo. Un día después, el periodista José Precedo, profesional riguroso, llama al gabinete de prensa de la Fiscalía General del Estado para preguntar por una denuncia que hay por fraude fiscal contra la empresa Maxwell Cremona, sin mencionar nada sobre la pareja de Isabel Díaz Ayuso. El 7 de marzo otro medio de comunicación llama preguntando por la misma empresa a la Fiscalía Provincial de Madrid. Algo pasa. La mano derecha del fiscal general del Estado, Diego Villafañe, le pide a la fiscal jefa provincial de Madrid, Pilar Rodríguez, que recabe toda la información sobre el caso.

Ese 7 de marzo el fiscal Julián Salto remite un correo a las 12:52 horas con la denuncia a Maxwell Cremona por fraude fiscal a su superiora, Pilar Rodríguez, y esta lo reenvía a su vez a las 13:36 horas a la Fiscalía General del Estado y a la Fiscalía Superior de la Comunidad de Madrid con el siguiente mensaje: «Se remite para su conocimiento y efectos oportunos copia íntegra de las Diligencias de Investigación Penal tramitadas en la Sección de Delitos Económicos de esta Fiscalía Provincial de Madrid relativas a la entidad Maxwell Cremona [...], relacionada con la pareja de la presidenta de la Comunidad de Madrid».

«El 8 de marzo (tres días después de presentar la denuncia) pregunto por el repentino interés del asunto y nos dicen que González Amador mantiene una relación sentimental con la presidenta de la Comunidad de Madrid», señala el fiscal del caso, Julián Salto, que no supo hasta entonces el jardín que estaba pisando. ¿Cómo sabía Pilar Rodríguez quién era González Amador si incluso el fiscal que negociaba con él no lo sabía?, ¿se lo dijo alguno de los periodistas que llamaba?, ¿lo descubrió algún empleado de la Fiscalía?, ¿el soplo procedía de la Agencia Tributaria? El fiscal Villafañe puso entonces en marcha un procedimiento regulado en el artículo 25 del Estatuto Orgánico del Ministerio Fiscal por el que los fiscales están obligados a informar a sus superiores de asuntos de especial relevancia: una dación en cuentas. Ese 8 de marzo, por ejemplo, justo un día después de reclamar a la Fiscalía de Madrid toda la información sobre el procedimiento contra la pareja de Ayuso, Villafañe hizo lo mismo (firmar una dación) sobre el caso de Begoña Gómez, la esposa del presidente del Gobierno.

Varios medios investigando

En esos momentos ya había al menos tres medios de comunicación trabajando en los negocios de la pareja de Ayuso. El primero en disparar fue *eldiario.es* el 12 de marzo. El digital dirigido por Ignacio Escolar informa a primera hora de la mañana del fraude fiscal cometido por González Amador[1]. Ese mismo día, ya por la tarde, publica otras dos entregas: que Ayuso y su pareja viven en un pisazo en Chamberí de un millón de euros que él compró tras cometer ese fraude fiscal, y que el novio de la presidenta se había embolsado dos millones de euros en comisiones por la venta de mascarillas.

La información del piso es de las 14:22 horas. La de las mascarillas está firmada a las 21:37 horas. Ese mismo día, María Jesús Montero, vicepresidenta del Gobierno y ministra de Hacienda, comete una torpeza. En los pasillos del Senado y rodeada de periodistas pronuncia las siguientes palabras: «La presidenta de la Comunidad de Madrid debe dar explicaciones y actuar con absoluta transparencia respecto a si, efectivamente, como se ha publicado en los medios de comunicación, está viviendo en un piso que se pagó con fraude a la Hacienda Pública y que se pagó con las comisiones respecto a las mascarillas en la peor situación de pandemia que tuvo este país». Lo dice antes de las 17:30 horas. Puede conocer, por tanto, lo del piso (ya se ha publicado), pero no que González Amador se ha llevado comisiones por la venta de mascarillas, que no se publicaría hasta horas después.

Las palabras de Montero y cuándo se produjeron alientan las teorías conspiratorias. Ayuso está convencida de que la publicación de las desdichas fiscales de su pareja fue una filtración interesada de la Moncloa. Ayuso siempre apunta a Moncloa: cuando Casado le preguntó, cuatro años atrás, por las comisiones de su hermano, ella acusó al Ejecutivo socialista de haber filtrado la información a Génova. La presidenta madrileña ya sabía desde hacía meses que Hacienda investigaba

[1] José Precedo, Antonio M. Vélez y Pedro Águeda, «La pareja de Ayuso defraudó 350.951 euros a Hacienda con una trama de facturas falsas y empresas pantalla», *eldiario.es*, 12 de marzo de 2024.

a su novio y que todo había terminado en la Fiscalía. «Era cuestión de tiempo», dijo a sus más íntimos, que la noticia saltara a los medios.

Algo obvio, por otra parte. Los periodistas tienen sus fuentes: políticos, abogados, policías, fiscales, jueces... En una entrevista que concedió a *El Mundo* en octubre de 2024 le preguntaron a Ayuso si Pedro Sánchez tenía una obsesión personal con ella. «Sí, sí, es claro que hay una obsesión personal. Me cuentan que en Moncloa va pegando gritos, portazos y va dando patadas. Ha perdido los papeles conmigo», señaló sin ningún tipo de pudor y sin pruebas para afirmar eso. ¿Se imaginan a Pedro Sánchez pegando portazos en la Moncloa porque no soporta más el éxito y proyección de Lady Madrid?

La tormenta se desata ese mismo 12 de marzo. Apenas tres horas después de la primera exclusiva de *eldiario.es* suena el teléfono de MAR. Le está escribiendo «Alberto Quirón» (así está guardado en la agenda del jefe de gabinete de Ayuso). El novio de su presidenta le está rebotando un mensaje de su abogado. «Buenos días, Alberto. He recibido correo del fiscal. Parece que todo sigue en pie. Le voy a llamar al fiscal para ir concretando. La idea mía es que al final solo haya un condenado. Y multa mínima». Es decir, que González Amador informa a MAR de las sensaciones que tiene su letrado: que a pesar de todo lo que se está montando con las noticias del día, parece ser que se solucionará con un acuerdo y una pequeña sanción.

Ayuso, por su parte, se prepara para lo que viene. El papel de víctima es el que mejor interpreta. «Era algo que me esperaba porque desde hace cinco años todos los días me pasa algo similar. Primero fue mi padre, después mi hermano, mi madre, mis primos, mi pueblo, mi barrio, mi colegio, mis profesores y mi expediente. Después fue mi etapa universitaria.

Siempre ha sido buscar algo en mi entorno», dice a los medios en una visita a Castelldefels (Barcelona). Lo dicho, siempre el victimismo. Le ha ido bien así.

Ese «entorno» tan perseguido, no obstante, siempre ha salido airoso de los escándalos. Por ejemplo, los tribunales no consideraron como alzamiento de bienes la donación de dos pisos que la presidenta madrileña y su hermano habían recibido por parte de sus progenitores, una peculiar donación hecha justo en el momento oportuno para evitar que esos dos inmuebles fueran embargados para saldar el préstamo contraído con Avalmadrid. El Tribunal Supremo rechazó investigar argumentando que Ayuso «no intervino en la operación», «desconocía la deuda» y tampoco conocía «la situación económica de la empresa». Falso, como demuestran los correos que envió. Tampoco pasó nada, judicialmente hablando, con la comisión que se llevó su hermano en lo peor de la pandemia. Tanto la Fiscalía Anticorrupción aquí en España como la Fiscalía Europea archivaron el caso. ¿Los argumentos? No se pudo probar que Isabel Díaz Ayuso interviniera en la adjudicación ni que Tomás Díaz Ayuso fuera dueño de la sociedad que le pagó la comisión.

Ayuso se volvió a enfrentar a las preguntas de los medios al día siguiente en Leganés, a donde había trasladado su Consejo de Gobierno de esa semana. En la rueda de prensa posterior no se escondió. «Estaba muy nerviosa y al mismo tiempo rabiosa. Fue ella la que decidió sacar el tema de su novio antes de que le preguntáramos», coinciden en señalar periodistas que cubrieron esa jornada. La víctima Ayuso escenificó de nuevo su mejor papel. Atribuyó la inspección tributaria «salvaje y sacada de quicio» sufrida por su Alberto a una persecución «de todos los poderes del Estado», «tan escandalosa que todo huele a turbio». Y eso que durante el año y medio que duró la investigación fiscal, las inspectoras a cargo de expediente de González Amador se llegaron a reunir 17 veces con él o con sus abogados para que pudieran dar las explicaciones oportunas y aportar la documentación que la Agencia Tributaria le estaba reclamando. Durante todo ese periodo las inspectoras (Mercedes y Ana) ni siquiera sabían que la empresa Maxwell Cremona pertenecía al novio de la presidenta Ayuso.

«Si después de toda una vida trabajando, esta persona [su pareja] tiene un patrimonio y se puede permitir comprar una casa, un coche o siete, mientras esté legal, mientras esté todo en A, mientras esté ante notario, soy libre de subirme en ese coche o de meterme en esa cama». «Buscan desestabilizarme a través de mi destrucción personal». «Pedro Sánchez está sentado en la corrupción política y económica y esto no lo va a tapar», fueron algunas de las lindezas que soltó Ayuso ante los medios.

También trató de confundir a la opinión pública con las fechas de su noviazgo. «Quiero aclarar, que [esto] se ciñe a una etapa de su vida, la de este particular, cuando ni siquiera éramos pareja». Sin embargo, sí lo eran. 14 de las 15 facturas falsas que González Amador diseñó para engañar al fisco son de 2021, cuando ya salía con Ayuso. Esta también aseguró, ante la atónita presencia de los periodistas presentes, que era Hacienda quien realmente le debía dinero a su chico (por la regularización que intentó hacer en 2023 y que la Agencia Tributaria no admitió porque ya había una investigación abierta).

Ayuso podría haber optado por pasar de puntillas por el caso de su novio y haber argumentado que todo lo publicado implicaba a un ciudadano particular y que ella no tenía nada que decir, pero decidió todo lo contrario. Como solo ella sabe y como le asesora MAR, que tiene una máxima: «A cada insulto, dos». Ayuso tiene el convencimiento de que está llamada a liderar una etapa política en España que marcará una época. Y cualquier información que se publica y no le gusta, la entiende como un ataque dirigido por poderes oscuros que quieren boicotear su destino. Ayuso y su «Pigmalión» Miguel Ángel Rodríguez también pensaron que si la presidenta optaba por una posición más discreta en este asunto se la podría acusar «de que tenía algo que ocultar».

Dos años antes, con la crisis mediática que supuso la comisión de su hermano, Ayuso comentó a los periodistas en corrillos privados que estaba muy decepcionada con Tomás Díaz Ayuso, como si su familiar la hubiese traicionado. En el caso de su novio, no había decepción ni traición. Solo una defensa a capa y espada. Amor. Además, los tiempos políticos eran distintos. Ayuso se sentía inexpugnable y decidió creerse la historia de que todo era una maniobra del pérfido Sánchez contra ella, adalid y futuro de la derecha española. «Creo que cualquier ciudadano que se ponga en mi lugar entenderá lo que puede significar que el presidente del Gobierno abiertamente diga que te va a matar, que quiere acabar contigo… me quieren destruir», diría meses después en una entrevista. El problema de estas palabras es que Ayuso siempre se las ha creído.

La manipulación de MAR

En principio, el expediente de Alberto González Amador era un caso bien atado por la Agencia Tributaria y todo un problema político para Ayuso…

Pero lo que vino a continuación fue un ejercicio de manipulación digno de todo un maestro maquiavélico como MAR, que ha convertido a todo el aparato organizativo, económico y mediático que tiene la Comunidad de Madrid —una administración pública—, en una herramienta engrasada al servicio de los intereses de Ayuso. Como cuenta el periodista José Precedo[2], la Comunidad de Madrid «empieza a parecerse cada vez más al Kremlin», con su aparato de propaganda, y sobre todo porque, como en el caso de Putin, cada vez que sale a la luz un nuevo escándalo que salpica al clan Ayuso, «alguien cae por la ventana o tiene un accidente». El periodista y escritor Manuel Jabois rememora que un día de verano de 2013, sentado junto a una piscina y ya retirado de la vida política sin chance de volver, Miguel Ángel Rodríguez le dijo que lo que más echaba de menos del poder era manipular. Y en 2024 había vuelto al poder.

Así que el objetivo de MAR, que se cree más inexpugnable que Ayuso, es claro y evidente: confundir a la opinión pública. Ya lo había hecho hace dos años, cuando el caso de la comisión cobrada por el hermano de Ayuso se transformó por arte de magia en un caso en el que la presidenta había sido espiada. Solo había que repetir la misma estratagema. Imponer otro relato. ¿Qué se decidió en las catacumbas de Sol donde MAR engrasa su maquinaria?

MAR empieza a escribir por la tarde a determinados periodistas para decirles que habían prohibido al fiscal del caso negociar con González Amador un supuesto acuerdo. «Todo turbio y feo», señalaba a quien quería oírle. El 13 de marzo a las 21:29 horas, y bajo el epígrafe de «investigación», *El Mundo* publica que ha sido la Fiscalía quien ha ofrecido un pacto a Alberto González Amador para que admita los dos delitos

[2] José Precedo, «El Kremlin de Ayuso: cada vez que salen a la luz delitos y corrupciones familiares, cae alguien por la ventana», *eldiario.es*, 17 de octubre de 2024.

fiscales[3]. Algo, que como ya hemos relatado, no es verdad. MAR elige que sea *El Mundo* quien publique la versión de la historia que más le conviene. Como dice el diputado Emilio Delgado, de Más Madrid, la economía circular del PP funciona así: «Algunos medios sostienen al PP, y el PP los sostiene a ellos con fondos públicos».

MAR ha puesto en contacto a Alberto González Amador con un periodista de *El Mundo*. «La Fiscalía Provincial de Madrid ha trasladado a la pareja de la presidenta de la Comunidad de Madrid un ofrecimiento formal para que se declare culpable de la comisión de dos delitos fiscales. La propuesta ha sido remitida por correo electrónico dos horas después de que estallara el caso y ocho meses después de que Alberto González Amador pusiera a disposición de la Agencia Tributaria un total de 400 000 euros para regularizar su situación fiscal y zanjar el procedimiento por la vía administrativa mediante una conformidad», empezaba la información de *El Mundo*. Con esta noticia se daba a entender que el ministerio público, controlado por el maléfico Pedro Sánchez, había esperado a que se publicara a la información del fraude cometido por el novio de Ayuso (y dañar así la imagen de la presidenta) para proponer un acuerdo a González Amador.

MAR va más allá y filtra además a otros medios *amigos* que es la cúpula de la Fiscalía quien ha frenado ese pacto con el novio de Ayuso porque el Gobierno *sanchista* quiere un juicio para escarnio de la pareja de la presidenta y ha ordenado que se descarte un acuerdo de conformidad. «Mirad la realidad del *email* que recibe el abogado del señor González. Es la Fiscalía la que ofrece el acuerdo, en principio. Después recibe

[3] Esteban Urreiztieta, «La Fiscalía ofrece a la pareja de Ayuso un pacto para que admita dos delitos fiscales mientras judicializa el caso», *El Mundo*, 14 de marzo de 2024.

órdenes de *arriba* y retira la propuesta de acuerdo… todo sucio», envía MAR. Varios medios le compran la mercancía averiada. En muchos rincones mediáticos de Madrid nadie tose a MAR, más bien lo obedecen sin rechistar. «La Fiscalía ofreció al novio de Ayuso un acuerdo que después retiró por órdenes de arriba», publicó *Libertad Digital* el 13 de marzo a las 23:17 horas. El bulo se presenta como hecho cierto sin atribuir las declaraciones a la mano derecha de la presidenta madrileña. Ese 13 de marzo, MAR debió de estar muy ocupado pergeñando su *operación bulo,* porque cargó a los presupuestos públicos una comida y una cena que suman 237 euros.

Sin embargo, el correo que publicó *El Mundo* para apuntalar su información era el último de una cadena de mensajes entre ambas partes que había comenzado el 2 de febrero, y en el que el abogado de la pareja de Ayuso reconoce los delitos cometidos por su cliente y propone llegar a un acuerdo para intentar que no vaya a prisión.

La mentira es una forma de talento. El novio de Ayuso había enviado a MAR a las 9:09 horas de la mañana del 12 de marzo (cuando *eldiario.es* ya ha publicado la primera información del fraude fiscal) el último correo que el fiscal Julián Salto había remitido a su abogado. En ese correo parecía que era el fiscal el que ofrecía un pacto de conformidad para evitar el juicio. «Aunque se ha denunciado también a otras personas, no será obstáculo para poder llegar a un acuerdo si usted y su cliente lo estiman posible», decía el fiscal Salto. Este no estaba ofreciendo un pacto, simplemente se mostraba conforme a negociar, como en casi todos los procedimientos fiscales cuyo principal objetivo es recuperar el dinero defraudado. De hecho, MAR también tenía a esas horas un mensaje del abogado de González Amador asegurando que la negociación entre ambas partes «seguía en pie», algo incompatible con que se había frenado el acuerdo por «órdenes de arriba». Pero esa información no trascendió. No servía para los intereses de MAR.

Resumiendo, que el correo que llegó a determinados medios como si fuese el inicio de un pacto, era en realidad el último de una conversación que inició el letrado de González Amador el 2 de febrero de 2024 solicitando ese pacto tras asumir los delitos fiscales, tras confesarlo todo; pero MAR ya tenía lo que quería. No le interesaba la verdad. Solo imponer su relato. El veterano jefe de gabinete de Ayuso ha reconocido que primero puso en contacto a González Amador con un periodista de *El Mundo* para que publicara la información tergiversada. Luego, a las 22:27 horas, envió el e-mail que le interesaba a otro grupo de reporteros afines para que solo se impusiera la versión que a él le venía mejor: que el fiscal había ofrecido el pacto y que se lo habían parado desde «arriba».

Para rematar, MAR, que empieza a tener ya la necesidad de que todo el mundo sepa que él es el principal guionista de la película política que protagoniza su pupila, suelta a las 22:41 horas de la noche del 13 de marzo en su cuenta de la red social X: «Resumen de la locura de hoy: la fiscalía ofrece por e-mail un acuerdo al sr. González [Alberto, pareja de Ayuso]; antes de que pueda responder, la misma Fiscalía dice que ha recibido órdenes *de arriba* para que no haya acuerdo y, entonces, vayan a juicio».

¿En qué se basaba MAR para asegurar que el fiscal Julián Salto ha recibido órdenes para que no haya acuerdo? No tiene ninguna prueba. Pero le da igual. La operación consiste en intoxicar con la colaboración de algunos periodistas. Luego justificaría en sede judicial que dedujo (vamos, que se inventó) que las dos partes no habían llegado a un acuerdo porque el fiscal Salto había recibido «órdenes de arriba» para frenar ese pacto. Lo dedujo porque «peina canas». Es decir, que peina canas para manipular como nadie. El Tribunal Supremo llegaría a calificar las palabras de MAR de «especulación gratuita».

Los fiscales responden

Muchos periodistas empiezan entonces a llamar a la Fiscalía Superior de la Comunidad de Madrid (de la que cuelga la Fiscalía Provincial de Madrid) para corroborar si lo publicado por *El Mundo* es cierto. Almudena Lastra, fiscal superior de Madrid, que lleva tres años en el cargo, ha recibido la llamada de su jefe de prensa. Varios medios le estaban preguntando si es verdad que la Fiscalía ha ofrecido un pacto a González Amador y luego lo había retirado. «Fui la primera que alerté al fiscal general del Estado de que el jefe de gabinete de la presidenta está llamando a medios de comunicación diciendo que la Fiscalía ha ofrecido un pacto y ha recibido después órdenes de no llevarlo a cabo, soy yo quien considero la trascendencia del asunto y soy yo quien llama al fiscal general del Estado para decirle, oye, hay esto»[4], señala Lastra, que sabe que MAR está moviendo sus hilos detrás del escenario. Unos hilos que manejan a unas marionetas muy obedientes.

Lastra también comunica al fiscal general que ni ella, ni la fiscal provincial de Madrid, ni el fiscal Salto «habíamos dado ninguna instrucción para que se llegara a ese acuerdo, y él me dijo que por supuesto él tampoco había dado ninguna instrucción y, por tanto, efectivamente estábamos de acuerdo en que había que salir a desmentir esta noticia. Yo asumí la misión de la redacción de esa comunicación con mi jefe de prensa, como hacíamos siempre, y que la difundiríamos a los medios cuando

[4] Declaración judicial de Almudena Lastra.

lo consideráramos oportuno», explica Lastra, que sabe que todo este jaleo le puede venir muy mal para sus aspiraciones profesionales: quiere ser fiscal en el Tribunal Supremo.

Desde la Fiscalía General se pide entonces a la madrileña que se recopile toda la información de los correos cruzados entre el fiscal Salto y el abogado de González Amador. Álvaro García Ortiz, fiscal general del Estado, quiere transparencia y conocer la secuencia de los hechos. Se teme, ya ha vivido tragos parecidos, que la otra parte (la defensa de González Amador, teledirigida por MAR), está jugando con las cartas marcadas. La vida son decisiones. Y esta decisión de García Ortiz marcará su futuro. ¿Por qué se implicó tanto en este asunto?, ¿no podría haber delegado en sus subordinados y mantenerse al margen?, ¿actuó, como dicen sus críticos, por orden de la Moncloa y Pedro Sánchez?

Una fuente de la máxima confianza de Álvaro García Ortiz asegura que él nunca ordenó paralizar un pacto con el novio de Ayuso. «Se enteró de todo por la prensa. Y el fiscal general del Estado no quería que se publicasen mentiras. Él no ordenó parar ningún pacto con la defensa de González Amador. Por eso pidió conocer toda la verdad de los hechos para dar una respuesta veraz a los medios de comunicación que estaban llamando insistentemente». La Fiscalía Superior de la Comunidad de Madrid, por su parte, reclamaba en ese momento prudencia. Como señaló entonces su jefe de prensa, Íñigo Corral, «a mí el sueldo me lo paga Isabel Díaz Ayuso». Orgánicamente es así. Las Fiscalías regionales dependen de las Comunidades Autónomas. El jefe de prensa de la Fiscalía de Madrid no quería problemas. Sabía que se avecinaba tormenta y había que ir con pies de plomo.

Su jefa, Almudena Lastra, también quiere ir despacio. «El fiscal general me dijo que sería bueno que tuviéramos esos correos y yo le dije que no los necesitaba para nada porque sabía cómo se habían producido los antecedentes». Lastra quiere que pase la tormenta mediática del 13 de marzo y esperar al día siguiente.

Por su parte, el fiscal general cree que fue un «error» no informar públicamente del caso a partir del 7 de marzo, cuando ya supieron que el denunciado era pareja de la presidenta madrileña. «Cometimos un error, desde la Fiscalía Superior se cometió un error. Tendríamos que haber dado una nota de prensa», lamenta. Como había sucedido, por ejemplo, cuando el denunciado por fraude fiscal era un futbolista o un artista. Hay que tener en cuenta que en 2024 la Fiscalía General recibió 215 daciones de cuenta (casos de los que se informa al fiscal general por su trascendencia mediática).

La Fiscalía General del Estado, no obstante, insiste en que se enteró del supuesto pacto ofrecido por el ministerio público (que nunca existió) la noche del 13 de marzo tras la publicación tergiversada de *El Mundo*, y que el fiscal general insistió en recabar todos los datos para dar una respuesta rápida y veraz. Como Almudena Lastra no quiere remover el asunto esa noche ni le pasa los correos, el fiscal general llama a Pilar Rodríguez, fiscal provincial de Madrid. «Me pareció del todo atendible la petición que me hizo el fiscal general de recabar los correos electrónicos, porque se me había informado que estaban apareciendo informaciones que no se correspondían a lo sucedido y había que dar una información veraz a la ciudadanía, de manera que me pareció atendible recabar correos para remitirlos a la superioridad, no me planteé que eso pudiera producir algún perjuicio»[5], explica Rodríguez.

[5] Declaración judicial de Pilar Fernández.

Quien tiene la información de primera mano es el fiscal de delitos económicos que lleva el caso, Julián Salto, que guarda todos los correos electrónicos cruzados con la defensa del novio de Ayuso. Ese 13 de marzo por la noche se encontraba viendo en el estadio Metropolitano el partido de la Champions League que disputaban el Atlético de Madrid y el Inter de Milán. Salto recibe una llamada de su superiora Pilar Rodríguez a las 21:39 horas para que explique qué es lo que ha pasado realmente. Es decir, quién había ofrecido el pacto a quién. El fiscal Salto tiene que dejar momentáneamente el partido (por cierto, ganó el Atleti) para enviar la información que le requerían, es decir, los correos que se ha intercambiado con Carlos Neira, abogado de González Amador. Salto empieza a enviar todo lo que tiene. El fiscal general ha requerido toda la documentación para «cerrar el círculo» y completar la información porque se está atacando a los fiscales del caso. «Cuando hay un bulo acreditado, tienes que desmontarlo. Y eso lo tiene que hacer la Fiscalía, porque es el garante del interés público. Para desmontar ese bulo, hay que dar datos objetivos que acrediten que ese bulo es falso», señala Joaquín Giménez, magistrado emérito del Supremo.

«La denuncia no se presentó por ningún motivo político (...). Yo no ofrezco ningún acuerdo, simplemente es un correo más de esa cadena que ha empezado el 2 de febrero [con la propuesta del abogado Carlos Neira de llegar a un acuerdo admitiendo los delitos y pagando una multa para evitar la cárcel] y termina el 12 de marzo [con la respuesta del fiscal de iniciar la negociación sobre aquella propuesta si lo consideran posible]. Mi sorpresa es cuando en la tarde noche del 13 de marzo mientras yo estoy en un partido de Champions, me llaman y me comentan que mi correo electrónico del 12 de marzo está publicado en el diario *El Mundo* y posteriormente en otros dos diarios y lo publican con mi correo, con mi nombre y apellidos, con mis datos (…). Con esa noticia me exigen una dación de cuentas por el artículo 25 del estatuto orgánico del ministerio fiscal. Es una orden que yo considero que es legal, es un asunto de trascendencia mediática desde el momento en que está implicado… el criterio es muy laxo porque cualquier asunto que haya salido en los medios es de trascendencia y este asunto ha salido y yo tengo que dar cuenta. Me pareció una orden legal que me digan que les cuente qué ha pasado y a qué nos hemos comprometido, y cuál ha sido mi actuación porque la prensa está contando una información que no es verdad»[6], señala Salto.

Una secuencia de horas importante

Álvaro García Ortiz recibe varios correos con todos los datos entre las 21:59 y las 23:46 horas. El fiscal general pide a Pilar Rodríguez que le mande toda la información a su correo personal de Gmail, no a su correo oficial de la Fiscalía. García Ortiz obtiene primero, a las 21:59 horas, el famoso correo del 2 de febrero de 2024 en el que Carlos Neira escribe al fiscal Salto reconociendo los hechos de González Amador, el texto con la famosa expresión de «ciertamente se han cometido dos delitos contra la Hacienda Pública».

«Lamento haberte amargado el partido, que ha debido de ser apasionante», le escribe Pilar Rodríguez a su subordinado Julián Salto para agradecerle los esfuerzos. Almudena Lastra, fiscal superior de Madrid, y jefa por tanto de Pilar Rodríguez y de Julián Salto, quiere que las cosas vayan a otro ritmo. Afea

[6] Declaración judicial de Julián Salto.

a Rodríguez ser tan diligente. «Para qué le mandas los correos, Pilar, los van a filtrar. Pilar, haz el favor de no hacer nada más, nada más. Haz el favor de ir a tu casa, de descansar, y a ver si podemos estar tranquilos esta noche y mañana ya vemos cómo hacemos esto», le dice. Lastra no quiere que el fiscal general tenga tanta información y tan rápido. Pilar Rodríguez no recuerda esa advertencia de Lastra. «A mí se me habría encendido una lucecita en mi cerebro si alguien me dice algo así». Lo que sí recuerda Rodríguez es que Lastra se molestó por la exclusiva de *eldiario.es* del 12 de marzo (que destapó todo) porque le dijo enfadada que «esos lo han filtrado». Cuando habla de esos de manera tan despectiva se refiere a quienes trabajan en la Fiscalía General del Estado. No da ningún argumento: «Yo no hago comentario alguno».

La noche del 13 de marzo, La Sexta a las 22:10 horas y la Cadena Ser[7] a las 23:24 horas en antena (y 23:51 horas en su web) publican las primeras noticias desmintiendo a *El Mundo*. La guerra de medios ha empezado. «El novio de Ayuso ofreció a la Fiscalía llegar a un pacto declarándose culpable de dos delitos fiscales para evitar el juicio», señalaban las informaciones. En la de la Ser se explicaba que se había tenido acceso a un correo electrónico donde el abogado de González Amador mostraba su voluntad de llegar a una conformidad con el Ministerio Público. En esa noticia se adelantaba lo siguiente: «La Fiscalía de Madrid prepara un comunicado al respecto que será publicado en las próximas horas». A la 01:25 del ya 14 de marzo *eldiario.es* publica un artículo con el siguiente titular: «Ciertamente se han cometido dos delitos contra la Hacienda Pública: la confesión por escrito de la pareja de Ayuso». A las 07:14 horas el diario *El*

[7] Miguel Ángel Campos, «El novio de Ayuso ofreció a la Fiscalía llegar a un pacto declarándose culpable de dos delitos para evitar el juicio», Cadena Ser, 13 de marzo de 2024.

País recoge en su web la siguiente noticia: «La pareja de Ayuso admitió ante la Fiscalía dos delitos tributarios que la presidenta negó en público y se ofreció a pagar lo defraudado».

González Amador, que, como ya hemos dicho, ha hablado con un periodista de *El Mundo* para contarle solo una parte de la historia, se ofende cuando otros medios que no controla MAR publican la historia completa: que fue él quien ofreció el pacto a la Fiscalía. «¡Cómo no me avisas!», le espeta a su abogado Carlos Neira cuando Alberto González Amador ve publicado que su letrado envió un correo confesando los delitos. «Yo el cabreo que me cogí fue monumental porque no entendía nada. No me consultaron», señaló echando toda la culpa a su equipo jurídico. «Quiero que quede claro una cosa. Jamás tuve conocimiento de ese correo, pero es que es peor, jamás participé en ese correo, jamás me preguntó el señor Neira si el contenido del correo me parecía bien o mal»[8].

Es decir, la pareja de Ayuso asegura que él no sabía que su abogado iba a reconocer en un correo los dos delitos fiscales. Que lo hizo por su cuenta, aunque admite que le autorizó a buscar una conformidad. Aquí entonces surge una contradicción razonable: ¿cómo se busca una conformidad sin reconocer los delitos? Otra duda que puede tener el lector. Si González Amador nunca autorizó la confesión del correo que envió su letrado, si fue una iniciativa de su abogado que él ni siquiera aprobó, ¿qué clase de secreto se ha revelado?, ¿cómo va a ser un secreto algo que el propio interesado dice que en realidad no pasó? (Preguntas que serán importantes más adelante). Hay que recordar que en el correo que envió Carlos Neira el 2 de febrero a la Fiscalía ponía literalmente «de común acuerdo» con su cliente. ¿Quién miente?

[8] Declaración judicial de Alberto González Amador.

Todas las informaciones que se publican la noche del 13 al 14 de marzo revelan citas textuales del correo que el abogado de González Amador envió el 2 de febrero a la Fiscalía dejando claro que la idea del pacto siempre surgió del novio de Ayuso. Pero ninguna reproduce el correo del abogado de González Amador, solo parte de su contenido. Quien sí reproduce ese correo es *El Plural* a las 09:06 horas.

Estas filtraciones enfadan mucho a Almudena Lastra, que estaba de acuerdo en desmentir el bulo publicado por *El Mundo* pero creía que no había prisa y se podía esperar al día siguiente, 14 de marzo. Ella quería enviar una nota de prensa explicando la secuencia de hechos a todos los medios, no pasando la información a unos pocos. Incluso convocar, si era necesario, una rueda de prensa. Pero nadie sabe cómo se han enterado La Ser, *eldiario.es*, *El País* y *El Plural* antes de que esté preparada la nota de prensa que se está elaborando. «¿Lo has filtrado tú?», le reprocha Lastra al fiscal general. «Eso ahora no importa», le responde García Ortiz. Una respuesta que se le quedó «clavada en el alma».

Desde la Fiscalía General del Estado afean a Lastra «que con otras filtraciones no se ofende» y recalcan la «evidente animadversión» de ella con Álvaro García Ortiz. Por ejemplo, el fiscal Diego Villafañe (número dos de García Ortiz) ha acusado a Lastra de hacer «críticas infundadas» contra ellos «en cualquier foro público» y critican que durante esas horas Lastra no tuviera tanta prisa en defender a sus subordinados a los que Ayuso acusó de organizar una operación de Estado contra su pareja.

De todas formas, Álvaro García Ortiz asegura que él no filtró ningún documento y acusa a Alberto González Amador de que fue él mismo quien difundió uno de los correos del caso y a MAR, jefe de gabinete de Ayuso, de remitirlo a su vez a decenas de periodistas. «El querellante no ha sido leal. Esa conducta no es propia de quien quiere guardar un secreto», señaló García Ortiz en sede judicial.

Al final, la Fiscalía General del Estado recaba toda la información y ordena publicar una nota informativa que se ha redactado con la secuencia de los hechos ya de madrugada. La nota de prensa está «perfecta», según el fiscal general y la fiscal de Madrid, Pilar Rodríguez. Esta última, con un poco de ironía, dice que le dan ganas de «incorporar un poco de cianuro». Un desahogo. ¿Por qué? Muchos medios de la derecha llevan ya todo el día machacándola publicando que fue un alto cargo socialista con Zapatero y que, claro, cojea por la izquierda. Hasta Ayuso se lo afea en un tuit.

«Yo no participé en la nota, la leí y dije que sí, que eso era así porque lo acababa de leer en los correos, y luego me desentendí y entendí que sería la jefatura de prensa de la fiscalía de la Comunidad la que difundiría la nota. Si hubiera habido una controversia... pero yo no recibí ninguna llamada ni del fiscal general del Estado ni de la Fiscalía Superior ni para hacer ningún tipo de corrección»[9], señala Pilar Rodríguez.

Pero Almudena Lastra está «quemada» por las filtraciones de la noche anterior. Su jefe de prensa no quiere enviar la nota porque asegura que contiene datos que no deben revelarse. Amenaza con dimitir. El fiscal general, Álvaro García Ortiz, escribe la mañana del 14 de marzo a Almudena Lastra para que se envíe a los medios esa polémica nota de prensa. La escribe porque García Ortiz ha llamado seis veces a Lastra y esta nunca le ha cogido el teléfono: «Almudena, la nota está correcta en fechas y contenido. Hay que sacarla, si tardamos se impone un relato que no es cierto y parece que los

[9] Declaración judicial de Pilar Rodríguez.

compañeros no han hecho bien su trabajo. Es imperativo sacarla. Nos están dejando como mentirosos. Almudena, no me coges el teléfono. Si dejamos pasar el momento nos van a ganar el relato. La actuación de los compañeros y de la Fiscalía es impecable y hay que defenderla».

A Lastra no le gusta el cariz que están tomando los acontecimientos. Cree que el artículo 4 del Estatuto Orgánico del Ministerio Fiscal les obligaba a salir a atajar un bulo de estas características, pero difiere en la forma de hacerlo. Lastra, que quiere ser prudente, lo quiere hacer facilitando menos datos a los medios de comunicación, pero ¿cómo se puede desmentir que la Fiscalía no ofreció un acuerdo sin decir que quien lo ofreció fue el contribuyente investigado?

A su juicio, declararía después Lastra, «no era necesario relatar los correos y si el señor González había reconocido o no había reconocido los hechos. Bastaba con explicar en la nota de prensa que había habido una filtración irregular, quebrando la confianza entre el letrado y la Fiscalía, de un correo electrónico. Se podía haber explicado solo cómo funcionan las conformidades cuando el ámbito es preprocesal y que en este caso no había ocurrido nada distinto a lo que había ocurrido en los demás casos… Era el letrado el que se había dirigido [a la fiscalía para proponer el acuerdo], pero sin necesidad de dar ningún dato de cuál había sido la posición, ni si había reconocido o no había reconocido [el delito], porque muchas veces los letrados se dirigen a la fiscalía para ver si hay una posibilidad de acuerdo sin decirnos si se reconocen o no se reconocen los hechos. Esto entra dentro del margen de confidencialidad de las actuaciones entre el letrado y el fiscal».

Finalmente, el 14 de marzo a las 10:20 horas se hace pública la dichosa nota y se envía a más de 140 periodistas. Lastra asegura que se manda porque «es una orden». La nota revela una cronología de las conversaciones mantenidas entre el ministerio público y el abogado de Alberto González Amador para demostrar que fue este último quien mostró su voluntad de reconocer los hechos y «satisfacer las cantidades presuntamente defraudadas». «En definitiva, el único pacto de conformidad, con reconocimiento de hechos delictivos y aceptación de una sanción penal, que ha existido hasta la fecha es el propuesto por el letrado de D. Alberto González Amador al fiscal encargado del asunto en fecha 2 de febrero de 2024», termina el texto.

Este contenía el encabezado «Fiscalía Provincial de Madrid. Nota informativa». Se había quitado el membrete habitual de «Fiscalía de la Comunidad de Madrid. Oficina de prensa» que llevan siempre los comunicados oficiales distribuidos por este departamento. Una forma de decir por parte del jefe de prensa de la Fiscalía de Madrid que se ha enviado un escrito con el que no está de acuerdo. El miedo manda. Esto enfada a la Fiscalía General del Estado, que sabe que el jefe de prensa de la provincial de Madrid está asustado y «ha querido quitarse de en medio» porque «su sueldo depende de Ayuso». García Ortiz y Lastra no se llevan bien. «Lo sabe toda la curia fiscal y judicial, hay un desafecto de la señora Lastra a quienes dirigimos la Fiscalía española», explicaría después García Ortiz. Toda esta secuencia de hechos finaliza el 14 de marzo por la mañana en la calle Fortuny, sede de la Fiscalía General, en pleno distrito de Chamberí (curiosamente, en *territorio Ayuso*, como dicen en el PP de Madrid).

El miedo de Juan Lobato

A siete kilómetros de distancia está la Asamblea, el Parlamento donde se decide el futuro de los madrileños. Ese 14 de marzo hay Pleno. Las diversas noticias sobre el novio de Ayuso copan ya los titulares de muchos digitales, radios y televisiones, en una guerra por el relato: unos medios intentan explicar más datos del fraude fiscal cometido por González Amador; otros que se trata de una persecución política contra la presidenta regional a través de su pareja, y la mayoría sobre quién ha ofrecido a quién el pacto (si la Fiscalía a Alberto o Alberto a la Fiscalía)... todo depende del medio que se lea o escuche. Ayuso sabe que va a tener jaleo con la oposición. PSOE y Más Madrid van a sacar el tema en sus preguntas de control al Ejecutivo autonómico en el Pleno de este jueves.

El líder de los socialistas madrileños es Juan Lobato, que en 2015 se convirtió en el primer alcalde socialista del municipio de Soto del Real (sí, donde está la cárcel) desde Eugenio Candelas, al que fusilaron en la Guerra Civil en 1939. Hijo de un histórico del PSOE, Lobato es además técnico de hacienda en excedencia, un tipo afable, de buen trato y talante moderado, al que no le gusta mucho la crispación y la política marrullera. «La gente está hasta las narices de insultos y polémicas que no tienen nada que ver con sus problemas», repite una y otra vez.

Quizás por eso no es del agrado de Ferraz, porque se piensa que no cumple el perfil, que es demasiado tibio, y que no tiene el colmillo afilado para hacer oposición a una combativa y siempre «barriobajera» Ayuso. A «Lady Madrid» no le importa mancharse en el barro, pero a «Lobito» (el apodo que le han puesto a Lobato) le cuesta más ensuciarse en el fango. Harto de tantas críticas contra él por parte de Ferraz, Lobato ya le había trasladado su malestar al secretario de organización del PSOE, Santos Cerdán, cuando ambos coincidieron en junio de 2024 en el concierto de Bruce Springsteen. El perfil de Lobato es el de un embajador en tiempos de paz, no de guerra.

Pero ese 14 de marzo de 2024 la oportunidad es única. Hay que ir a la guerra. David del Campo, entonces jefe de gabinete de Lobato, lo avisa por la mañana temprano que «en Moncloa y en Ferraz quieren el máximo ruido y jaleo posible para tapar el máximo tiempo posible las elecciones en Cataluña [que se habían convocado el día anterior] y que no hay Presupuestos». Del Campo continúa con su mensaje: «Más pronto que tarde volverá la amnistía, la autodeterminación, la consulta, Koldo, las elecciones en Cataluña que van a ser como el Gran Hermano VIP». En ese momento en el horizonte aparecían los comicios catalanes, que eran vitales para el PSOE. La polémica ley de Amnistía todavía no estaba aprobada de forma definitiva y, además, acababa de explotar el caso Koldo y José Luis Ábalos, antiguo secretario de organización de los socialistas, además de exministro, había sido suspendido de militancia.

Paren las máquinas para el que no conozca de qué va esto: Ferraz y Moncloa (es decir, PSOE y el Gobierno) se coordinan, comparten estrategias y hasta se comunican con las direcciones de sus grupos parlamentarios. Así que el caso del fraude fiscal del novio de Ayuso hay que explotarlo. Pilar Sánchez Acera, un peso pesado del PSOE de Madrid, llama por la mañana temprano a Lobato para que dé caña a Ayuso con el correo en el que su pareja reconoce que es un defraudador fiscal. Sánchez Acera tiene mando en plaza: es la número tres de la dirección regional, jefa de gabinete de Óscar López, director de gabinete de Pedro Sánchez. Una de las principales fontaneras en Moncloa. Aunque no se lleva muy bien con Lobato, pertenece a su Ejecutiva y le ayuda con frecuencia a preparar sus intervenciones en el Parlamento regional.

Muchos medios llevan desde la noche anterior hablando de este correo, incluso reproduciendo extractos de él, pero nadie ha publicado el documento en cuestión. Lobato lo sabe. Y tiene dudas. A las 08:29 de la mañana Sánchez Acera envía a Lobato una captura de la imagen del famoso correo que Carlos Neira, abogado de Alberto González Amador, envía al fiscal Juan Salto reconociendo que su cliente ha cometido dos delitos fiscales y que quieren llegar a un pacto de conformidad.

«Cuidado con los datos personales. Se puede sacar. Sácasela [a Ayuso] en la pregunta. Un ¿quién miente señora Ayuso, usted o su novio? Parece que usted. La imagen con la carta es potente», le señala Sánchez Acera a Lobato. En la imagen pone reenviado, por lo que previamente alguien se la ha mandado a Pilar. Hay que recalcar que desde la noche anterior varios medios de comunicación ya han reproducido el contenido del correo, aunque no el correo en sí. ¿Cómo lo tiene Sánchez Acera? Hagan sus apuestas. Ella solo reconoce que se lo mandó un periodista, aunque no se acuerda de quién.

A las 08:39, Lobato contesta: «Pero se ha publicado en algún sitio esta carta? No tiene fecha. La carta cómo la tenemos. ¿Se ha publicado en algún sitio?». Juan Lobato no es tonto. Es técnico de Hacienda y sabe que le acaba de llegar a su móvil un correo confidencial entre abogado y fiscal. Algo que no puede reproducir. Que está penado con hasta cinco años de cárcel. Incluso que le puede llegar a inhabilitar como técnico de Hacienda. Pilar le contesta sin dar muchos detalles: «Porque llega, la tienen los medios. Vamos a verlo para que estés más respaldado. Si es así, te lo digo. Si no, la tienes en retaguardia». Lobato insiste: «Sí, porfa. Es buena para explicar en la rueda de prensa con la propia carta. Pero la necesito diciendo de dónde la saco. Porque si no parece que me la ha dado la Fiscalía».

Lobato le comenta a su mano derecha, David del Campo, que «Pilar [Sánchez Acera] quiere que yo saque el *mail* de la

Fiscalía. Que no ha salido pero que lo saque yo... No puede ser». Del Campo le contesta seguro: «No lo hagas».

Luego, Lobato y Sánchez Acera hablan de nuevo para ver a qué hora le toca intervenir a Juan en su pregunta de control a Ayuso, porque es importante que pueda sacar la carta. «Va a salir antes, para el control (...) Pero te aviso cuando salga». Palabras elocuentes. Pilar sabe que para reforzar a Lobato sería ideal que un medio publicase la carta. *El Plural*[10] publica íntegramente ese correo a las 09:06 de la mañana, así que Lobato, que interviene sobre las 10:10, puede hablar de él con total libertad. Pilar le manda el enlace de la noticia a las 09:29 horas. «Ya está», le dice. Misión cumplida. Sánchez Acera se atreve a recomendar a Lobato qué debe decirle a Ayuso en su intervención. «Usted [Ayuso] dijo ayer que era una inspección a lo bestia. Usted debe mentir [quiere decir realmente dimitir] por corrupción a lo bestia y mentirosa salvaje». Son las 09:32 de la mañana. Faltan 28 minutos para que empiece el Pleno de la Asamblea de ese 14 de marzo.

«Hoy tenemos en todos los medios de comunicación la prueba de la mentira, el reconocimiento de que sí hubo delitos y de que usted mintió», señala Lobato después en su intervención en el Pleno mientras enseña un papel, el correo del abogado de Alberto González Amador, fechado el 2 de febrero de 2024. No enseña el documento que le ha reenviado Sánchez Acera, sino el que ha publicado *El Plural*.

«Eso sí que es salvaje, el fraude y la mentira que rodea a su figura». Lobato continúa con su discurso. Afea a Ayuso que si no se enteró de que su novio engañaba al fisco, no se merecía ser presidenta. Y que si lo supo y no hizo nada, debería dimitir.

[10] Cynthia Coiduras, «Esta es la carta del abogado del novio de Ayuso pidiendo un acuerdo a la Fiscalía», *El Plural*, 14 de marzo de 2024.

Lobato ha estado contundente, pero no se ha sentido cómodo. Algo le reconcome por dentro. Lobato también ha estado *wasapeándose* con Santos Cerdán, número tres del PSOE nacional, y Francesc Vallès, secretario de Estado de Comunicación del Gobierno, que le piden que esté en guardia permanente «porque esto va a ir a más». No se imagina que ocho meses después lo que ha pasado esa mañana le costará el puesto como secretario general de los socialistas madrileños. Por torpe. O por inocente.

Las amenazas de MAR

Mientras tanto, Miguel Ángel Rodríguez, MAR, un cargo público que cobra 96 210 euros, ya había decidido que había que defender con todas las herramientas del Gobierno regional y del PP de Madrid a Alberto González Amador, un ciudadano particular, porque a quien realmente el Gobierno de Sánchez quiere atacar «para tapar todo lo de Begoña Gómez» es a su pupila Isabel Díaz Ayuso. Hay que recordar que el sueldo de MAR sale de los bolsillos de todos los madrileños para, en teoría, servir a los ciudadanos. Se comenta en los pasillos de la Asamblea que MAR dedica la mitad del tiempo a atacar a los rivales de la presidenta y la otra mitad a distraer la atención sobre sus escándalos. Entre medias, encuentra tiempo para repartir millonarios contratos publicitarios entre la prensa amiga. Como dice el subdirector de *eldiario.es*, José Precedo, «manejar al mismo tiempo la factoría de los relatos y el dinero de las campañas ayuda mucho a que algunos quieran creerse sus historias».

El objetivo de MAR no era solo filtrar información manipulada, sino señalar a los periodistas que estaban investigando a la pareja de la presidenta. Antes de que *eldiario.es* publicara su primera información el 12 de marzo, un periodista de este medio se pasó por las inmediaciones del piso que compartían Ayuso y su novio para hacer lo que hacen los buenos reporteros: periodismo. Fue identificado por uno de los agentes de la Policía Nacional que custodian discretamente la vivienda de la presidenta.

MAR, para intentar difamarlo, contó que este periodista entró «encapuchado» en el edificio en el que reside la pareja. «Intentaron entrar dos señores con la capucha del abrigo puesta, alegando que eran técnicos de calefacción, y que tenían que subir al piso, que no es de la presidenta, para arreglarla», dijo MAR en una entrevista en *El Mundo*. Una fuente autorizada del *eldiario.es* lo desmiente categóricamente. «Solo uno de nuestros redactores, horas antes de publicar la primera de las exclusivas, se acercó el 11 de marzo a los alrededores del edificio para intentar corroborar en la calle con vecinos una información que nos había llegado. Que Ayuso compartía dos viviendas y no una en ese edificio del distrito de Chamberí. Tres fuentes se lo confirmaron». El nombre y apellidos de este periodista, tras ser identificado policialmente, acabó en manos de MAR y curiosamente en la denuncia que posteriormente pondría González Amador por revelación de secretos. Algo totalmente irregular desde el punto de vista jurídico.

El 18 de marzo dos periodistas de *El País* hablaron con vecinos de la vivienda. Les había llegado la misma información de los dos pisos e incluso que González Amador había hecho obras ilegales en uno de ellos. Los dos reporteros fueron identificados en la calle por otro policía nacional que pertenece al servicio de seguridad de la presidenta. El agente les reclamó sus credenciales de prensa y DNI. En ningún momento presentó denuncia alguna contra ellos. Luego, esa información fue enviada al director general de seguridad de la Comunidad de Madrid. Apenas dos horas después, MAR difundió el bulo de que también habían intentado colarse en el edificio y que habían acosado a menores. Envió las fotos y los nombres de los dos periodistas a un grupo de WhatsApp que comparte con 18 informadores afines. Algunos lo publicaron sin contrastar. «Yo también tengo derecho a informar», iba contando MAR para justificar sus andanzas.

«Han estado acosando a los vecinos de la presidenta, incluido niñas menores de edad, en un acoso habitual en dictaduras. Todo se ha denunciado a la Policía Nacional, pero el delegado del Gobierno amparará estas actuaciones. El delegado del Gobierno no quiere poner vigilancia permanente 24 horas en la casa de la presidenta, lo que supone una anomalía. Nunca se ha visto este amedrentamiento en democracia», envió el equipo de Ayuso a sus plumillas de confianza. En el marco teórico de MAR, un periodista preguntando en la calle para hacer su trabajo es dictadura. Los datos de cualquier persona identificada por las fuerzas de seguridad son confidenciales y, por tanto, no pueden ser facilitados a terceros ni, por supuesto, divulgados a la prensa. ¿Qué hacía MAR con esos datos?

Uno de los periodistas más pelotas con Ayuso, Federico Jiménez Losantos, emitió un editorial en su programa tachando a los periodistas de *El País* y *eldiario.es* de «delincuentes», animando a usar la violencia contra ellos. «Alberto [González Amador] que es un bigardo, bien plantado, de familia militar, tendrá dos amigos. Y si no, Desokupa. Y el primero que aparezca por ahí metiéndose tiene un accidente, se rompe tres huesos. Esto lo entienden a la perfección. Lo que entienden los diputeros *(sic)*, que son violentos y delincuentes, es la violencia. Es que hemos llegado a ese punto».

La legalización de las obras del piso

El novio de Ayuso tenía información de primera mano de lo que estaba pasando. Los periodistas habían estado rondando su casa entre el 11 y el 18 de marzo. No había tiempo que perder. Así que el día 21 de ese mes Alberto González Amador se dirigió formalmente al Ayuntamiento de Madrid para intentar legalizar las obras realizadas en el piso que había comprado en julio de 2022[11]. Un día antes, el 20 de marzo, el grupo municipal de Más Madrid había presentado una denuncia «por infracción urbanística» ante la Junta de Chamberí. El partido de Rita Maestre destacaba en su escrito que González Amador podría haber realizado las obras (aquellas que provocaron daños en el mesón de abajo) sin licencia municipal, una infracción que está tipificada como grave.

Pero como ya se ha contado en este libro, González Amador había presentado dos declaraciones responsables para poder realizar las reformas de su casa. La primera fue denegada y la segunda no fue contestada por el Consistorio. Mientras, la pareja de Ayuso hizo las obras que quiso y nadie de la Junta de Chamberí realizó ninguna inspección. ¿Miró el Ayuntamiento para otro lado?, ¿por qué fue cesada María Cristina Goncer, la coordinadora general de Chamberí y funcionaria que firmó la resolución en la que denegaba las obras solicitadas por Alberto González Amador?, se preguntan desde Más Madrid. La denuncia de este grupo político motivó, de forma automática, la apertura de un expediente disciplinario cuya tramitación incluye la visita obligatoria de un inspector a la vivienda. Esta se realizó finalmente el 20 de mayo de 2024

[11] Pedro Águeda, José Precedo y Antonio M. Vélez,«La pareja de Ayuso admite que la obra de la casa donde viven es ilegal y trata de regularizarla», *eldiario.es*, 5 de abril de 2024.

y Urbanismo pudo confirmar que la reforma iniciada en 2022 se finalizó sin permiso.

La inspectora corroboró que «no se ha localizado título urbanístico habilitante que ampare las obras realizadas, las cuales se encuentran terminadas». ¿Qué hizo realmente González Amador en su sexto piso? Redistribución de habitaciones, renovación de instalaciones eléctricas, cambios en las carpinterías exteriores e instalación de toldos y de equipos de climatización. El acta habla de trabajos en un único inmueble, lo que descarta la unión entre esta casa y el ático inmediatamente superior, adquirido en 2023 por el fiscalista de la pareja de Ayuso.

Con esta información, al coordinador del distrito de Chamberí no le quedó más remedio que firmar la orden de «legalización» de las obras. El Ayuntamiento emplazó entonces a González Amador el 27 de mayo de 2024 a obtener la licencia en un plazo de dos meses para avalar la reforma realizada. De lo contrario se podría proceder a la demolición de lo ya reformado, unos gastos que correrían a cargo del interesado. Lo más lógico es que González Amador hubiera legalizado las obras. Siendo quien es y sabiendo que el PP de Almeida gobierna en el consistorio, no resulta descabellado pensar que algún funcionario voluntarioso habría facilitado los trámites.

Pero la pareja de Ayuso decidió acudir a los tribunales y recurrió la orden de legalización en el juzgado de lo contencioso número 14 de Madrid por una supuesta «interpretación errónea de la ley habilitante». Los abogados de González Amador entendieron que, con las dos declaraciones responsables presentadas, su cliente disponía, en todo momento, del título necesario para las obras menores en viviendas particulares. Sobre todo, porque el Ayuntamiento nunca respondió a la segunda declaración responsable (silencio administrativo).

«Esto es filibusterismo procesal. En vez de legalizar y ya está, empantana todo el proceso», señala una fuente de Urbanismo. La sorpresa llegó a principios de diciembre de 2024, cuando Almeida desveló que se había cerrado el expediente de sanción urbanística por un tema menor, porque el novio de Ayuso había instalado sin permiso unos aparatos de aire acondicionado. Una pequeña multa y a correr. Para la oposición era una broma. Porque hay que recordar que una inspectora municipal había detectado en mayo de 2024 que la reforma de la casa había sido de mayor calado e incluyó, entre otras actuaciones, el derribo de tabiques y falsos techos, la redistribución de habitaciones o la demolición del mobiliario de cocina. «Ni que fueran las obras de El Escorial», se mofó Almeida.

Pero el asunto no quedó así. Más Madrid pidió todo el expediente de nuevo (48 páginas) y aseguró que el procedimiento había quedado paralizado a la espera de que el juzgado competente, el 14 de lo contencioso-administrativo, resolviera el recurso puesto por González Amador. «Almeida mintió. El expediente urbanístico del piso no está cerrado. Hemos accedido a la documentación: hubo obras ilegales y la orden de legalizarlas se ha incumplido. El alcalde debe dejar de ejercer de mamporrero de Ayuso e imponer la sanción correspondiente», sentencia Rita Maestre.

La justicia dio la razón a González Amador. El Juzgado de lo Contencioso-Administrativo número 14 de Madrid falló en abril de 2025 que la reforma integral de la vivienda se encontraba «amparada» por la declaración responsable que fue «debidamente presentada» y que el Consistorio ignoró «completamente» cuando le abrió un expediente. La jueza ha dictaminado que González Amador estaba legitimado para hacer la obra debido a que el Ayuntamiento no se pronunció en ningún momento a la segunda declaración responsable. La Junta de Chamberí «hizo caso omiso» de aquella nueva solicitud, y eso generó en González Amador «una legítima duda» sobre si estaba habilitado o no para continuar con la reforma. Además, la jueza ha determinado que el Ayuntamiento se equivoca al considerar que no se pueden ampliar las declaraciones responsables, porque esa opción sí está contemplada en la ley autonómica del suelo. La sentencia se convirtió en firme porque curiosamente al Ayuntamiento, condenado a pagar las costas, no quiso recurrirla. González Amador, por su parte, lamenta que se ha tenido que gastar 9800 euros en abogados para ganar este pleito.

«Vais a tener que cerrar»

Las informaciones publicadas por *eldiario.es* y *El País* hicieron mucho daño a la presidenta madrileña. «No lo pasó nada bien», contó un muy buen amigo, un reconocido pintor especializado en lienzos de historia y batallas. En cierta manera pueden comprometer su futuro político (si algo puede comprometerlo ya tras las noticias publicadas en el pasado por el préstamo no devuelto por sus padres y la comisión cobrada por su hermano). Lo que más le preocupa es la pieza separada que se ha abierto en el juzgado para analizar los negocios de su novio con el Grupo Quirón. Investigación, de momento en su fase inicial, que Génova sigue de cerca. Públicamente, Feijóo quitó hierro a todo este asunto porque no quiere meterse en polémicas. Ya sabe lo que le pasó a Pablo Casado. Todos prefieren moverse en la sede de Génova con mucha cautela con este marrón. «Meterse con Ayuso es mal negocio», explican desde el PP nacional.

Menos MAR, que siempre tira de carácter y genio. No lo puede evitar. Si en los noventa consiguió llevar a Aznar a la Moncloa, ahora tiene entre ceja y ceja repetir la jugada con su discípula Ayuso. Treinta años después, el «Váyase, señor Sánchez» es demasiado largo. Así que ahora todo su odio y estrategia comunicativa están concentrados en una expresión más corta y directa: «P'alante». La empezó a usar en su cuenta de X y ahora ya es habitual en los discursos de la presidenta madrileña. P'alante Begoña, p'alante el hermano de Sánchez, p'alante el fiscal general, p'alante Ábalos, y p'alante el propio Pedro Sánchez. Veremos en qué quedan todos esos p'alante. A MAR solo le falta añadir un p'alante. P'alante Alberto [por Feijóo]. Al tiempo.

Pero volvamos al mal genio de MAR. La conocida periodista y tertuliana Esther Palomera está en su casa cuando la noche del 12 de marzo escucha cómo su móvil empieza a recibir mensajes. Son las 22:52 horas. Palomera trabaja para *eldiario.es* y no ha participado en la investigación sobre el fraude fiscal del novio de Ayuso. Abre el teléfono y se encuentra con los mensajes de MAR. Ambos se conocen desde hace años, pero no tienen una relación fluida. A pesar de ello, Palomera sabe de sobra cómo se las gasta MAR cuando se encabrona y se publican informaciones que no le gustan. MAR acaba de enviarle ocho WhatsApp seguidos intentando hacer una relación extraña. «Era con el gobierno de Sánchez!!! Illa», «El PP de Madrid denunció ese contrato de FCS ante la Fiscalía Anticorrupción», señala. Textos escritos rápidamente fruto de un calentón que hay que explicarlos para que el lector los entienda.

Eldiario.es había publicado hora y media antes que Alberto González Amador se llevó una comisión de casi dos millones de euros intermediando entre la empresa catalana FCS (que vende mascarillas) y la gallega MAPE Asesores (que las compra). Pero para MAR no hay nada ilegal porque quien ha presentado hace meses una denuncia en Anticorrupción contra la empresa FCS es el PP, ya que esta compañía se convirtió durante la pandemia en el gran proveedor del Gobierno de Sánchez. No tiene nada que ver una cosa con la otra. Mezcla churras con merinas. Que FCS se hiciera rica durante la pandemia con varios contratos con el Ministerio de Sanidad que dirigía entonces Salvador Illa no quita para que González Amador se haya forrado en otra operación de FCS con una empresa privada llamada MAPE Asesores.

—Se te ha disparado el dedo —contesta atónita Palomera.

—¿Por? El culpable es Sánchez —prosigue MAR. Esto, es sin duda, lo mejor. El presidente del Gobierno es el responsable de que González Amador se haya llevado dos comisiones que suman casi dos millones de euros intermediando entre dos empresas privadas.

—Sí, de forrarse y luego defraudar con facturas falsas y empresas fantasma, qué desfachatez. PS [por Pedro Sánchez] obliga al pobre hombre a eso —argumenta Palomera.

—Falso. No hay facturas falsas. Sánchez le pagó —vuelve a escribir MAR, que insiste en mezclar al presidente del Gobierno en un tema del que no tiene nada que ver.

—Creo que tienes siete preguntas por responder de mis compañeros —continúa Palomera.

—No me digas. ¿Alguna por parte de la Comunidad de Madrid? Os vamos a triturar. Vais a tener que cerrar. Que os den. Idiotas —señala MAR, que se debe estar subiendo por las paredes.

—¿Es una amenaza? —pregunta Palomera.

—Es un anuncio —responde MAR.

La conversación sigue. Y no tiene desperdicio.

—MAR: «Yo te salvé muchas veces. Ya no puedo».
—Palomera: «Perdona? De qué me has salvado tú a mí?».
—MAR: «Tres veces de que te despidiera de *La Razón*. Sí».
—Palomera: «Venga ya, Miguel Ángel».
—MAR: «Lo que fue. Si ahora estás en la cáscara amarga, son tus problemas».
—Palomera: «Que me pusieron en la calle porque lo pidió tu partido. Concretamente una vicepresidenta».
—MAR: «Mejor nos dejamos de escribir ¿vale? Ya no eres periodista: eres activista a sueldo».
—Palomera: «No me insultes».
—MAR: «Adiós, preciosa».
—Palomera: «Yo me gano la vida con mi trabajo. No te lo voy a permitir».

«Lo único que se ha visto [en esta conversación] es que dos personas que tienen una relación de más de 30 años discuten por WhatsApp. Tampoco entiendo qué hace esto dando vueltas por ningún sitio, que ahora tampoco nos podemos enfadar con gente de confianza porque también se filtra», señaló Ayuso para justificar y avalar los mensajes enviados por su fiel escudero. MAR es el ojito derecho de la presidenta madrileña. Su *consigliere*. Su sombra. La mano que mece su cuna. Su mejor Terminator. Si uno se mete en la cuenta de X de Miguel Ángel Rodríguez se puede leer una frase que tiene fijada en su biografía: «Me entristece el cada vez más bajo nivel de la vida pública española». Ironías de la vida en boca de MAR.

Lo que está claro es todo el que se enfrenta a Skynet corre el riesgo de acabar fuera del tablero político: Pablo Casado, Teodoro García Egea, Pablo Iglesias, Íñigo Errejón (que dejó la Asamblea de Madrid para irse al congreso por sus malos resultados electorales contra Ayuso en 2019), Ángel Gabilondo, Ignacio Aguado, Edmundo Bal, Rocío Monasterio, Juan Lobato… el último de esta larga lista es el fiscal general del Estado Álvaro García Ortiz. «El novio de Ayuso da el pelotazo en plena pandemia y se forra. Se pasa de listo y defrauda a Hacienda. Se compra un pisazo, ahora sabemos que dos, con su novia. Un Maserati. La vida cañón, vamos. La Agencia Tributaria lo pilla, reconoce los delitos y con las orejas gachas ofrece un pacto para no ir a la cárcel. Pero al final el aquelarre de la derecha exige que dimita el presidente del Gobierno. Es fantástico», señala uno de los arriba mencionados.

Pues eso: «Que os den, idiotas».

POSDATA 1: a finales de mayo de 2025, el juzgado de instrucción número 19 de Madrid terminó la investigación y decidió que se procesara por dos delitos fiscales y otro de falsificación de documentos a Alberto González Amador. Según el auto, «el contribuyente, conocedor de sus obligaciones tributarias, de forma consciente y voluntaria, presentó autoliquidaciones del Impuesto de Sociedades [ejercicio 2020 y 2021] no veraces». Las dos inspectoras de Hacienda que tramitaron su expediente ratificaron en sede judicial que González Amador se valió de 15 facturas falsas por valor de 1.7 millones de euros con el objetivo de aumentar ficticiamente sus gastos y así reducir su cuota tributaria. Fiscalía y Abogacía del Estado piden para González Amador casi cuatro años de prisión.

La jueza del caso también procesó a los empresarios que elaboraron las facturas consideradas falsas. Se trata del mexicano Maximiliano Eduardo Niederer y de los tres sevillanos del pueblo de Arahal: David Herrera, y los hermanos Agustín y José Ignacio Carrillo Saborido. David Herrera ha tenido otros problemas con la justicia. Fue detenido en 2026 porque no se presentó a otro procedimiento abierto por fraude en fondos comunitarios ante la Audiencia Nacional. Está acusado de estafar 70 000 euros a la misión europea en Somalia al hacerse pasar por un proveedor habitual de productos médicos. Finalmente ha sido condenado a tres años de prisión.

Por su parte, la defensa de los hermanos Carrillo Saborido han presentado ante el juzgado «una circunstancia atenuante»: que consumen drogas y están en una fase de desintoxicación, es decir, que «estaban sometido a los efectos de sustancias psicotrópicas en el momento de los hechos», que si ayudaron a defraudar al fisco no fueron ellos, sino las drogas.

El juzgado de instrucción número 19 de Madrid también ha abierto una pieza separada contra González Amador por corrupción en los negocios (el soborno del ámbito empresarial) y administración desleal (daño a un capital administrado). La jueza titular ha pedido a la UCO de la Guardia Civil que determine si González Amador usó sociedades pantallas para ocultar pagos que le hizo el Grupo Quirón. No cuadra que González Amador pagara 500 000 euros por la empresa (Círculo de Belleza) de la mujer de su amigo Fernando Camino, que apenas tiene valor. Gloria Carrasco, la farmacéutica, ha sido imputada. La Fiscalía sospecha que esta compra se trata en realidad de un pago encubierto que le hizo Alberto González Amador por la parte de la comisión que le correspondía a su marido, Fernando Camino, en la intermediación de la venta de mascarillas entre las empresas FCS y Mape. El ministerio público también sospecha que pagar ese medio millón pudo ser una contraprestación para que Fernando Camino promoviera desde su cargo en Quirón Prevención un considerable aumento de la facturación de esta filial de Quirón a las empresas de González Amador.

El fiscal ha pedido la implicación de la UCO, como unidad especializada, por la posible existencia de otro delito, el de blanqueo de capitales. «Es necesario indagar además si el producto de esas actividades (realizadas aparentemente por medio de sobornos, aún en el sector privado) se ha transformado de algún modo, o se ha disimulado de alguna manera para ocultar un ilícito origen». Seguro que a la pareja de Ayuso le viene bien, llegados a este punto (que la UCO rebusque en sus negocios), que su pareja fichara en 2023 al capitán Bonilla, un agente que viene de la UCO y tiene muchos contactos. Lo cierto es que la UCO se está tomando su tiempo a la horas de concretar sus pesquisas en un informe.

A fecha de envío a imprenta de este libro, Alberto Amador está pendiente de juicio donde se demostrará, o no, si cometió el supuesto fraude fiscal.

A González Amador no le va nada mal en los negocios. Su principal empresa, Maxwell Cremona, ha seguido teniendo una facturación importante. Cerró 2023 con 1.88 millones de euros de ingresos y el ejercicio 2024, con 944 800 euros. No hay datos de 2025. González Amador sigue trabajando como director de Proyectos de Quirón Prevención[12]. En la Intranet del grupo aparece como Alberto Burnet González. Sí, Burnet, el mismo nombre de la empresa que tiene en Miami con un socio, César Nieto Moreno, que además ha creado otra empresa que se llama Balmis Prevención Médica. Balmis, en honor a Francisco Javier Balmis, el médico que lideró la primera misión humanitaria que llevó la vacuna contra la viruela a América y Filipinas y en la que también participó la enfermera Isabel Zendal. Curioso. El nombre que eligió Ayuso para el

[12] José Precedo, «La pareja de Ayuso opera dentro del Grupo Quirón con una identidad falsa: Alberto Burnet González», *eldiario.es*, 11 de diciembre de 2025.

hospital construido tras la pandemia. González Amador, como ya hemos dicho, es un PEP, una Persona Expuesta Políticamente, algo que debería hacer saltar las alarmas de los bancos. POSDATA 2: el novio de Ayuso siempre ha creído que se ha perjudicado su derecho a la defensa y logró que se iniciase un proceso judicial inédito en España contra el fiscal general del Estado, Álvaro García Ortiz, sexta autoridad del Estado. González Amador considera que se han publicado más noticias sobre él que sobre la guerra de Ucrania y que «le han machacado día tras día». Asegura que ha perdido contratos y que incluso ha tenido que dejar de dar clases en un Máster de Industrias Químicas porque sus responsables han dejado de llamarlo. «Pasé a ser el delincuente confeso del reino de España. Estaba muerto. García Ortiz me había matado públicamente. Nadie es consciente del daño que se me ha producido (…) El banco me cortó la financiación, una trabajadora mía no ha podido alquilar una casa porque han visto dónde trabaja. Ha sido un destrozo de proveedores, contratos que no he llegado a firmar…», asegura. Ya es famosa su frase lapidaria. «O me voy de España o me suicido».

Toda esta intrahistoria, que merece un libro aparte, comenzó en marzo de 2024, cuando la Fundación Foro Libertad y Alternativa (presidida por el fundador de Vox Alejo Vidal-Quadras) presentó una querella contra Álvaro García Ortiz y Pilar Rodríguez (fiscal jefe Provincial de Madrid) por los presuntos delitos de infidelidad en la custodia de documentos y revelación de secretos. En junio se sumó a la querella el mal llamado sindicato Manos Limpias. Esto pasaba en el Supremo. El Colegio de Abogados de Madrid (ICAM) había interpuesto otra denuncia en un juzgado de la capital contra la Fiscalía de Madrid por la nota de prensa, al entender que revelaba datos secretos de la defensa de González Amador.

Todos ellos acudieron a la justicia incluso antes que la pareja de Ayuso. José María Aznar ya había pronunciado a finales de abril su famosa frase: «El que pueda hacer, que haga».

Llama la atención la decisión del Colegio de Abogados porque el principal afectado por la filtración del correo electrónico, el abogado Carlos Neira, no pidió amparo en ningún momento. Además, el *director de orquesta* de todo este circo político, conocido como MAR, acusó en televisión al letrado de González Amador de haber actuado sin el consentimiento de su cliente. La imputación es gravísima, pero la Junta de Gobierno del Colegio de Abogados no lo vio relevante y no abrió ningún expediente por infracción de los principios más elementales de la deontología profesional.

En julio de 2014, Álvaro García Ortiz se inmola y se declara máximo responsable de la nota de prensa, así que como está aforado el Tribunal Supremo se queda con la causa contra Álvaro García Ortiz y Pilar Rodríguez. El horno ya está en el bollo.

El Tribunal Supremo ya había dictaminado que la nota de prensa que el 14 de marzo había hecho pública la Fiscalía no podía constituir una revelación de secretos porque las informaciones que contenía «habían sido sacadas a la luz por distintos medios», pero al mismo tiempo aseguró que sí podía ser delito la filtración del correo electrónico. Aquí hay un problema de procedimiento. El Supremo solo era competente para quedarse con la causa si el delito estaba en la nota informativa, porque el aforado Álvaro García Ortiz había asumido su autoría, pero tenía que devolver la causa al Tribunal Superior de Justicia de Madrid si el delito estaba en la filtración del correo, porque no había indicios contra el fiscal general. Ni contra nadie de las decenas de personas que habían tenido acceso al correo, por la sencilla razón de que la investigación hasta entonces había sido sobre la nota de prensa. Pero el bollo debe seguir en el horno.

El Supremo decide quedarse la causa con el argumento de que el correo estaba en poder del fiscal general y de la fiscal provincial. Claro. Y de muchas más personas, incluida Almudena Lastra. En el auto donde se queda con la causa, el Supremo señala que solo es competente «cuando se comprueba que existen indicios sólidos de responsabilidad frente a un aforado». Pero no explica cuáles son esos «indicios sólidos». Porque sencillamente en esos momentos no los hay. Da igual.

La querella que presenta González Amador tiene, además, un matiz. Dice textualmente: «D. Alberto González Amador se puso inmediatamente en contacto, el 2 de febrero de 2024 y mediante correo electrónico, con el Ministerio Fiscal, para canalizar y alcanzar, en la forma prevista por la legislación penal y de la forma más pronta posible, la figura análoga a las actas de conformidad ya alcanzadas en sede tributaria, esto es, la conformidad penal. En respuesta a la anterior comunicación, el fiscal responsable del procedimiento D. Julián Salto Torres, comunicó el día 12 de febrero de 2024 por e-mail al abogado de D. Alberto González Amador que tomaba nota de la voluntad de alcanzar la conformidad, quedando en seguir en contacto para avanzar en las negociaciones». Es decir, en la querella que él mismo puso reconoce claramente que sabía que su abogado había enviado un correo a la Fiscalía solicitando un pacto porque reconocía los delitos fiscales, pero después dijo en sede judicial que su letrado no le había dicho nada de ese famoso correo. ¿Mintió en su declaración judicial?

Famoso correo que sirvió para que el Tribunal Supremo avalase la investigación contra el fiscal general por si pudo ser él quien lo filtró. Solo contra él y la fiscal provincial de

Madrid. No contra quien pudo realmente filtrar el correo. El instructor (buena suerte para los intereses de González Amador) fue el juez conservador Ángel Hurtado, el mismo que se opuso a que Mariano Rajoy fuera llamado a declarar como testigo ante la Audiencia Nacional para que explicara lo que sabía sobre los pagos a un tal «M. Rajoy» que aparecían en los papeles de Bárcenas. Más tarde, en la sentencia de la Gürtel, Hurtado también planteó un voto particular. En contra, precisamente, de la condena del PP a título lucrativo. Hurtado llegó al Supremo en noviembre de 2020 gracias al bloque conservador de un Consejo General del Poder Judicial (CGPJ) que ya tenía el mandato caducado. Para quedarse con la causa Hurtado señaló que la nota de prensa (cuya autoría reconoció el fiscal general) y el correo del abogado (que Álvaro García Ortiz siempre ha negado filtrar) son «una misma unidad de acto». Se entiende que constituirán una unidad de acto si quien filtra el correo es el mismo que elabora la nota; es decir, si es el fiscal general. Pero no había pruebas de que fiscal general fuese el autor de la filtración.

Así que durante la instrucción, aparentemente centrada en el correo, Hurtado tuvo que matizar que no solo estaba investigando su filtración, sino también la nota de prensa e incluso cómo llegó el expediente tributario de la pareja de la presidenta madrileña a *eldiario.es* (primer medio que publicó la noticia). Ante la protesta de los abogados de la defensa, el instructor argumentó que la causa había ido cambiando según avanzaba.

Hurtado decidió citar como investigado al fiscal general y ordenó que se registrara su despacho y se analizaran sus teléfonos móviles y ordenadores. Todo eso con el apoyo de la «Brunete ideológica» que consiguió personarse en el caso como acusación popular: La Asociación Profesional e Independiente de Fiscales (APIF), Manos Limpias, el Colegio de Abogados de Madrid, la Fundación Foro Libertad y Alternativa, Hazte Oír y Vox.

Durante la instrucción, la Fiscalía del Supremo y la Abogacía del Estado pidieron al juez Hurtado el archivo de la causa. Ambos organismos aseguraban que no había pruebas que permitan atribuir a ninguno de los investigados [el fiscal general, Álvaro García Ortiz, y la fiscal provincial, Pilar Rodríguez] el delito de revelación de secretos». La Fiscalía del Supremo recordó que el documento reservado «presuntamente divulgado por los investigados estaba en poder de diversos medios de comunicación con anterioridad a que dichos investigados tuvieran conocimiento del mismo». De hecho, varios periodistas han declarado que tenían el correo de la confesión de González Amador antes de que le llegara al fiscal general. El juez Hurtado no consideró importantes, curiosamente, estas declaraciones.

Así que en junio de 2025, el juez Hurtado dictó auto de procedimiento abreviado, es decir, el cierre de su investigación. En su auto mostraba la convicción de que existen indicios suficientes para juzgar al jefe del ministerio público. Introdujo incluso una conclusión muy llamativa: García Ortiz actuó «a raíz de indicaciones recibidas de Presidencia del Gobierno». El instructor no explicó en qué datos basaba esta tesis. Hurtado también sostiene que la finalidad de García Ortiz al reclamar los correos a otros fiscales era «acabar facilitándolo a un medio, como la Cadena Ser, para que le diera publicidad».

Hurtado considera que el famoso correo del abogado Neira reconociendo los delitos de su cliente González Amador, y cuya filtración atribuye a García Ortiz, contenía «información sensible relativa a aspectos y datos personales de un ciudadano, en una conversación privada entre letrado y fiscal que está sujeta a criterios de reserva y confidencialidad». En su auto hay un problema. Está bien que defienda que un secreto es «un concepto asociado a la intimidad personal, que goza, por lo tanto, de una protección constitucional, con lo que queda garantizado el derecho de su dueño, para que sea él, exclusivamente, el que libremente elija a quién transmite su propio mensaje, de manera que, si se trata de secretos de un particular, su guarda depende de la exclusiva voluntad del afectado, y su intimidad se verá violada si un tercero los sustrae irregularmente y en contra de su voluntad y los difunde, con el consiguiente perjuicio que ello lleva aparejado». Pero no hay pruebas evidentes que demuestren claramente que el fiscal general filtró ese correo, y por tanto, vulneró ese secreto.

Llama la atención que el mismo magistrado que sostiene, sin aportar ni un solo indicio, que el fiscal general del Estado filtró documentos «a raíz de indicaciones recibidas de la Presidencia del Gobierno», redactara hace años un voto particular en el que consideraba un «salto al vacío» vincular la trama Gürtel con la dirección del PP. Un partido que fue condenado, primero por la Audiencia Nacional, y luego por el Supremo, como partícipe a título lucrativo. Criterios muy dispares para un mismo juez.

POSDATA 3: el fiscal general recurrió el auto del juez Hurtado. No le sirvió de nada. Tres magistrados del Supremo revisaron su recurso. Dos de ellos, Julián Sánchez Melgar, fiscal general nombrado por el PP, y Eduardo de Porres, con vínculos familiares directos con el PP, defendieron que había indicios sobrados para juzgar al fiscal general. De Porres fue el ponente que rechazó el recurso. Su mujer pertenece, cuando se escriben estas líneas, a la dirección del PP de Villaviciosa de Odón. Su hijo fue asesor en ese mismo Ayuntamiento y formó parte de una candidatura electoral del PP. Un tercer magistrado, Andrés Palomo, de perfil conservador pero no adscrito a ninguna asociación judicial, alegó que no existen indicios y por eso firmó un extenso voto particular en desacuerdo con sus dos compañeros.

Según Eduardo de Porres y Julián Sánchez Melgar, no hay duda de que la filtración del correo procede de la Fiscalía. «Pensar que la filtración procediera de fuentes ajenas a la Fiscalía General, en concreto, de los funcionarios o fiscales que pudieran haber tenido acceso al buzón de correos, parece completamente irrazonable», señalan ambos magistrados. ¿Por qué? Porque «nadie lo había filtrado con anterioridad» a que esa noche del 13 de marzo de 2024 llegara a manos de Álvaro García Ortiz. También es sospechoso para ambos magistrados que el fiscal general del Estado, «a pesar de su posición institucional», borrase los correos electrónicos de su cuenta de correo personal y también todos los mensajes de WhatsApp, «lo que ha impedido acceder a toda la información que existía sobre las comunicaciones de los investigados. En este contexto, es de común experiencia que un borrado de datos se hace de elementos que puedan resultar desfavorables».

De Porres y Sánchez Melgar afean a la Fiscalía lo que hicieron para desmentir la noticia de *El Mundo*, ya que «no se puede revelar un dato confidencial para rebatir un hecho que se considera incierto». También descartaron las declaraciones de media docena de periodistas, que afirmaron ante el Supremo haber tenido conocimiento del correo de la confesión antes de que el documento llegase a manos del fiscal general. Eso sí, ambos corrigieron al juez Hurtado cuando este aseguró en su primer auto que Presidencia del Gobierno dio indicaciones al fiscal general: «Ciertamente, esa afirmación no ha sido acreditada con suficiencia por lo que su inclusión en el relato fáctico era prescindible».

El voto particular del juez Palomo señala que nunca se ha valorado que «al menos otras dieciocho personas de la Fiscalía y de la Abogacía del Estado tuvieron acceso directo» al famoso correo de 2 de febrero remitido por Carlos Neira. «Ni tampoco se atendió al examen de la publicación de diversos medios de noticias que, aunque no publicaran la imagen del mensaje, sí reproducían contenidos parciales del mismo, lo que abriría notablemente el número de personas sobre las que proyectar el foco». Andrés Palomo sí concede verosimilitud a los testimonios de los profesionales de la información. «Negar por un órgano judicial eficacia a ese testimonio porque, pudiendo identificar la fuente, no lo hacen, aparte de un indebido entendimiento del proceso judicial que precisa acreditar la inocencia, es una exigencia de renuncia a un derecho con previsión constitucional, difícilmente comprensible».

La sucesión de los hechos demuestra «que el fiscal general tuvo en su poder los correos acerca del pacto después de que lo conocieran los periodistas. Ese hecho pone en duda que García Ortiz pueda ser investigado por un delito de revelación de secretos si se tiene en cuenta la jurisprudencia que sentó la Sala Segunda del Tribunal Supremo» en el año 2008. Esta dice que los datos «previamente revelados a los profesionales de la información» pierden su carácter secreto y reservado. Así lo matiza el alto tribunal: «Como es obvio, cuando se revela un secreto, y más aún si el destinatario de lo revelado es un profesional de la información, el secreto o la información reservada ha dejado ya de serlo. Y, por consiguiente, salvo que en sucesivos actos de revelación se fueran incorporando nuevos datos reservados, lo cierto es que a partir del primero de ellos ha de entenderse que el secreto ya no es propiamente un secreto, la reserva respecto de la información ya ha desaparecido, y, por ende, que el delito no puede reiterarse». En este caso, además, el primer secreto conocido fue revelado supuestamente por González Amador, que se lo contó al jefe de gabinete de su pareja y este, a su vez, lo distribuyó entre decenas de periodistas. «En definitiva, no aparece suficientemente justificada que don Álvaro García Ortiz haya sido el autor de la revelación de la información contenida en el correo electrónico de 2 de febrero de 2024, ni a la prensa, ni a la Presidencia de Gobierno. Y en autos, no se ha logrado justificar razonablemente la existencia de una base indiciaria sólida de la comisión delictiva», asegura Andrés Palomo.

Dos votos contra uno. Todo indica que el desenlace estaba escrito y anunciado por las profecías (p'alante) del jefe de gabinete de la presidenta de la Comunidad de Madrid.

Álvaro García Ortiz fue juzgado en noviembre de 2025. Y ya que el bollo se había cocido lentamente en el horno, ya que se había llegado hasta allí, lo suyo era comérselo. Álvaro García Ortiz fue condenado a dos años de inhabilitación, una multa de 7500 euros y a indemnizar con 10 000 euros a González Amador. Cinco magistrados consideraron probado que el fiscal general decidió o consintió que se filtrase a un periodista de la SER el correo en que el abogado de González Amador proponía a fiscalía el reconocimiento de dos delitos para negociar una conformidad; y los cinco entienden, además, que en todo caso, hubiera o no filtración del correo, la información dada en la nota de prensa confeccionada por el fiscal general sería, por sí misma, constitutiva de un delito de revelación de informaciones reservadas. Estos cinco magistrados no han creído al fiscal general, pero en realidad da igual, porque aunque fuese verdad lo que dice y no pudiera llegarse a la convicción de que fue el fiscal o alguien por indicación suya quien filtró el correo, en todo caso la difusión de la nota de prensa hecha pública constituiría, por sí sola, delito de revelación de información reservada.

Esta trascendental afirmación recogida en la sentencia parece que debilita la consistencia de la motivación de la misma, al convertir en innecesaria la casi totalidad de la investigación llevada a cabo por el juez instructor y la prueba practicada en el juicio. Porque si hay que partir de esa premisa (la nota de prensa por sí sola ya es delictiva), entonces ¿a qué vino la orden de entrada y registro en los despachos del fiscal general y de la fiscal provincial de Madrid? Si el delito ya se había cometido con la nota de prensa y el fiscal ha reconocido que fue él quien ordenó su confección y difusión, ¿para qué fue necesario investigar sus conversaciones? La impresión que queda era que el juicio era imprescindible para probar el delito (la filtración), pero como no se obtuvieron pruebas de la misma, este delito resultó innecesario porque, con la nota de prensa, el delito ya estaba probado. En definitiva, estos magistrados ya sabían antes del juicio que con la nota de prensa les bastaba para condenar. Si encima podían probar durante el juicio que la filtración la hizo el fiscal general, miel sobre hojuelas. «La nota consolida la filtración iniciada por el correo, en realidad la oficializa», afirman estos cinco magistrados.

Dos de los siete jueces del tribunal no estuvieron de acuerdo y emitieron un voto particular. Este sostiene que la nota de prensa lo único que hizo fue desmontar el bulo interesadamente lanzado, por motivos políticos, a fin de defender el buen hacer de la fiscalía y sin «revelar» ninguna información relevante distinta a lo ya conocido, por lo que no es delictiva.

Un ejemplo. Un paciente (o el jefe de Gabinete de su pareja, con su consentimiento) atribuye a un médico haber sido el causante de su infección por mala praxis en una transfusión no solicitada. Para ello utiliza una muestra parcial de sus informes clínicos. Si, en ese caso, el director del hospital, para demostrar la manipulación de la información dada por el paciente que comprometía a uno de sus médicos, exhibiera en público pruebas de que el paciente tenía ya diagnosticada esa infección antes de la transfusión realizada, ¿lo consideraríamos culpable de un delito de revelación de secretos?

Álvaro García Ortiz fue condenado. La fiscal provincial de Madrid, Pilar Rodríguez, ni siquiera llegó a juicio. Su causa fue archivada. También fue archivada una denuncia que puso contra ella la organización ultracatólica Hazte Oír por una información que decía que Rodríguez se había reunido con Begoña Gómez en un restaurante para asesorar a la mujer del presidente en las causas abiertas contra ella. La verdad es nunca se produjo esa cita.

Llamó la atención que el fallo se hiciera público antes que la sentencia. Tras conocer el fallo, Ayuso convocó a los medios (sin admitir preguntas) para regodearse de su triunfo y el de su chico. Siempre ha creído que investigar a su pareja por fraude fiscal (aunque él lo admitió en el famoso correo) ha sido una conspiración del Estado sanchista contra ella. En plena borrachera de victoria señaló que «estos hechos (por la investigación de su novio) son propios de una dictadura». También se alegró de que triunfara «el Estado de derecho», lo que suena un tanto incompatible con la frase anterior.

También asegura que Pedro Sánchez «la quiere matar» (suponemos que políticamente) y acusa, sin pruebas, de que le tienen los teléfonos móviles intervenidos. Esto último lo dijo en una entrevista que concedió a Ana Rosa Quintana, que no puso en duda su relato. Supongo que influye que la productora de Quintana se lleve jugosos contratos de Telemadrid. Sobre si le parece bien que un ciudadano (en este caso su novio) defraude al fisco, Ayuso no ha dicho ni una palabra. Por cierto, casualidades de la vida, el mismo día que el Colegio Oficial de Abogados de Madrid mantuvo su acusación y pidió cárcel contra el fiscal general, la Comunidad de Madrid le autorizaba, sin hacerlo público, para convertirse en centro universitario, con el lucrativo negocio que supone. Un Colegio que paga a varios de los magistrados del Supremo por participar en cursos. Para más inri, el Supremo ha tasado en 79 942 euros las costas del juicio, dinero que García Ortiz también tiene que pagar para hacer frente a los honorarios de los abogados de Alberto González Amador. Sus letrados han aprovechado además la condena de ex fiscal general para pedir la absolución de su cliente en la causa de fraude fiscal porque «no está afrontando un procedimiento penal justo».

POSDATA 4: la verdad es que Alberto González Amador está muy ocupado. También ha emprendido una batalla legal contra varios políticos y periodistas. Contra todos aquellos que supuestamente han lesionado su honor por llamarlo «delincuente confeso». Asesorado por la abogada Guadalupe Sánchez, el novio de Ayuso ha demandado, por ejemplo, al presidente del Gobierno, Pedro Sánchez, y a los ministros Félix Bolaños, Pilar Alegría, Diana Morant, Isabel Rodríguez, Óscar López y María Jesús Montero. González Amador solicitó a los juzgados la celebración de actos de conciliación con todos ellos. El objetivo era que se retractaran de sus declaraciones en público y se comprometieran a no volver a hacerlas. Obviamente, nadie lo hizo.

Parece ser que estas demandas no tendrán mucho recorrido. A finales de mayo de 2025, la Sala Civil del Tribunal Supremo desestimó una de ellas, la que González Amador puso contra María Jesús Montero. El Supremo dictaminó que las declaraciones de la ministra constituyen una crítica política que, «guste o no como realidad social, es frecuente en nuestros días». Y añade que «concurren los elementos legitimadores de la libertad de expresión, pues las manifestaciones versan sobre una cuestión de interés general y afectan a una persona de relevancia social, no se utilizan insultos o expresiones injuriosas y tienen una base fáctica razonable». Es decir, que llamar «defraudador confeso» al defraudador confeso forma parte de la legítima crítica política Ya no es una opinión. Es una sentencia del Supremo.

González Amador también ha demandado a las portavoces de Más Madrid en la Comunidad y el Ayuntamiento, Manuela Bergerot y Rita Maestre, respectivamente. También contra Reyes Maroto, portavoz del PSOE en el Consistorio. Cuando se escriben estas líneas, dieciocho personas y dos organizaciones (PSOE y Más Madrid) han recibido una demanda del novio de Ayuso o están inmersos en un trámite de requerimiento de rectificación con la amenaza de acciones judiciales por lesión del derecho al honor solicitando un total de 495 000 euros en reclamaciones. Dinero que le vendría muy bien para pagar su deuda con Hacienda. González Amador también ha denunciado en un juzgado un supuesto hackeo de los correos del bufete que lo defiende. Un presunto ataque «solo al alcance de los Estados», según el equipo de Isabel Díaz Ayuso, que no duda en soltar mierda e insinuaciones en cuanto puede. Los últimos en su punto de mira son los periodistas Xabier Fortes, Enric Juliana, Luis Arroyo y el politólogo Pablo Simón.

POSDATA 5: antes de la condena del fiscal general, el caso del novio de Ayuso ya se había cobrado su primera víctima. Ironías del destino, Juan Lobato tuvo que dimitir como secretario general de los socialistas madrileños a finales de noviembre de 2024. ¿Se acuerdan del Pleno de la Asamblea de Madrid del 14 de marzo en el que Lobato aireó el correo del abogado de González Amador en el que este confesaba los delitos fiscales? Pues el Tribunal Supremo lo llamó a declarar con una rapidez inusitada como testigo para saber cómo llegó a sus manos el correo con la confesión de González Amador. Un documento confidencial que, según la Ley General Tributaria, no podía revelarse ni transmitirse.

Lobato, como técnico de Hacienda, lo sabía. Así que cuando el novio de Ayuso denunció y se abrió una investigación, Lobato se asustó y se fue a un notario y registró la conversación que había tenido esa mañana del 14 de marzo con Pilar Sánchez Acera. Había que cubrirse las espaldas. Él era el único que había aparecido públicamente con el correo en la mano. «Voy al notario para acreditar que el documento que yo exhibo en la Asamblea es el que había publicado *El Plural* una hora antes, no el que me había enviado Pilar Sánchez Acera», señala para este libro.

Tampoco hay que olvidar que, por entonces, algunos medios ya habían publicado que Ferraz buscaba sustituto a Lobato para dirigir el PSOE de Madrid. Algún viejo zorro socialista cree que acudió al notario «pensando que así tendría un blindaje» para el proceso de primarias que se iba a abrir y tener cogido por las pelotas a Sánchez. Muy rebuscado. Lo cierto es que Lobato se calló lo de la notaría, no se lo dijo a nadie. Visto lo visto, fue toda una torpeza y una traición (para muchos). Dejar por escrito en una notaría lo que había hablado con una compañera. Algo que debería haber quedado entre los dos. Lobato activó una bomba nuclear. No era consciente de lo que había hecho. O sí. Porque el diario *ABC* se enteró y lo publicó. ¿Cómo lo supo?

El periodista Javier Chicote escribió que Pilar Sánchez Acera le pasó a Lobato el documento por la mañana temprano, antes de que lo publicara *El Plural*. Acertó. Es decir, que el correo pudo viajar de la Fiscalía a Presidencia del Gobierno y de ahí a Lobato. O simplemente de un periodista a Pilar Sánchez Acera y de ahí a Lobato. Hay que recordar que el Tribunal Supremo concluyó en 2014 que «ningún secreto se desvela si antes ha sido difundido ampliamente por los medios de comunicación». El *ABC* también sabía que Lobato acudió al notario (uno que le había recomendado el padre del político) para registrarlo todo.

Cuando ese todo se destapó, Lobato ya era un cadáver político. Intentó justificarse. «El objetivo [de ir al notario] era tener acreditado un seguro que nos garantizara que si nos atacaban porque nos acusaban de que la Fiscalía nos dio esa información, que quedara claramente acreditado, como así está, que a nosotros no nos da la Fiscalía ninguna información de nada en absoluto y que todo nos llega tanto a Pilar [Sánchez Acera] como a mí por vía de los medios de comunicación». Pero Ferraz ya le ha puesto la cruz. ¿Cómo se le ocurrió ir a una notaría con un tema tan delicado? Y, sobre todo, ¿cómo coño se enteró el *ABC*? Lobato cree que la filtración surge de la propia notaría, que abrió una investigación interna a petición del exdirigente socialista. Obviamente esta quedó en nada. La notaría no encontró a ningún filtrador.

Pero la presión desde Ferraz y de sus enemigos dentro de la federación madrileña socialista aumentó y Lobato denunció en rueda de prensa un linchamiento de sus propios compañeros y dejó caer que estos le habían podido engañar, tender una trampa. Muy rebuscado también. La verdad es que en apenas 72 horas se quedó solo. Nadie quiso arrimarse ya a un político sin futuro. Ni sus más fieles. Aguantó solo tres días. Dimitió el 27 de noviembre de 2024.

Lo hizo por carta. Dolido con su partido, el partido de la rosa y muchas espinas. Vino a decir que ojalá el PSOE deje de ser una formación sectaria que purga la disidencia y que impone las ideas y la estrategia de la dirección sin discusión alguna. También que ojalá el PSOE abandone la destrucción del adversario como modo de hacer política. Le faltó añadir, como Sócrates antes de apurar la copa de cicuta: «Critón [el discípulo que intenta hacerle desistir de su decisión], debemos un gallo a Esculapio, no te olvides de pagar esta deuda». Luego declaró ante el Supremo, aportando el acta notarial con todos los mensajes que se intercambió con Sánchez Acera y dejando su móvil para que el juez examinara todos sus mensajes. No fue imputado. Cuando se escriben estas líneas sigue como diputado autonómico y senador, además de tertuliano en programa de televisión.

POSDATA 6: la filóloga y escritora Irene Vallejo explica muy bien quién es Quirón, un centauro sabio experto en plantas curativas. Un día desgraciado le hirió la rodilla una flecha empapada en veneno letal. El centauro se retiró aullando; era semidivino, y el don de la vida eterna se volvió una terrible carga. Torturado por su herida incurable, suplicó compasión a los dioses. Tan solo se apiadó de él un mortal, Prometeo, que a su vez sufría un tormento que le roía el hígado. Al ceder su inmortalidad al amigo luchador, Quirón se liberó por fin y ascendió al cielo como la constelación Sagitario. Quirón es ahora la estrella que más brilla en el cielo del sector sanitario.

Según el economista Carlos Sánchez Mato, que fue concejal del Ayuntamiento de Madrid con Manuela Carmena, la Comunidad de Madrid ha pagado a los hospitales de Quirón 3192 millones de euros por asistencia hospitalaria en sus centros entre los años 2021 y 2023, cuando Ayuso y González Amador ya eran pareja. Esto supone un 96 % más que en los tres años anteriores. En 2018, por ejemplo, antes de que Ayuso llegase al poder, Cifuentes abonó a Quirón 463 millones. En 2023 la factura había ascendido a 935 millones de euros. Por mencionar otro dato, los cuatro hospitales que Quirón tiene en Madrid han ido incrementado el número de pacientes atendidos gracias al sistema de libre elección: si en 2015 solo fueron 56 300, la cifra despegó cuando Ayuso llegó al poder y se consolidó en 2021 cuando empezó su relación con González Amador: 143 600 pacientes en 2021; 169 600 en 2022; 184 500 en 2023; y 200 466 en 2024.

«Desde que Cupido acercó a Alberto e Isabel, la Comunidad de Madrid liquidó a las cuentas de Quirón un 75 % de lo inicialmente consignado en los presupuestos regionales», señala Sánchez Mato. No es de extrañar que el beneficio operativo de este gigante de la sanidad privada haya crecido un 40 % entre 2018 y 2023.

Según la Intervención General de la Comunidad de Madrid, desde que Ayuso es presidenta la Consejería de Sanidad ha pagado 5971 millones de euros para que sus cuatro hospitales atiendan a los madrileños. De todo este dinero, 2200 millones son sobrecostes que no estaban previstos inicialmente. Lo ha descubierto un ciudadano, de nombre Óscar Hernández, muy activo en redes sociales y un apasionado de la transparencia que fríe al Gobierno de Ayuso con preguntas sobre los servicios públicos. Los datos de la Intervención no incluyen otros 440 millones de euros que el Gobierno de Ayuso aprobó en pagos a Quirón en el último Consejo de Gobierno de 2025. Sin olvidar que la actual consejera de Sanidad, cuando se escriben estas líneas, Fátima Matute, procedía del Grupo Quirón antes de dar el salto a la Administración.

Para la diputada socialista Sara Bonmatí, «desde que Ayuso es presidenta, la Fundación Jiménez Díaz, buque insignia del

Grupo Quirón en Madrid, se ha llevado más de 926 millones en 'libre elección'. Es un círculo vicioso: Madrid desvía dinero de los servicios públicos para pagar los servicios que presta Quirón, la sanidad pública empeora, lo que a su vez justifica mandar más pacientes a la privada, deteriorando de nuevo más la pública. Como extra, degradación de la imagen de la sanidad pública, sensación de impuestos excesivos, y necesidad de hacerte un seguro privado».

Por cierto. Una empresa de Víctor Madera, presidente y consejero delegado de Quirón Salud, ha empezado a construir un hospital privado en Madrid gracias a un cambio del Plan Urbanístico de la capital, aprobado en 2023 por el Gobierno de Isabel Díaz Ayuso. Va a poder levantarlo tras un informe favorable de la Consejería de Sanidad que calificó la infraestructura de «necesaria» y descartó construir allí ningún equipamiento para la red sanitaria pública de Madrid. Se ubicará en el número 82 de Arturo Soria. En octubre de 2025 se cumplieron 11 años desde la última apertura de un hospital público en Madrid. Todo en orden. Circulen. P'adelante.

ANEXO 1. ACTAS FALSAS, VÍDEOS Y VUDÚ: EL CASO MÁSTER

(Este capítulo puede leerse como continuación del capítulo 2: Las guerras perdidas de Cifuentes).

Había estallado el Caso Máster.

«Cristina nunca quiso cursarlo. Fue el catedrático Enrique Álvarez Conde, el director, quien la llamó para que se apuntase porque faltaban alumnos y era una buena oportunidad a buen precio. Cifuentes lo hizo por hacerle un favor», rememoran desde el entorno de la expresidenta madrileña para intentar justificar lo que se va a relatar más adelante. De hecho, Cifuentes se matriculó en el Máster de Derecho Autonómico el 21 de diciembre de 2011, tres meses después de que hubieran empezado las clases. Entonces era vicepresidenta de la Asamblea de Madrid y faltaban dos meses para que Rajoy la nombrara delegada del Gobierno. Curiosamente, ese mismo 21 de diciembre Mariano Rajoy había jurado ante el rey su cargo como sexto presidente de la democracia.

Casi siete años después de aquello, en marzo de 2018, Cifuentes montaba un gabinete de crisis para intentar frenar lo que se le venía encima. Lo primero que contó a su equipo fue que la información publicada por *eldiario.es* esa misma mañana a las 6:50 horas era falsa. «Es todo mentira, el ataque que ya sabíamos que iba a llegar», señaló a sus colaboradores.

La presidenta estaba en su mejor momento político, pero era consciente de que en los últimos meses se había ganado muchos enemigos. Quizá demasiados. Abordó aquella crisis siguiendo a rajatabla uno de sus mantras: «Ni un paso atrás ni para coger carrerilla». Pero tenía poco a lo que agarrarse, los datos y las fechas no cuadraban. Los exámenes del máster se celebraron en junio de 2012. Cifuentes obtuvo cinco sobresalientes de doce asignaturas. El 2 de julio defendió, supuestamente, su Trabajo de Fin de Máster y consiguió una nota de 7.5. Pero unos meses más tarde, en noviembre de 2012, figuraba un pago extraño. Cifuentes abonó las tasas universitarias para volver a presentar su TFM, el que supuestamente ya había realizado. «Esa es la clave, se rematricula de algo que supuestamente ya estaba aprobado», explica el profesor Salvador Perelló. Dos años después se produjo la supuesta trampa que destapó todo. El 23 de octubre de 2014, una funcionaria de la universidad, Amalia Calonge, entró en el sistema informático para cambiar dos notas del expediente de Cifuentes: de «no presentado» a «notable». Tras la exclusiva de *eldiario.es*, muchos medios se hicieron eco de la noticia. Sobre todo, los del Grupo Planeta. En el gabinete de crisis en Sol, Cifuentes pidió a la universidad una solución. No quería mojarse ella directamente, así que mandó a una intermediaria. Aquí aparece en la historia María Teresa Feito: amiga personal de Cifuentes, asesora de su Gobierno en la Consejería de Educación, profesora titular en la Rey Juan Carlos y conocida de Álvarez Conde. Alguien que cumplía todos los requisitos para encargarse personalmente de este desaguisado.

Feito salió de la reunión y se trasladó al campus de la universidad en Móstoles, donde está el rectorado. El rector Javier Ramos también había montado una especie de gabinete de crisis propio viendo la que se estaba liando en pocas horas.

Feito exigió que la universidad aportara los documentos necesarios para acreditar que la presidenta hizo el máster. Pero antes, el rector tenía que salir a dar explicaciones en una rueda de prensa junto a Álvarez Conde: «Vente y ponte guapo que vas a salir en la tele», le dijo. «Es aquí cuando empieza una conjura de necios, cutre y vulgar. Mienten a la opinión pública y falsifican documentos para salvar a Cifuentes. En su lugar la universidad tendría que haber abierto una investigación seria y depurar responsabilidades», sentencia Perelló.

Los implicados no se pusieron de acuerdo ni a la hora de mentir. El rector Javier Ramos aseguró en rueda de prensa que Cifuentes sí se presentó en el año 2012 a todas las asignaturas del máster. Pero que «debido a una mala transcripción en la introducción de las notas» hubo dos materias que se registraron como no presentadas. Cuando el 23 de octubre de 2014 Cifuentes pagó 176 euros de tasas para retirar su título (aunque realmente no se lo llevaría físicamente hasta noviembre de 2017) es cuando se dieron cuenta del error y cambiaron las calificaciones. El equipo de comunicación de Cifuentes, por su parte, ofreció esa misma mañana otra versión bien distinta: que la presidenta regional se dejó «dos o tres asignaturas en 2012» y las aprobó en 2014. ¿Quién mentía?

Supongamos que la primera versión, la de la universidad, era la correcta. Si hubiera habido un error de transcripción y en 2012 dos asignaturas aprobadas aparecían como no presentadas, ¿cómo es posible que la alumna Cifuentes pudiera defender el TFM? Los medios preguntaron al rector acerca de aquella incongruencia. «Lo desconozco», respondió Ramos. El TFM no aparecía y nunca lo hará. Se supone que ese trabajo se tituló «El sistema de reparto competencial en materia de seguridad ciudadana». Perelló recuerda que Álvarez Conde le dijo, tras la rueda de prensa, «he hecho el imbécil, la he cagado y estoy jodido».

No obstante, la universidad siguió en su huida hacia delante. El rector le pidió a Álvarez Conde que «arreglara todo este marrón y que reconstruyera el acta que demostrase que Cifuentes presentó y defendió su TFM; un documento clave para afianzar la posición de la presidenta. El profesor asegura que obedeció bajo mucha presión[1]. «Y a falta de un acta oficial, que tendría que haber estado guardada en los servicios centrales de la universidad, el comité de crisis de la URJC decidió inventársela». Pero Álvarez Conde no se atrevía a mancharse las manos, así que pidió ayuda a una de sus pupilas, la profesora Cecilia Rosado, que le debía su puesto de trabajo al viejo profesor y que teóricamente dirigió el máster en el curso 2011-2012 (aunque quien mandaba era Álvarez Conde). Rosado era un personaje extraño en el ecosistema de una universidad Rey Juan Carlos muy vinculada al PP. Militante de Izquierda Unida, Rosado formó parte de las listas de la candidatura de Luis García Montero a la Comunidad de Madrid y se presentó a las elecciones sindicales por CCOO. Era, además, sobrina de un catedrático de Derecho Administrativo en la misma universidad.

La profesora también obedeció. «Invéntate la fecha, el título y la composición del tribunal», le dijeron. Pero para el tribunal hacía falta tres personas. Así que Cecilia, en teoría, habló con otras dos compañeras, Alicia López de los Mozos y Clara Souto, que aceptaron participar en la farsa sin calibrar las consecuencias. «Me callé. Me parecía que era ir en contra del mundo. Veía que peligraban mi vida, mi carrera y mis hijos»[2], señaló Souto más tarde. Toda esta operación de encubrimiento se desarrolló bajo la supervisión de Teresa Feito, la

[1] Rafael Méndez, «El director del máster: "El rector me sometió a una enorme presión: Enrique, arréglalo"», *El Confidencial*, 6 de abril de 2018.
[2] Declaración judicial de Clara Souto.

asesora de Cifuentes enviada desde Sol, que no dejó de llamar insistentemente a todo el mundo para que no fallara ningún detalle. Registró, por ejemplo, 15 llamadas a Cecilia, que en la elaboración del acta tuvo que falsificar las firmas de sus dos compañeras. Pero se le pasó por alto una cuestión: el reglamento de la Rey Juan Carlos exigía que uno de los tres profesores del tribunal fuera de otra universidad para asegurar cierta imparcialidad, lo que obviamente no se cumplía. Otro requisito que pasaron por alto era que todos los profesores que juzgasen el trabajo del alumno debían ser titulares o catedráticos.

Pero Teresa Feito quería más. No le valía solo un acta falsa que acreditara que Cifuentes hizo y presentó el TFM, sino que además habría que escribir el TFM desaparecido. Las profesoras se negaron. Por ahí no pasarían. Teresa Feito les pidió entonces que le facilitaran la bibliografía necesaria para hacer el TFM «por otros medios»[3]. En ese intento de fabricación del TFM el mismo día en que se publicó la noticia, hubo alguien incluso que propuso localizar folios del año 2012 para que la falsificación fuera perfecta. Por si luego hubiese un peritaje. Así se podría corroborar que el TFM había sido escrito años antes. Una locura que, obviamente, no prosperó.

El aparato político de la presidenta no dejó de presionar. Otro profesor del máster, Pablo Chico de la Cámara, recibió una llamada para que se inventara un e-mail, enviado supuestamente en 2014, en el que la universidad se daba cuenta del error de la transcripción de las dos asignaturas que aparecían como no presentadas, pero que deberían estar aprobadas. Feito estaba muy nerviosa. «Como no aparezcan los papeles, Cifuentes os va a cortar la cabeza», les decía a los *falsificadores*. Cecilia Rosado terminó el acta falsa después de comer.

[3] Declaración judicial de Cecilia Rosado.

A las 17:36, el documento se envió desde el e-mail oficial de la secretaría del rector a la Comunidad de Madrid, para que Cifuentes pudiera usarlo como coartada. «Mi objetivo era desmantelar la red clientelar de la universidad, nunca imaginé que serían capaces de falsificar documentos y mentir a la opinión pública para defender a Cifuentes», asevera Salvador Perelló. El rector, para lavarse las manos, ordenó a las 17:55 abrir una investigación interna para ver qué era lo que había pasado, investigación que nunca se terminaría.

Pasadas las ocho de la tarde, 14 horas después de la publicación de la noticia, todos los medios españoles recibieron un correo de la Comunidad de Madrid con cinco documentos para intentar demostrar que todo era falso: la matrícula del máster (con un coste de 1586 euros) con la relación de las 12 asignaturas impartidas y el TFM, el certificado del pago de las tasas de expedición del título académico en 2014, un certificado académico con las calificaciones finales obtenidas en cada una de las materias, un correo electrónico escrito por el profesor Pablo Chico en el que solicitaba en octubre de 2014 a la funcionaria Amalia Calonge que se subsanara el error de transcripción de las dos calificaciones en cuestión —error que se había detectado supuestamente cuando Cifuentes quiso pagar el título académico—, y finalmente el acta del tribunal del TFM con la calificación de 7.5 puntos. Obviamente, el TFM nunca aparecería.

«Según está acreditado documentalmente, Cristina Cifuentes se matriculó, pagó las correspondientes tasas académicas, y cursó las asignaturas al igual que el resto de las personas que participaban en el máster. Hay que destacar que el error en la transcripción de las calificaciones afectó a varias personas más, y es una situación que no es inhabitual en el ámbito académico. Seis profesores universitarios han empeñado su palabra, su prestigio y su carrera profesional de funcionarios públicos para afirmar sin la más mínima duda que todo el procedimiento académico en relación con el máster se llevó a cabo de acuerdo con la más absoluta legalidad, y que no hubo irregularidades», señalaba el comunicado que envió la Comunidad de Madrid a los medios.

Terminaba un día largo de mucha tensión en la sede del Gobierno regional. Cifuentes creía que con estos documentos su credibilidad estaba a salvo y esa misma noche, sola, sin comunicárselo a sus asesores de prensa, se grabó en un estrambótico vídeo que subió a Periscope, una aplicación que la presidenta usaba mucho para interactuar con los ciudadanos. Vestida con traje azul y camisa blanca y sentada en su despacho exhibió sin ningún pudor el acta del TFM falsificada. «Hoy ha sido un día muy doloroso porque he sufrido un ataque en un medio de internet completamente injusto». «He demostrado con papeles que todo es falso», sentenció. La comunicación terminó por todo lo alto con un mensaje para entendidos en el que enfatizó cada una de las palabras: «Así que, a los que queréis que me vaya: no me voy, me quedo, me voy a quedar, voy a seguir siendo vuestra presidenta».

Cifuentes se quería quedar donde siempre había estado. Llevaba en política desde que la democracia estaba en pañales. En 1980, con 16 años, ingresó en las Nuevas Generaciones de la Alianza Popular posfranquista de Fraga. Su primer carné se lo firmó Jorge Verstrynge. Hija de militar y ama de casa, creció en una casa con siete hermanos. Licenciada en Derecho, en 1990 opositó como funcionaria del grupo B en la escala de gestión universitaria en la Complutense[4]. Antes se ganaría

[4] https://www.boe.es/boe/dias/1990/10/31/pdfs/A32226-32227.pdf.

la vida vendiendo enciclopedias, dando clases particulares, trabajando de dependienta y siendo asesora del partido. Un año después, en junio de 1991, a punto de cumplir 26 años, entró por primera vez en la Asamblea de Madrid como diputada autonómica formando parte de un Partido Popular que acababa de cambiar de siglas y necesitaba caras nuevas.

En aquellos momentos el Parlamento madrileño no estaba en Vallecas, como ahora, sino en el viejo Caserón de San Bernardo, que fue monasterio, universidad y biblioteca antes de albergar las deliberaciones de sus señorías. Cifuentes llamaba entonces la atención por sus tacones, sus minifaldas, sus coloridos modelos conjuntados y su pelo rubio en un hemiciclo con pocas mujeres. En una sociedad tan machista como la española, a ella y a otras dos compañeras se las apodó «las Gin Tonic» porque destacaban por su forma de vestir y «eran caras nuevas y refrescantes».

Su carrera parlamentaria se dilató de forma casi ininterrumpida desde aquellos primeros años. Fue diputada autonómica en una primera etapa que duró 21 años, desde 1991 a 2012, un periodo en el que compatibilizó su vida política con pequeñas incursiones en el mundo universitario. La joven política pasó sin pena ni gloria por el Parlamento madrileño en sus inicios.

Pero con el tiempo llegó a ocupar cargos de creciente relevancia, tanto en la Asamblea como en el partido. Allí llegaría a presidir el Comité de Derechos y Garantías del PP, una especie de asuntos internos, en un momento en que se destaparon la *gestapillo* y el caso Gürtel. De esa etapa trascendió una escena con José Luis Peñas, el exconcejal del PP que destapó la trama grabando durante meses al principal corruptor, Francisco Correa. El popular asegura que cuando quiso que el partido tomara cartas en el asunto, Cristina le dijo en una reunión privada que lo mejor «es que no hiciera ruido y se metiera en la nevera»[5]. Aunque de ella dependía el comité de garantías, la disciplina obligaba y los trapos sucios se debían lavar mejor dentro de casa.

En enero de 2012 fue elegida delegada del Gobierno en Madrid, el verdadero punto de inflexión en su carrera hacia el estrellato político. Aunque el cargo era considerado un cementerio de elefantes, con ella dejó de serlo. Su gran acierto fue fichar a Marisa González. Marisa empezó en esto en 1989, cuando fue nombrada jefa de prensa del Grupo Parlamentario Popular en la Asamblea de Madrid, cargo en el que estuvo hasta 1991. En ese periodo conoció a un jovencísimo Gallardón, fraguándose en ese encuentro una dupla que continuó en el Senado, donde la joven promesa del PP fue portavoz y Marisa responsable de prensa del grupo popular entre 1991 y 1995. El binomio se consolidó y despuntó en los siguientes ocho años, cuando Ruiz-Gallardón se hizo con la presidencia de la Comunidad y nombró a su estrecha colaboradora directora general de Medios de Comunicación (1995-2003), años de mayoría absoluta del PP. Luego llegó la etapa del Ayuntamiento de Madrid (2003-2011), él como alcalde y ella como jefa de prensa. Hasta que un 21 de diciembre de 2011, Gallardón ascendiera al Ministerio de Justicia y prescindiese de ella (esta es otra larga historia). Curiosamente, fue romper el *matrimonio profesional* y el político madrileño se transformó de la noche a la mañana en el rostro más ultraconservador del Gobierno de Rajoy. Tanto, que tuvo que dimitir por defender una reforma de la ley del aborto demasiado escorada a la derecha.

[5] D. Forcada, «El denunciante de la trama Gürtel: "Cifuentes me dijo que no hiciera ruido"», *El Confidencial*, 22 de noviembre de 2015.

Marisa, huérfana de colaborador, encontró una nueva compañera de viajes en Cifuentes y empezó así una nueva asociación, la de «Thelma y Louise» como se las llegó a conocer. Marisa moldeó a una figura relativamente poco conocida y la hizo subir como la espuma. Es cierto que Cifuentes ya era asidua en algunas tertulias y empezaba a explotar las redes sociales, pero su llegada a la sede de la Delegación sirvió para que el gran público conociera al nuevo personaje político que se estaba fraguando: la nueva figura del PP que se declaraba republicana, defensora del matrimonio homosexual, agnóstica y el nuevo verbo progresista de los populares. El dúo reconfiguró el papel de la delegación del Gobierno: dotó al puesto de una agenda propia, buscando cualquier ocasión para ponerse bajo los focos de las televisiones. Cifuentes empezó a ser conocida y a ganarse sus primeros enemigos dentro del PP.

Una etapa, no obstante, personalmente muy difícil, atravesada por un grave accidente de tráfico en 2013 que casi le cuesta la vida, y políticamente complicada por el nacimiento del 15-M y unas mediáticas protestas frente al Congreso que sirvieron para presentar otra faceta de nuestra protagonista: una delegada implacable. Cifuentes no tuvo ningún problema en justificar y amparar actuaciones como la entrada en la estación de Atocha por parte de los antidisturbios en el Rodea el Congreso de 2013 o el veto a personas que portaran cualquier enseña republicana el día de la proclamación de Felipe VI.

Lo que está claro es que el cargo impulsó su imagen. Era común verla en televisión presumiendo de los cascotes de piedra que guardaba en su despacho lanzados contra los antidisturbios en los enfrentamientos tras las Marchas de la Dignidad de marzo de 2014. Paso a paso, Cifuentes se había hecho famosa: en sus tres años como delegada se tuvo que enfrentar a unas

10 000 manifestaciones y concentraciones. En octubre de 2014 se destapó la Púnica y el aguirrismo entró en fase terminal. El ático de Ignacio González (preludio de lo que vendría después con el caso Lezo) ayudó definitivamente a que Mariano Rajoy quisiera romper con el pasado y eligiera a Cifuentes como candidata a la presidencia de la Comunidad en las elecciones de 2015. Aguirre, todavía con demasiado poder, fue elegida como candidata a la alcaldía de la capital.

El PP de Madrid navegaba entonces entre dos aguas, porque Cifuentes y Aguirre ya no se tragaban. Esa mala relación se tradujo en dificultades para confeccionar la candidatura de la primera, complejo «como desafiar las leyes de la física», señalaría Cifuentes. «Todos no caben en el receptáculo... Habrá que ver», señaló a los medios. Por receptáculo se refería a la Asamblea de Madrid, donde la irrupción de nuevas opciones políticas como Podemos y Ciudadanos había encarecido el escaño. Las encuestas daban al PP un importante bajón, de los 72 diputados a una horquilla de entre 40 y 45.

Cifuentes quería que se respetara la división a tres que tradicionalmente regía en estos procesos internos del PP, donde un tercio de la lista es elegido por el candidato, otro por el partido en Madrid y otro por la dirección nacional de Génova. La candidata autonómica solo quería llevar consigo personas de dedicación exclusiva para la Asamblea (nada de alcaldes, por ejemplo). Pero al final, tras un largo tira y afloja, Aguirre, como presidenta regional del PP, impuso sus galones y Cifuentes apenas decidió un 20 % de los nombres, aunque pudo elegir a su número dos y a su número tres. «La lista no la he hecho yo, sino el PP de Madrid», aseguró resignada. Tampoco Esperanza Aguirre quedó contenta«», pero se resignó a aceptar el resultado de aquella pelea, «mejor un mal acuerdo que un buen pleito».

La enemistad entre ambas se cimentó durante esos años. La anécdota más conocida de su relación se produjo en una misa de aniversario por las víctimas del 11-M en la que Aguirre se acercó a Cifuentes para pedirle el «besito de la paz». Se lo dieron, y al salir Aguirre le pidió otro para que los medios congregados captaran la imagen: «Otro besito que hay periodistas y van a pensar que estamos enfadadas». Cifuentes le dijo cortante que ya se habían dado uno dentro de la iglesia, pero Aguirre insistió: «Pero este besito ya de verdad».

A pesar de las trabas que un PP de Madrid que aún no controlaba le puso durante la campaña electoral, Cifuentes consiguió mantener la Comunidad para el PP, aunque sin mayoría absoluta. El *cifuentismo* empezó a fraguarse. Tras la dimisión de Aguirre, se puso al frente de la gestora del PP madrileño y en marzo de 2017 se hizo con la presidencia del partido, 37 años después de haberse afiliado a AP. Su objetivo «era revitalizar el PP de Madrid, devolver el protagonismo y la ilusión a los militantes, avanzar en la regeneración democrática y recuperar la credibilidad». «¿Puede regenerar un partido alguien que ocupó, durante los años en los que se producían casos de corrupción, la secretaría de asuntos internos del PP de Madrid? ¿Puede presentarse como renovadora y adalid de ese *nuevo PP* una mujer que ha sido *funcionaria* del partido desde los años ochenta?», se pregunta una veterana exdirigente popular.

Tras la publicación de la exclusiva de *eldiario.es*, la esperpéntica rueda de prensa del rector y el profesor Álvarez Conde, y las conspiraciones (en ese momento secretas) para falsificar el acta del TFM, Cifuentes desapareció varios días de la escena mediática mientras el escándalo no dejaba de cobrar fuerza. La presidenta alegó una fuerte gripe hasta que llegó la pausa de la Semana Santa. Y eso que dos años antes, cuando todo eran parabienes y un futuro halagador, una biografía panegírica escrita por el periodista Alfonso Merlos y titulada *Cristina Cifuentes. Sin ataduras* (La Esfera) señalaba sin pudor que la política «no teme la sobreexposición ni corre al burladero con prisas en pleno temporal». Quizá es que en este caso el temporal se estaba convirtiendo en huracán.

Los nervios empezaron a extenderse y comenzó a imperar «un sálvese quien pueda». Al enterarse de la investigación, Álvarez Conde se reuniría días después, el 2 de abril, en el Vips de la calle Padre Damián con las profesoras que nunca formaron el tribunal que aprobó el TFM de Cifuentes. Tenían que coordinar una única versión para cuando los llamaran a declarar en esa auditoría interna. La Universidad Rey Juan Carlos no quería revivir viejos fantasmas y escándalos: su último rector había dimitido por plagio.

Todos se pusieron de acuerdo, por ejemplo, en recordar el tipo de ropa que llevaba Cristina Cifuentes el día que se examinó del TFM, pero convinieron no dar demasiados detalles por el tiempo transcurrido: «Colores claros», era la consigna. El escenario y la fecha elegidos en el acta falsificada de la defensa fueron el 2 de julio de 2012 en el campus de Vicálvaro. Cecilia Rosado estuvo a punto de poner el 5 de julio, pero al revisar su agenda recordó que ese día estaba dando un curso de verano en Aranjuez, a 50 kilómetros de Vicálvaro. Clara Souto, por ejemplo, estaba ese 2 de julio en Galicia cuidando a sus tres sobrinos porque su hermana estaba enferma. En la negociación de las invenciones, Alicia López se mostró como la más reticente, incluso hablaba de «conspiración». Salió atemorizada de la reunión, hecha un flan, y consultó con un abogado amigo suyo qué debe hacer.

Tras más de diez días sin agenda pública, coincidiendo con la comparecencia en la Asamblea de Cifuentes, obligada por la oposición para dar explicaciones sobre su máster, los periodistas José María Olmo, Rafael Méndez y un servidor publicamos otra exclusiva[6] que resultó ser definitiva: el acta del TFM no se había elaborado en 2012, sino hacía unos pocos días, y tenía dos firmas falsificadas: Alicia López y Clara Souto no habían firmado. La información obligó a Cifuentes a improvisar una rueda de prensa por la tarde en la que se enrocó en su huida hacia delante. «Hay un medio de comunicación que introduce algunas dudas que yo no puedo confirmar ni verificar, porque lógicamente ese es un documento interno de la universidad que yo no tengo que ver con él, cuyo único conocimiento es lo que el rectorado me remite. Por lo tanto, yo no tengo que dar validez ni desmentirla». Cifuentes no era culpable. Si el rectorado le había remitido un documento falso, pregunten al rector.

La presidenta parecía tener respuesta para todo. Si ningún compañero de su promoción la vio realizar los exámenes que supuestamente tuvo que hacer en 2012 es porque había acordado con la dirección del máster «su sustitución por trabajos y tutorías, una excepción que no solo se aplicó a mí». Tampoco fue a clase, porque como era delegada de Gobierno, no tenía tiempo. Tampoco sabía dónde está el TFM, porque había hecho «tres o cuatro mudanzas de despacho y domicilio en los últimos seis años». Aseguró, no obstante, que defendió el TFM en el campus de Vicálvaro a primera hora de la tarde del 2 de julio de 2012 y que duró «entre diez y quince minutos». Dos estrechos colaboradores de Cifuentes presentes en aquella escena se miraron sonrojados. «Luego lo estuvimos hablando. No pudo decir más mentiras».

[6] José María Olmo, David Fernández y Rafael Méndez, «El acta del máster que exhibió Cifuentes tiene al menos dos firmas falsificadas», *El Confidencial*, 4 de abril de 2018.

Un día después, el 5 de abril, Alicia López, profesora de Derecho Constitucional, firmaba un documento en el que reconocía que no formó parte del tribunal que examinó a Cifuentes en 2012 y que su firma había sido falsificada[7]. El 6 de abril, en una entrevista en Onda Cero, Álvarez Conde admitió que hubo que «reconstruir» el acta del TFM por las presiones sufridas el 21 de marzo cuando se destapó todo. «Sucumbí a las presiones de una autoridad académica por el respeto al principio de lealtad institucional», admitió Álvarez Conde. Esa misma mañana la otra profesora, Clara Souto, también reconoció que su firma había sido falsificada. Todo se desmoronaba.

Con este panorama, Cifuentes viajó el 7 de abril a Sevilla a un Congreso Nacional del PP (Ayuso formaba parte de la comitiva) donde recibió el respaldo explícito de Mariano Rajoy y de María Dolores de Cospedal. La presidenta madrileña participó en un acto en el que tuvo que pedir a los asistentes, emocionada, que dejaran de aplaudir para poder hablar. Pero era solo fachada. El mirlo blanco del partido ya había dejado de serlo. A Rajoy le sentó como un tiro que Cifuentes eclipsara toda la convención y tuviera que improvisar dos ruedas de prensa, una antes y otra después de que hablara el presidente nacional. Cuenta el periodista Manuel Jabois que el más sincero fue el presidente gallego, Alberto Núñez Feijóo, que dijo en privado que Cifuentes «había mentido» con su máster. Estaba en juego el gobierno de Madrid (que dependía de Ciudadanos) y Rajoy esperaba que la crisis no se prolongara demasiado y Cifuentes cayera sola por su propio peso, como una fruta madura.

[7] https://static.ecestaticos.com/file/f37/e62/f0b/f37e62f0b079111747bb97a13163480d.jpg.

Todos los días salía publicado algo nuevo. *Eldiario.es*, obviamente, seguía con su investigación estrella. El 10 de abril publicó que no era solo el TFM, sino que las firmas de los profesores en las actas de tres asignaturas de Cifuentes también estaban falsificadas. Las televisiones del Grupo Planeta, La Sexta y Antena 3, hacían un seguimiento diario del caso. Muchos medios se sumaron. El equipo de comunicación de Cifuentes reconoció entonces que la situación se «había desbordado», que no habían visto nada igual y que a la presidenta la perseguían «cámaras de programas de televisión que no sabíamos ni que existían». El 13 de abril, la universidad suspendió al director del máster, Enrique Álvarez Conde. El 17 de abril, Cifuentes dio una rueda de prensa a la desesperada en la que renunciaba al título de posgrado. No sirvió de nada. Cifuentes sabía que tenía los días contados. Lo que no sabía Cifuentes es que el máster no iba a ser, ni de lejos, el único de sus problemas.

4 de mayo de 2011. Los medios de comunicación del mundo no hablan de otra cosa: hace dos días que unos comandos de élite de EE. UU. han asesinado en Pakistán al hombre más buscado del mundo, Osama Bin Laden. Los detalles de la operación copan prensa, radios y televisiones. Cristina Cifuentes, entonces vicepresidenta de la Asamblea de Madrid, tiene un día tranquilo: el Parlamento madrileño está disuelto por el comienzo inminente de la campaña electoral para las elecciones del 22 de mayo.

A las 11:15 horas de la mañana, antes de ir a su despacho en la Asamblea, Cifuentes entra en un supermercado Eroski que hay justo enfrente. Se dirige a la sección de perfumería y, una vez allí, saca dos botes de crema antiarrugas de sus cajas de envoltorio. Marca Olay. Los mete en su bolso azul, esperando pasar desapercibida, pero el vigilante de la sala de control y seguridad del establecimiento observa la escena a través de una de las cámaras, y avisa inmediatamente a un compañero. Antes de que abandone el súper por el pasillo de «salida sin compra», Cifuentes es interceptada por otro vigilante, que le pide por favor que lo acompañe a una sala destartalada de ladrillos blancos, usada habitualmente como pequeño almacén. Allí el vigilante le reclama a Cifuentes que le enseñe el contenido de su bolso. La vicepresidenta, en un principio, se muestra sorprendida, pero obedece. Vacía su bolso, pero solo saca un bote. «¿Y el otro?», le preguntan. El vigilante vacía todo el contenido, objeto a objeto, hasta que da con el segundo bote. El precio de lo supuestamente sustraído no llega a los 42 euros. Toda la escena es grabada por otra cámara de seguridad.

Una vez acabado el registro, mientras Cifuentes vuelve a introducir todas sus pertenencias en el bolso, un encargado del supermercado entra en esa sala para llevarse los dos botes de crema. Han avisado a la Policía Nacional, porque aquello se trataba de un hurto, y si Cifuentes no paga, habrá denuncia. «Todo fue una equivocación fatal. Pasé una vergüenza horrorosa. Llevaba la cesta de la compra y el bolso y metí las cremas por error en el bolso», justificaría muchos años después la propia Cifuentes en una entrevista exclusiva en Telecinco. Pero ese día no llevaba ninguna cesta de Eroski ni estaba haciendo ninguna compra.

La Policía se presenta enseguida con una patrulla de paisano. La comisaría de Villa de Vallecas está exactamente a 1.6 kilómetros del supermercado. Cifuentes dice que pagará las cremas y que quiere irse. No desea problemas ni ninguna denuncia. Tras abonar la cantidad, sale del supermercado por una puerta trasera.

Aquí surgen varias preguntas. Los vigilantes de seguridad, de la empresa Casesa, en ningún momento pidieron el DNI a Cristina Cifuentes. ¿Cómo supieron que esa señora tan bien vestida era diputada y vicepresidenta de la Asamblea? No, no lo sabían. ¿Y los policías?, ¿llegaron a identificarla? Debieron hacerlo, porque, aunque no hubo denuncia, tuvieron que hacer un parte de su intervención en el supermercado. Lo que es seguro es que la noticia de lo sucedido llegó ese mismo día al inspector jefe de la Policía Nacional, que en esos momentos era el responsable de seguridad de la Asamblea. Todo un veterano del cuerpo que, en el pasado, había sido escolta de Gallardón y que llevaba trabajando en el Parlamento madrileño desde septiembre de 2002. ¿Quién se lo dijo al jefe de seguridad de la Asamblea? Él era policía nacional. Obviamente, algún compañero de la comisaría de Vallecas. La noticia corrió boca a boca como la pólvora. El jefe de seguridad de la Asamblea se lo contó al día siguiente, jueves, a un alto cargo de la Comunidad de Madrid, que inmediatamente se lo transmitió a varias personas del Consejo de Gobierno que en esos momentos presidía Esperanza Aguirre. «Han pillado a Cristina Cifuentes robando en un supermercado». «Y puede que haya un vídeo». Por ley, Eroski tenía 30 días para destruir todas las grabaciones que realizaba en sus establecimientos. Pero esta grabación no se destruyó. Alguien se llevó una copia.

El robo no perjudicó de inmediato la carrera política de Cifuentes. De hecho, al ser nombrada por Rajoy como delegada del Gobierno en Madrid, se convertiría en la superior jerárquica de todos los policías de la comunidad, incluidos los dos que la identificaron en el supermercado. La grabación de Eroski, o varias copias, durmieron en un cajón durante varios años, y el rumor de que existía un vídeo de la pillada se convirtió, con el paso de los años, en un chascarrillo sin confirmar en todo el PP de Madrid y los periodistas que cubrían la información madrileña.

Cifuentes se quiso poner la venda antes de la herida y filtró algunas informaciones interesadas. En mayo de 2016, por ejemplo, cuando ya empezaba a fraguarse su mala relación con el Grupo Planeta, se publicó un curioso reportaje con el siguiente titular: «Rivales del PP encargaron espiar a Cifuentes y difundir el rumor de que era cleptómana»[8]. Obviamente, el texto no identificaba a los rivales, el fuego amigo, pero Cifuentes tuvo siempre a dos en mente: Ignacio González y Francisco Granados. Ambos habían sido los hombres más poderosos durante años en los Ejecutivos de Esperanza Aguirre.

Ignacio González había sido la mano derecha de Aguirre; Granados, su mano izquierda. Ambos se llevaban muy mal y, casualmente, ambos acabaron también muy mal. Granados fue imputado en la operación Púnica y González en el caso Lezo.

El reportaje decía que esos rivales sin identificar habían contratado a un detective para realizar un dosier sobre Cifuentes con información comprometedora, para filtrarlo después a la prensa e intentar truncar su candidatura a la Comunidad de Madrid en las elecciones de 2015.

«La estrategia para socavar la imagen de Cristina Cifuentes de cara a las elecciones se completó con una maniobra de intoxicación. Consistía en que sus rivales expandieran entre los círculos políticos y mediáticos el rumor de que la actual responsable del PP madrileño arrastraba un problema de

[8] Daniel Montero y Esteban Urreiztieta, «Rivales del PP encargaron espiar a Cifuentes y difundir el rumor de que era cleptómana», *El Español*, 2 de mayo de 2016.

cleptomanía. Es decir, que robaba pequeñas cosas de forma compulsiva desde hace años. Para intentar dar veracidad al descrédito, deslizaron incluso que el objetivo de los detectives iba a ser localizar la grabación de las cámaras de seguridad de un supermercado cercano a la Asamblea de Madrid en el que la actual presidenta aparecería sustrayendo artículos», rezaba el artículo. Muy premonitorio. Cuando Cifuentes llegó a la presidencia del Gobierno regional, ordenó barridos en su despacho para intentar encontrar micrófonos y encargó un análisis de seguridad de su teléfono personal. No se localizó nada extraño.

Mucha gente sabía de la existencia del vídeo de Cifuentes robando en un supermercado. Y Cifuentes sabía que mucha gente lo conocía. Pero siguió guardando su gran secreto. Ella contaba a amigos, a conocidos y a compañeros del partido que la estaban chantajeando con la existencia de un vídeo, pero que en realidad era un montaje con una persona que se parecía mucho a ella.

La comidilla sobre el robo llegó hasta los mensajes que en abril de 2017 se intercambiaron el exsecretario de Estado de Seguridad Francisco Martínez y el comisario de la Policía Nacional Enrique García Castaño, alias «el Gordo». Ambos hablaron por teléfono el día que la Guardia Civil detuvo a Ignacio González por el caso Lezo.

> Francisco Martínez: Has visto lo de González??
>
> Enrique García Castaño: Cristina Cifuentes por venganza jode al PP.
>
> Francisco Martínez: Venganza contra quién??? Si ella ha ganado en todo a Espe y a González…
>
> Enrique García Castaño: Contra González por cosas antiguas, ya sabes, estuvieron enrollados y terminaron muy mal.

Ella tiene mucho que tapar, me imagino el otro empezará a largar.

Francisco Martínez: O sea que esto acaba de empezar?? Ya ves, los dos enemigos, González y Granados, detenidos por mismo juez.

Esta primera conversación revelaba mucho. Primero, que ambos pensaban que la detención de González era cosa de Cifuentes. No era secreto que la Comunidad había colaborado activamente con la Fiscalía en las pesquisas del caso Lezo. Y segundo, que González y Cifuentes habían mantenido una relación sentimental en el pasado y la historia entre ellos había acabado mal. Más adelante, en la misma conversación, el comisario García Castaño hizo explícito el tema de las cremas entre otros asuntos.

Enrique García Castaño. Como salgan los muñequitos budu [por vudú], te acuerdas?

Francisco Martínez: Sí, qué miedo... La bruja Lola.

Enrique García Castaño: Su lío con un diputado del PSOE, lo del robo en Eroski, etc.

Aquí, aparte de mencionar lo del robo del supermercado, concretando incluso que saben que ha sido en un Eroski, vuelven a salir a colación chascarrillos que se comentaban en el partido y en círculos periodísticos. Uno de ellos era que Cifuentes, como vicepresidenta de la Asamblea, había hecho un viaje a EE. UU., concretamente a Nueva Orleans, cuna de prácticas esotéricas, y que de allí se había traído como *souvenir* una especie de cajita para hacer vudú, con sus muñecos y alfileres.

El famoso vídeo apareció incluso en la agenda del comisario Villarejo. El viejo policía, además de grabar casi todos sus encuentros, apuntaba luego en su agenda las citas que había tenido y lo comentado en ellas. En la del 8 de marzo de 2016 escribió que un periodista le había sacado el tema del vídeo de Cifuentes. «Dice que le han contado que tengo un vídeo de la CIFUENTES robando? Hay más rumores por todo».

Volvamos a principios de abril de 2018, en pleno apogeo del Caso Máster. El día 5 de ese mes, la Fiscalía de Madrid abrió una investigación y el grupo socialista presentó una moción de censura que no podía salir adelante sin el apoyo de Ciudadanos. Los naranjas exigían la apertura de una comisión de investigación en la Asamblea para esclarecer todo lo sucedido. El día 7, el líder de Ciudadanos en Madrid, Ignacio Aguado, llamó al portavoz del PP en la Asamblea, Enrique Ossorio, para darle tres horas para aceptar esa comisión bajo amenaza de romper el acuerdo de investidura que había permitido gobernar a los populares desde las elecciones de 2015. Era un ultimátum real, pero Cifuentes creyó que Aguado iba de farol, y el PP no aceptó.

Dos días después, Ciudadanos subió su apuesta. En una rueda de prensa, Aguado exigió la dimisión de Cifuentes. En caso de no producirse, apoyaría la moción de censura de los socialistas. Aguado lanzaba con aquello un mensaje claro a Génova: tenéis un mes para buscar un sustituto a Cifuentes que ocupe la presidencia interina de la Comunidad hasta las próximas elecciones. Génova se tomó muy en serio la amenaza, y Mariano Rajoy, que pensaba dejar caer a la presidenta, notó activamente que Cifuentes sobraba. El PP quería mantener el gobierno de Madrid a toda costa, y Cifuentes parecía un precio cada vez más asequible.

En esos días, dos periodistas de *El Confidencial* (yo era uno de ellos) recibieron una misteriosa llamada. Un abogado quería verlos. Se citaron en su casa, donde les estaba esperando otra persona diferente: un ex alto cargo en los gobiernos de Esperanza Aguirre e Ignacio González. Este les contó una historia insólita de la que tenía pruebas. Lo primero que confirmó es que González y Cifuentes mantuvieron una relación sentimental en el pasado. Y que, cuando él decidió romper con ella, no se lo tomó nada bien. «Era como la película de *Atracción Fatal* protagonizada por Michael Douglas y Glenn Close».

«¿En qué sentido?», le preguntaron los reporteros. Al parecer, la mujer de Ignacio González empezó a recibir mensajes en su móvil desde un teléfono prepago que no se podía identificar. «Tu marido es un adúltero», decía uno de ellos. La esposa de González le pidió explicaciones y este se olió de dónde venían los tiros, así que pidió a un amigo que lo ayudara a confirmar sus sospechas. Este amigo consiguió averiguar dónde y cuándo se había comprado el móvil prepago desde donde se habían enviado esos mensajes «Pero olvídate», le dijeron a González. «Habrá pagado con efectivo y será imposible saber quién fue el comprador». El investigador conocía a un directivo de la tienda, ubicada en el centro de Madrid, y le pidió el favor de comprobar cómo se había hecho esa compra. Hubo suerte, el teléfono se había adquirido con una tarjeta de crédito. «¿A nombre de quién?», preguntaron los periodistas mientras su interlocutor les contaba la película. «A nombre de Cristina Cifuentes. Tengo todas las pruebas». Otro dosier contra Cifuentes. El asunto era demasiado personal y delicado para publicarlo en plena vorágine del máster, así que se enterró durante un tiempo. Al fin y al cabo, no se trataba de una irregularidad como que te regalasen un posgrado sin acabar todas las asignaturas. Se trataba de un tema, digamos, más pasional.

Por una cosa o por otra, Cifuentes ya estaba sentenciada. El último clavo de su ataúd fue el vídeo de Eroski. Alguien lo desempolvó para enviarlo a la redacción de *Okdiario*, que dirigía Eduardo Inda. Días antes, Inda había publicado ciertas informaciones que comprometían al marido de Cifuentes[9], el arquitecto Javier Aguilar Viyuela. Los artículos insinuaban «negocios éticamente impresentables y sospechosos desde el punto de vista legal entre Javier Aguilar Viyuela y miembros de la familia Molpeceres, clan empresarial que ha aparecido en tramas como Púnica, Lezo, Bárcenas y Gürtel. Resulta contrario al buen comportamiento y a la ejemplaridad exigible a los representantes públicos que el marido de un cargo político hiciera tratos con empresarios investigados por financiar la caja B del Partido Popular». Inda, que había elogiado a Cifuentes durante años desde sus diversos altavoces mediáticos (ya fueran tertulias o su diario digital), se había vuelto de la noche a la mañana en otro de sus principales enemigos, a añadir a la larga lista que ya acumulaba la presidenta madrileña a esas alturas de su carrera política. ¿Por qué? «Porque no metíamos en *Okdiario* toda la publicidad que nos reclamaban. Era una cuestión de dinero», explican fuentes del equipo de Cifuentes.

El 24 de abril, una de las firmas estrellas de *Okdiario* avisaba a una buena amiga suya, Isabel Díaz Ayuso, entonces viceconsejera de Justicia, para decirle que al día siguiente Eduardo Inda iba a publicar un vídeo que seguramente daría la puntilla a Cifuentes: una grabación en la que la política aparecía robando unas cremas hacía años en un supermercado. El rumor se hacía realidad. Ayuso avisó a su jefe, el consejero Ángel Garrido, y este a Marisa González, la todopoderosa jefa de gabinete de Cifuentes y directora general de Medios de la Comunidad de Madrid.

[9] Manuel Cerdán y M. A. Ruiz, «El marido de Cifuentes compartió despacho y sociedades en Ferraz 2 con la trama investigada en Gürtel, Lezo y Púnica», *Okdiario*, 5 de abril de 2018.

Inda y Cifuentes hablaron esa noche y ella le pidió que no publicara el vídeo, ya que pensaba dimitir en pocos días. Pero la conversación no sirvió de nada: Inda estaba hambriento por cobrarse aquella pieza de caza mayor. El 25 de abril, en efecto, se publicó la grabación[10]. La noticia no tardó en correr como la pólvora. Todos los medios la replicaron. TVE, por ejemplo, controlada por el PP, tenía orden de repetir el vídeo una y otra vez en todos sus programas en una ventanita en el margen inferior derecho. Rajoy quería ya la cabeza de Cifuentes, por eso mandó a Sol a María Dolores de Cospedal, para que ordenara a Cifuentes anunciar su dimisión antes de las 12 de la mañana. Ella aún se resistía a claudicar. Su equipo, sin embargo, le aconsejó poner fin a una agonía que ya duraba más de un mes. Cifuentes, finalmente, dimitió esa misma mañana. «No quiero dañar a mi familia, que es por quien tomó la decisión, para que no sigan sufriendo este calvario. Es lo mejor para los madrileños y para mi partido», señaló. Cifuentes, al igual que Casado más tarde, se marcharía convencida de que todo había sido «una campaña, es parte del precio por haber mantenido tolerancia cero contra la corrupción».

Días después, el viernes 8 de mayo a última hora y presionada por el partido, Cifuentes anunció que dejaba también su acta de diputada. En aquel instante perdía el aforamiento. Tres días después, la magistrada que llevaba la investigación del Caso Máster la imputó por los delitos de falsedad documental y cohecho, al considerar que recibió el título de posgrado gracias a su posición política, como si se tratase de un regalo. Esta historia acaba con una frase de uno de los enemigos declarados de Cristina Cifuentes. Tras la publicación

[10] Manuel Cerdán y M. A. Ruiz, «Cifuentes robó en un híper en 2011 siendo la nº 2 de la Asamblea de Madrid: éste es el vídeo», *Okdiario*, 25 de abril de 2018.

del vídeo y su posterior dimisión, Francisco Granados tuvo que ir a declarar a la Audiencia Nacional por su imputación en el caso Púnica. Al ser preguntado por el triste final de su otrora compañera de partido, dijo a los periodistas: «A mí hay una frase que me gusta mucho. Si quieres venganza cava dos fosas».

POSDATA 1: en febrero de 2021 la Audiencia Provincial de Madrid absolvió a Cifuentes, para quien la Fiscalía pedía tres años y tres meses de cárcel por inducir a la falsificación del acta del Trabajo Fin de Máster (TFM). El tribunal consideró que no había pruebas suficientes contra ella. Sin embargo, los magistrados sí condenaron a tres años de prisión a María Teresa Feito, la antigua asesora de Cifuentes, y a un año y seis meses a Cecilia Rosado, que reconoció durante el juicio ser la autora material de la falsificación. Según la sentencia, más allá del interés que Cifuentes pudiera tener en conseguir unos papeles que «justificaran la regularidad en la obtención» del máster, no se había podido acreditar que «impulsara, sugiriera o presionara para la falsificación». Es decir, que alguien decidió por ella falsificar el acta del TFM. «Por su cargo, no se manchó las manos», dijo la Fiscalía. El fallo, eso sí, dañó la reputación de la expresidenta. Señalaba que su testimonio en el juicio presentó un «conjunto de incongruencias, relevantes e incompatibles con la actuación regular de un estudiante de posgrado», además de considerar «inexplicable» que la expolítica mantuviese la teoría de que llegó a defender su TFM ante un tribunal.

POSDATA 2: Cifuentes echó a perder su carrera política, pero ganó 30 000 euros. En enero de 2023, la Audiencia Provincial de Madrid condenó a la sociedad Cecosa Hipermercados, filial del Grupo Eroski, a indemnizar con esta cantidad a la expresidenta madrileña (que en un principio había solicitado una compensación de 450 000 euros) por los daños y perjuicios ocasionados al no custodiar de forma «adecuada» las imágenes del famoso vídeo que se hicieron públicas en abril de 2018. Los magistrados destacaron que la grabación debió ser borrada en el plazo de 30 días. Actualmente Cifuentes vive de debatir como tertuliana en varios programas de televisión, como *Todo es Mentira* o *Tardear* o participando en afamados concursos. El último, *Masterchef Celebrity*, en TVE, por el que ha percibido 17 100 euros por episodio. Ironías del destino, el concurso tiene la palabra «máster». Como explicó en una entrevista para promocionar el *reality*, con los cuchillos de *Masterchef* te cortas si el cocinero los usa mal. En la política, en cambio, «la cuchillada te viene por detrás y muchas veces de quien menos te esperas. Y además, utilizan el cuchillo cebollero, que es el más grande y de ahí no te libras». Sabe bien de lo que habla.

POSDATA 3: en septiembre de 2022, Ayuso, ya presidenta de la Comunidad de Madrid, presentaba el retrato que había encargado de Cifuentes para que colgara en las paredes de la Casa de Correos. «Muchísimas gracias por todo lo que has hecho por los madrileños, por tanto trabajo y por tanto sufrimiento», señaló Ayuso, que aseguró entonces que su mentora Cifuentes había sido «inspiración a muchas personas que se han visto representadas por una mujer moderna, que apoyaba la moda española y los toros, que fue pionera en el uso de las nuevas tecnologías en política, que amaba los animales y la naturaleza, que respetaba las tradiciones y sentía pasión por las vanguardias que alimentan Madrid, que acercó a los jóvenes esta Administración, que siempre escucho al débil y se encaró firmemente ante quien lo merecía».

Si has leído el libro de principio a fin, sentimos informarte de que aquí se acaba la primera temporada de Ayuso, Zancadillas, intrigas y venganzas en la Corte de Madrid.

Si saltaste a este capítulo directamente desde el capítulo 2, buenas noticias: regresa a la página 69 y disfruta de 300 páginas extra.

ANEXO 2

Figura 1: orla universitaria de Isabel Díaz Ayuso.

Figura 2: dos jóvenes Isabel Díaz Ayuso y Pablo Casado.

Figura 3: Isabel Díaz Ayuso con Cristina Cifuentes.

Figura 4: Ayuso visitando la Cañada Real como viceconsejera de Justicia, gastando una broma al fotógrafo.

Figura 5: el equipo pretoriano y más estrecho de una Ayuso ya presidenta. A la izquierda, Miguel Ángel Rodríguez.

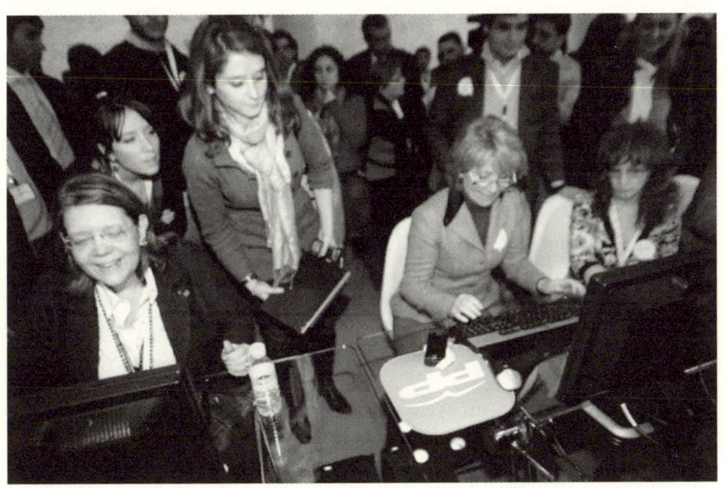

Figura 6: una joven Ayuso como asesora de Esperanza Aguirre.

Figura 7: Borja Carabante, Álvaro González, Esperanza Aguirre, Borja Fanjul y José Luis Martínez-Almeida con la camiseta de Los Dalton.

Figura 8: una joven Ayuso con sus dos madrinas políticas: Esperanza Aguirre y Cristina Cifuentes.

Figura 9: Ángel Garrido, consejero de Justicia cuando Ayuso era su viceconsejera. Apodado el «Kennedy de Vallecas» porque tenía gran admiración por el presidente norteamericano. Aquí posa con un retrato que encargó de él.

Figura 10: Ayuso acompañando a Pablo Casado cuando presentó los avales para participar en las primarias que le auparon a la presidencia del PP nacional.

Figura 11: Ayuso en el curso de comunicación política que organizó en la Universidad Rey Juan Carlos.